Cumandá
o un drama entre salvajes

Letras Hispánicas

Juan León Mera

Cumandá
o un drama entre salvajes

Edición de Ángel Esteban

CUARTA EDICIÓN

CÁTEDRA
LETRAS HISPÁNICAS

1.ª edición, 1998
4.ª edición, 2011

© Ediciones Cátedra (Grupo Anaya, S. A.), 1998, 2011
Juan Ignacio Luca de Tena, 15. 28027 Madrid
Depósito legal: M. 35.403-2011
ISBN: 978-84-376-1627-8
Printed in Spain
Impreso en Fernández Ciudad, S. L.
Coto de Doñana, 10. 28320 Pinto (Madrid)

Índice

Introducción

Juan León Mera.

Cumandá es la primera novela ecuatoriana[1]. Algo tardía (1879) si atendemos al nacimiento de la narración larga en otros lugares de nuestra América, pero necesario punto de partida: con ella comienza un largo y fecundo recorrido en la ficción de este país, que llega a su culminación casi cien años más tarde, integrado en el amplio eco que la literatura escrita en la lengua de Cervantes, y escrita en Hispanoamérica, deja en el mundo entero mediado el siglo XX.

La importancia de este primer modelo narrativo no estriba únicamente en su carácter inaugural, sino también en haber sintetizado casi todos los temas que han tejido la historia ideológica interna del romanticismo hispanoamericano: el espíritu como expresión extrema de la sensibilidad, la recuperación del pasado en el tratamiento del problema indígena y la confluencia de razas, la categoría existencial y política que desarrolla el conflicto de la identidad nacional, la incorporación de la América Hispánica a los circuitos del capitalismo internacional, el dualismo de la naturaleza que exhibe su cara interior y exterior, y descansa sobre un dualismo más profundo, el de la naturaleza y la historia; la oposición sistemática, que pretende ser esclarecida, delimitando contornos precisos, entre providencia y destino, carne y espíritu, etnocentrismo y periferia, libertad y responsabilidad, igualdad esencial y diferencia accidental, autodeterminación y gobernabilidad, armonía y caos, pasión y voluntad, etc.

---

[1] Ésta es la opinión común entre la mayoría de los críticos. Cfr. Ángel F. Rojas, *La novela ecuatoriana*, México, Fondo de Cultura Económica, 1948, pág. 46: «La novela en el Ecuador empieza con Juan León Mera.»

I. TODA LA VERDAD SOBRE EL BUEN SALVAJE

Para llegar al concepto del indio que los románticos desarrollaron en multitud de obras europeas y americanas conviene aludir al desarrollo de su imagen desde los primeros contactos entre las civilizaciones de ambos lados del Atlántico. El mito del buen salvaje no es una invención rousseauniana, sino una abstracción cuyos parámetros tienen vinculación con los primeros exploradores europeos. Del mismo modo, la visión del indígena como ser inferior al humano occidental, un bárbaro degenerado, es también una propuesta temprana: Oviedo llega a afirmar que la naturaleza del habitante de aquellos parajes no difiere demasiado de la de un animal común, y Buffon asegura que todas las especies animales americanas son netamente inferiores, incluyendo al indio, ya que el medio lo ha condicionado a través de la humedad, que ha provocado la falta de madurez. Los territorios indianos han evolucionado menos que los europeos porque allí la superficie terrestre es más joven, y todavía no se ha secado. La tesis de Buffon, expresada con vehemencia y sistematicidad en su *Historia Natural* de 1749, hunde sus raíces en los comentarios de conquistadores y colonizadores, aunque su origen no es tanto político, religioso o social como biológico, ya que parte de la base de que el medio físico es particularmente nocivo para el desarrollo de especies superiores, civilizadas, inteligentes[2]. A partir de ahí se creará en Europa una corriente de opinión que origina una larga polémica, cuando Montesquieu, favorecido por su prestigio y siguiendo la tendencia mecanicista que establece un nexo causal y una conexión necesaria y orgánica entre los seres vivos y su hábitat, propone en *De l'esprit des lois* (1749) que el clima determina las costumbres e incluso las mismas leyes de los pueblos, y por ende, en los lugares donde se disfruta de un clima cómodo, cálido y benigno, la

---

[2] Cfr. Antonello Gerbi, *La disputa del Nuevo Mundo: historia de una polémica, 1750-1900*, México, F.C.E., 1982, págs. 7-9.

civilización se deteriora hasta la indolencia y la pereza más corrosivas.

Dos décadas más tarde aparece la obra que culmina el proceso denigratorio contra la dignidad del indígena americano: De Pauw publica *Recherches sur les americaines* (1768), obra vituperada por la opinión pública española y por los jesuitas expulsados de los territorios americanos que se encontraban en Europa, pero que encontró un generoso eco en Francia y en la Europa calvinista. De Pauw centraba su argumentación en la corrupción de la naturaleza, debido a una serie de catástrofes naturales, como el diluvio que allí tuvo lugar, el cual, según Bacon, tuvo consecuencias irreparables. Apoyado en textos clásicos de los cronistas más conocidos, desempolvó De Pauw la antigua tesis aristotélica sobre la existencia de *esclavos por naturaleza*. Aristóteles, caído en desgracia en pleno Siglo de las Luces, arrinconado por racionalistas y sensualistas, es utilizado por heterodoxos y ortodoxos cuando conviene. Intereses coloniales, prejuicios raciales, leyenda negra que oculta el exterminio casi absoluto del indígena del norte y revancha ideológica protestante frente al mundo católico[3] son algunos de los factores que explican esta actitud. Ahora bien, no faltan en el entorno hispánico autores que coinciden con los postulados de De Pauw, Raynal (*Histoire philosophique et politique des établissements des Européens dans les deux Indes*, 1770) o Robertson (*History of America*, 1777). En Ecuador existe un testimonio contemporáneo (1774) que acentúa si cabe el cariz peyorativo de las opiniones antiespañolas de los europeos. Francisco de Requena, en su *Descripción de la Provincia de Guayaquil*, no duda en confirmar:

> El carácter de las gentes de esta ciudad, es semejante al de las demás de la provincia, que no saben aprovecharse de los bellos frutos (...) ni de una infinidad de cosas que producen

---

[3] Cfr. Antonello Gerbi, *op. cit.* págs. 66 y ss; Pilar Ponce Leiva, «Un espacio para la controversia: la Audiencia de Quito en el siglo XVIII», *Revista de Indias*, 52, 195-196 (1992), pág. 861; Vittorio Messori, *Leyendas negras de la Iglesia*, Barcelona, Planeta, 1996, págs. 21 y ss; Concha Meléndez, *La novela indianista en Hispanoamérica (1832-1889)*, Río Piedras, Universidad de Puerto Rico, 1961, págs. 57 y ss.

estos terrenos y de los cuales podrían sacar muchas comodidades si se tomaran el trabajo de cogerlas (...); es verdad que para esto no son propios los que nacen en temperamentos cálidos y suaves, porque les falta inclinación a los ejercicios penosos, apeteciendo más la quietud que la fortuna (...), y así aman la ociosidad y holgazanería[4].

Son detalles que algunos teóricos del XIX no pasarán por alto cuando traten de descubrir las raíces de la identidad nacional, una vez conseguida la independencia. Sarmiento, en su obra capital *Facundo* (1845), sugiere una cierta inferioridad de las etnias autóctonas frente a las civilizadas europeas, y gran parte de los escritores gauchescos presentan al indio como un bárbaro ante el gaucho[5]. Incluso escritores indigenistas de principio del siglo XX, influidos por el darwinismo social, el positivismo o el racismo de Gobineau, atribuyeron el retraso de las civilizaciones hispanoamericanas a una supuesta *mala sangre* que no sólo afecta a los indios, sino que se extiende a negros, mestizos, mulatos y zambos. Esta corriente puede rastrearse en obras como las de los argentinos Carlos Octavio Bunge (*Nuestra América*, 1903) y José Ingenieros (*Sociología argentina*, 1910), los bolivianos Alcides Arguedas (*Pueblo enfermo*, 1909 y *Raza de bronce*, 1919) y Nicomedes Antelo, los peruanos Francisco García Calderón (*Las democracias latinas de América*, 1913), Javier Prado y Mariano Cornejo (éste llegó a afirmar que la raza indígena es *esencialmente* débil de ánimo), o autores más tardíos como Homero Guglielmini (*Temas existenciales*, 1939), quien aplaude la evolución de la conquista de toda América por los europeos, porque la raza blanca, civilizada y verdaderamente humana ha vencido (sobre todo en Estados Unidos y Argentina) a las fuerzas telúricas y elementales, representadas por indios y negros[6].

---

[4] Cit. por Pilar Ponce Leiva, *op. cit.* pág. 862.
[5] Cfr. Juan José Sebreli, «Indigenismo, indianismo, el mito del buen salvaje», *Cuadernos Hispanoamericanos*, 487 (1991) pág. 48.
[6] Más información en Martin S. Statt, *América Latina en busca de una identidad. Modelos del ensayo ideológico hispanoamericano 1900-1960*, Caracas, Monte Ávila, 1969.

La tendencia contraria responde al conocido mito del buen salvaje, que es origen de una gran cantidad de novelas del XIX, incluida *Cumandá*, aunque en ésta la imagen del indio se encuentra algo más matizada. El problema de estas teorías estriba precisamente en la simplicidad de sus planteamientos. Son concepciones maniqueas de la cultura, la civilización, la raza y los efectos de un determinado ambiente físico y social sobre el hombre. Defensores a ultranza y estigmatizadores dividen el mundo en buenos y malos. Por eso el gran descubrimiento de algunos intelectuales de nuestro siglo, bien encaminados por las indagaciones de Martí y algunos modernistas hispanoamericanos, ha sido la disolución de una frontera estrecha entre *civilización* y *barbarie*, propuesta en principio por Sarmiento, y a cuyo sostenimiento contribuyeron escritores de toda índole, moviendo las piezas de un lado a otro de la oposición. Pocos escritores de Indias supieron captar la multiplicidad de las culturas indígenas y la variedad de matices sociales y culturales que pueden encontrarse dentro de una región geográfica más o menos amplia. Cabeza de Vaca fue, probablemente, el que antes intuyó que los indios no son buenos por naturaleza ni inferiores por esencia. Los *Naufragios* nos hablan con la misma objetividad de los indios que atacan sin previo aviso a un grupo de extraños (cap. VI, llegada a Apalache), de los que acogen a los españoles y les ofrecen casa, comida y bebida (cap. IX, partida de la bahía de Caballos), de los que son «sin razón y tan crudos, a manera de brutos», pero que se compadecen de los males ajenos (cap. XII), o de aquellos que poseen un alto grado de civilización, hasta el punto de ser «la gente del mundo que más aman a sus hijos y mejor tratamiento les hacen» (cap. XIV).

Sin embargo, desde Cristóbal Colón, la literatura se llena de elementos descriptivos simples. El genovés coloca al indígena como un elemento más del paisaje, y se admira de su bondad interior y exterior. Las categorías que utiliza no van más allá de la oposición bueno/malo, y su espectro de valores es definido en términos claramente etnocéntricos. En esa línea circularán los escritores de la colonia hasta que se plantee en toda su crudeza el debate sobre la dignidad del indio y su carácter plenamente humano. Algunos autores, como O'Gorman, García Gallo o Abellán, aseguran que nadie llegó a pensar realmente que los indígenas fueran sólo animales evolucionados o razas inferiores, y que si ese argumento se utilizó con frecuencia fue exclusivamente para justificar la dominación. El planteamiento antropológico daba credibilidad y fuerza moral a las posibles alternativas jurídicas. Si bien en 1495 Isabel autoriza a Colón en una cédula para la venta de esclavos, acto seguido eleva una orden al obispo de Badajoz para suspender todo tipo de transacción comercial con ellos hasta que, consultados teólogos y juristas, se afirmase o no la legitimidad de la acción. Cinco años más tarde, en una Cédula Real, se declara libres a los pertenecientes a otras etnias, se condena la esclavitud y el tráfico de seres humanos. Ahora bien, legalizado el régimen de encomiendas en 1509, el indio se vio sometido, en la práctica, a ese régimen de explotación.

El primero en poner el grito en el cielo fue Antonio de Montesinos, en 1511, con su famoso sermón en el que acusaba a los colonos de malos tratos y abusos contra los indios, hombres como los europeos, objeto del amor que todo cristiano debe ofrecer al prójimo. El eco de esa demanda se concretó en la convocatoria de una Junta[7], por parte del rey Fernando, y las Leyes de Burgos, donde se intenta garantizar el trato humano a los indios, sin poner en duda la legitimidad de la conquista, colonización y evangelización de los territorios indianos. En 1516 se realiza en La Española una encues-

---

[7] En ella se debaten tres posturas: la del licenciado Gregorio, que defiende la teoría aristotélica de los *esclavos por naturaleza*, justificando de modo absoluto los rigores de la colonización; la de Matías Paz, que favorece al indio, negando la posibilidad de la esclavitud, pero reconociendo el servicio que deben prestar a la Corona, como miembros de pleno derecho; y otra intermedia, de Juan López, que compagina la idea de humanidad y libertad del indio según la ley natural con la afirmación del poder del Papa, interpretando las bulas dadas en relación con la conquista como una confirmación del derecho español sobre los indígenas. Cfr. Beatriz Fernández Herrero, «Del bárbaro degenerado al buen salvaje. (Estudio acerca del concepto del indio americano)», *Cuadernos Hispanoamericanos*, 536 (1995), págs. 8 y ss. Algunos de los datos aportados seguidamente han sido extraídos de esas páginas esclarecedoras.

ta a los colonos para captar su opinión sobre el grado de humanidad de los indios, y el resultado es bastante negativo: la opinión más generalizada duda de la capacidad del indígena para vivir de modo independiente, sin la tutela del español civilizado. Incluso religiosos como Pedro Mexía o Bernardo de Santo Domingo eran de la misma opinión. Una nueva junta de teólogos se reúne en 1517, y en ella se llegó a proponer castigos muy duros para aquellos que negaran la categoría humana para los indios. Así, en la década de los veinte, vuelve a legislarse prohibiendo la esclavitud, y en 1537 el Papa Pablo III tiene que declarar formalmente, en la bula *Sublimis Deus*, que todo hombre, incluido el indio, tiene alma racional y libre. La labor de Las Casas también se ha dejado notar, desde su *conversión* a raíz del sermón de Montesinos, su abandono de las encomiendas, la creación de comunidades, su defensa a ultranza de la condición del indio, su ingreso en el estado religioso, sus viajes a la metrópoli para conseguir pasos legislativos a favor de la igualdad, hasta su ordenación episcopal, la promulgación de las Leyes Nuevas por parte de Carlos I, que contenían aspectos beneficiosos para los indígenas solicitados por él, y la publicación de sus obras en favor de los indios. Lástima que sus exageraciones en torno a las barbaridades cometidas por los españoles y su terrible olvido durante varias décadas de las penosas circunstancias que envolvían a la población africana igualmente esclavizada[8], hayan contribuido a crear la leyenda negra española y hayan restado cohesión y fuerza a sus desvelos. A pesar de todo, tenemos testimonios elocuentes al final de su vida donde intenta reparar este peligroso olvido.

La polémica con Ginés de Sepúlveda (Valladolid, 1550) vuelve a crear una división radical entre los dos extremos. Mientras éste rememora las enseñanzas de Aristóteles en *La*

---

[8] Véase la tremenda ironía con la que Borges critica este aspecto de la actividad de Las Casas en su cuento «El espantoso redentor Lazarus Morell»: «En 1517 el P. Bartolomé de las Casas tuvo mucha lástima de los indios que se extenuaban en los laboriosos infiernos de las minas de oro antillanas, y propuso al emperador Carlos V la importación de negros que se extenuaran en los laboriosos infiernos de las minas de oro antillanas», en *Historia universal de la infamia*, Madrid, Alianza Editorial, 1991, 9.ª reimpresión, pág. 17.

Política, Las Casas retoma los postulados del buen salvaje y aplica como criterio de autoridad la doctrina papal y la ya abundante legislación española al respecto. Las Casas no diferencia tipos de indígenas, sino que elabora la oposición indio salvaje (bueno en estado natural)/ blanco *civilizado* (malo, a pesar del privilegio que tuvo al ser evangelizado hace tantos siglos). Sin embargo, Las Casas no es el primero en aplicar este fenómeno a los aborígenes americanos. Ya Pedro Mártir de Anglería, a principio de siglo, en uno de los libros que inauguran el epistolario *Décadas del Nuevo Mundo*[9], cuenta la historia de un aborigen de Cuba que explica a uno de los primeros exploradores los principios cristianos que él mismo ha aprendido gracias a su contacto libre, directo y profundo con la naturaleza.

Pocos años después de la muerte de Las Casas, la influencia de la corriente utópica empieza a notarse en literaturas no hispánicas. Antes de que Garcilaso aplicara el concepto a los incas, diferenciándolos por tanto del resto de los indios, y Guamán Poma de Ayala nos recordara el estilo apologético del obispo de Chiapas en su *Nueva Corónica y Buen Gobierno*, Montaigne escribía *Des cannibales* (1580), basado en el testimonio de un sirviente suyo que le contó sus aventuras durante doce años en Brasil, y en las conversaciones del escritor francés —al menos así lo afirma Montaigne— con algunos indios que habían llegado a Francia. De ese modo llegó a concebir un estado perfecto de naturaleza, no contaminado por la civilización occidental, ajeno a las mezquinas preocupaciones sociales de los europeos. Detrás de esta primera apología vinieron una serie de obras indianistas que comenzaron a exaltar al personaje exótico. En la *Utopía* de Tomás Moro y en el *Encomion Moriae* de Erasmo ya había ideas parecidas. En 1650, Juan de Palafox ensalza al indio por su inocencia, su modo de vida, su resignación, su sobriedad, en *Virtudes del indio*. Más adelante, se dan a conocer y causan

---

[9] Libro publicado primeramente en latín bajo el título *De Orbe Novo*, en los primeros años del siglo XVI, y cuya traducción al español no ve la luz hasta 1892, versión de Joaquín Torres Asensio para conmemorar el cuarto centenario del Descubrimiento.

una gran admiración los relatos sobre las misiones jesuíticas en Canadá de Lafitau o del padre Charlevoix, y los correspondientes al Paraguay. Tales relatos fueron muy leídos durante los siglos XVII y XVIII, y contribuyeron a que, tanto en Francia como en Inglaterra, España e Hispanoamérica, el indio se convirtiera en una figura decorativa, folclórica, que es el origen más cercano de la novela indianista hispanoamericana, de la que *Cumandá* representa la última fase, un momento de transición hacia la narrativa indigenista reivindicativa.

En el siglo XVIII se plantan las bases para que el nacimiento de la novela responda a las demandas de los lugares en vías de emancipación. Junto a los procesos sociales, el mundo de la cultura y el pensamiento contribuyen a la creación de los elementos necesarios para que los futuros países desarrollen la idea de la identidad nacional. El buen salvaje aportará una visión positiva de lo periférico tanto en autores europeos como americanos. Voltaire, en 1736, concede al indio unas virtudes superiores a las del europeo en su tragedia *Alzire*, pues su simplicidad, su vida natural, supera en bondad a la del civilizado. Las obras de Voltaire fueron traducidas al español durante el dominio borbónico en España, y circularon por la América hispánica nada más terminar el proceso revolucionario. Un discípulo suyo, Marmontel, aporta ya en su novela *Les Incas* (1777) algunos rasgos románticos, y tiene como fuentes fundamentales los *Comentarios Reales* de Garcilaso y las obras de Las Casas y Antonio de Solís. Por ahí vuelven a entrar en Francia de modo directo las nociones sobre el buen salvaje que ya tenían dos siglos. En el pensamiento de Vico o Herder se siente también la importancia que el siglo atribuye al primitivo y al ambiente de época, que insiste en los efectos nocivos de la corrupción de las costumbres y la degeneración de las instituciones en los países civilizados, todo lo cual se presenta como causa inmediata de la decadencia de los pueblos. Por eso el siglo de la Ilustración pone tanto énfasis en el problema de la educación y su literatura se llena de aspectos didácticos. Sin ir más lejos, Rousseau entra en vibración con el problema del buen salvaje a través de un proyecto educativo. En 1749, en una de las caminatas que solía dar para visitar a Diderot, lee en el *Mercure* la convocatoria de un concurso, en la Academia de Dijon, por el que se otorgaba un premio de ensayo a quien escribiera sobre la relación entre el avance de las ciencias y el estado de las sociedades. En concreto se trataba de describir qué efecto tiene sobre los individuos el restablecimiento de las artes de las ciencias; es decir, si los avances científicos, técnicos y las obras de pensamiento influyen positivamente en la conducta social y moral de los miembros de una comunidad. En ese momento comenzó —asegura en sus *Confesiones* y en sus *Ensoñaciones*— a vislumbrar las contradicciones del sistema social imperante en su época y en su entorno geosocial, los abusos de las instituciones, la profunda perversión del hombre contaminado por el contacto con otros hombres, así como la esencial bondad del hombre cuando se encuentra en estado de naturaleza, neutro, sin influencias externas ni procesos educativos o integraciones en grupos sociales. En los ensayos de las siguientes décadas, Rousseau dudará de la existencia real del hombre en estado de naturaleza (*Discurso sobre el origen de la desigualdad entre los hombres*, el *Emilio*, el *Contrato Social*), pero esa mera hipótesis es un concepto regulador que permite afrontar el problema de la corrección y la transformación de la degenerada sociedad presente[10]. No desea apartarnos de la historia o de la antropología concebida como ciencia basada en cierta experimentabilidad, sino demostrar los puntos débiles del pensamiento ilustrado referentes a la educación y la perfectibilidad. En el segundo discurso sobre la desigualdad presenta abiertamente la hipótesis sobre el estado de naturaleza. Imagina al salvaje con apenas necesidades, incapacitado para sorprenderse y valorar los fenómenos naturales pero a la vez carente de vanidad y malas ambiciones, inocente, anterior a los criterios de moralidad que separan el bien del mal.

Los años 60, a través de las obras de Rousseau, se llenan de páginas que evocan el tipo abstracto del indio exótico, y a

---

[10] Cfr. Esteban Tollinchi, *Romanticismo y Modernidad. Ideas fundamentales de la cultura del siglo XIX*, Río Piedras, Universidad de Puerto Rico, 1989, págs.481 y ss.

ello también contribuyen los abundantes viajeros que surcan los océanos y encuentran lugares que llaman la atención por el estado de primitivismo de sus habitantes. Bougainville, que se convierte en el primer francés que navega alrededor del mundo, entre 1766 y 1769, y el Capitán Cook, a partir de 1768, despiertan con sus relatos el interés por las islas del Pacífico, por la belleza de sus mujeres, la suavidad del clima, el estado de naturaleza, la soledad y el aislamiento. Incluso Denis Diderot, en su comentario al viaje del francés titulado *Suplemento al viaje de Bougainville*, de 1772, ensalza la vida de los salvajes, tomándola como argumento para criticar la huella perniciosa que las instituciones consagradas y tradicionales dejan en los miembros de las sociedades supuestamente avanzadas. A todo esto hay que añadir el enorme eco expansivo de la polémica sobre el indio que enfrentó las tesis racistas de Raynal, De Pauw, etc., con los defensores a ultranza del indio hispanoamericano, en la que cobran una importancia vital los religiosos expulsados de América en la segunda mitad del XVIII.

Los jesuitas llegan a América entre 1568 y 1572. Gracias a su dinamismo y disciplina, a mediados del XVIII cuentan con 600 miembros en el virreinato portugués y 2.500 en las colonias españolas. Para sostener todas sus labores educativas y asistenciales poseen multitud de ranchos ganaderos, fábricas textiles y haciendas de azúcar y vino. Sus empresas más famosas fueron las reducciones del Paraguay, fundadas en 1607 donde, cien años más tarde, tenían unos 130.000 indios bajo su tutela en comunidades de régimen colectivista dedicadas a la agricultura y el pastoreo. En 1759 son expulsados de Brasil y en 1767 de todos los territorios hispanoamericanos, medida que responde al deseo de control absoluto que las monarquías ilustradas intentaban implantar en todos sus territorios, al miedo de que la Compañía influyese de algún modo en los motines en pro de la independencia que ya empezaban a ser frecuentes y, en el fondo, al anticlericalismo y regalismo de un estado cada vez más materialista y en vías de laicización. Muchos de esos jesuitas (vistos con recelo por su voto especial de obediencia al Papa), y otros clérigos y religiosos a los que salpicó una medida tan regresiva y sectaria, llegados a Europa con el único aliento del prestigio intelectual y moral, intervinieron activamente en las polémicas sobre la naturaleza del indio. Clavijero, por ejemplo, responde directamente a los planteamientos racistas con su *Historia antigua de México* (Cesena, 1780-1781), obra en la que defiende la cultura azteca, en contra de la pretendida debilidad de raza que los ilustrados centroeuropeos afirmaban para los habitantes del Nuevo Mundo. Juan Ignacio Molina hace lo propio en el otro extremo de Hispanoamérica con su *Compendio de la historia geográfica, natural y civil del reino de Chile*, y *Ensayo sobre la historia natural de Chile*, obras publicadas también en Italia. En Ecuador, Espejo critica sobre todo los vicios de un poder anclado todavía en un sistema anacrónico, propio de los inicios de la conquista, y Juan de Velasco, desde Roma, ataca claramente a los detractores de la sociedad americana en su *Historia General del Reino de Quito*.

Con todas estas aportaciones no es extraño que la narrativa tanto europea como americana se puebla durante el siglo XIX de ejemplos que aludan al comportamiento y la naturaleza del indio. En *Cumandá* encontraremos también todos los ingredientes que rodean a las tramas sentimentales típicas del romanticismo. Buen salvaje y sentimientos a flor de piel pasarán desde Rousseau hasta la primera novela ecuatoriana por el largo puente de Chateaubriand, Saint Pierre, Manuel Belgrano (*Molina*, 1823), Cooper, Humboldt y los más cercanos Mármol e Isaacs. En este contexto sentimental y naturista, *Cumandá* oscilará entre la descripción objetiva del paisaje con el fin de captar el color local y la concepción de la naturaleza como proyección sentimental de la interioridad humana. A través del primer extremo de la oscilación, Mera plasma toda la admiración real que le provoca la contemplación de la naturaleza selvática, y sugiere a partir de ahí la idea de la identidad nacional, en esta primera fase de constitución y consolidación de las nuevas repúblicas americanas independientes; es patente, así, el orgullo nacional que siente al describir «el laberinto de la vegetación más gigante de la tierra»[11], las flores

---

[11] Cap. I, pág. 92 de esta edición. A partir de ahora todas las citas de la novela se realizarán dentro del texto, con el número de página correspondiente a esta edición entre paréntesis.

«que no soñó nunca el paganismo en sus Campos Elíseos» (cap. I, pág. 93), el paisaje riobambeño, etc. En el otro extremo de la oscilación, la naturaleza se convierte en paisaje subjetivo, en amiga y confidente de los personajes, que dialogan con ella (con las palmeras, la luna, las estrellas), o participan mutuamente de sentimientos comunes (miedo, dolor, tristeza, paz, melancolía, angustia, etc.). Tan fuerte es esa unión, que los personajes pierden su fuerza original cuando son considerados fuera de su entorno natural; son su producto, y son las fuerzas telúricas las que confieren al hombre de esas regiones su *modus vivendi* y lo hacen indómito y rebelde, tierno y a la vez cruel, ingenuo y audaz. Y es que Mera entendió, como buen romántico, la naturaleza como una unidad viviente en constante evolución, que en el siglo XIX se concreta en la tradición de un genuino mestizaje étnico y cultural entre las idiosincrasias indígenas y el sustrato hispánico.

II. Juan León Mera en el Ecuador independiente

La historia de Hispanoamérica en el siglo XIX se puede resumir en la búsqueda de la autenticidad, la plasmación de una idiosincrasia que concrete el proyecto de libertad comenzado con la emancipación y el intento de integración en los circuitos intercontinentales del capitalismo moderno. En literatura, todo esto se entiende como la indagación acerca de la propia expresión, que no puede limitarse a una imitación —como ocurría en los siglos anteriores— de los modelos españoles y europeos, pero que a la vez no puede deshacerse tan fácilmente del peso de la tradición y de la continua intercomunicación de bienes culturales, que fluyen de un lado a otro del Atlántico cada vez con mayor libertad y rapidez. Se da, por tanto, un paralelismo y una relación de mutua dependencia entre los aspectos económicos, políticos y sociales, y las manifestaciones literarias de un país o civilización. En Ecuador, la situación a fines del XVIII oscila entre el desarrollo económico y la irrupción de los primeros brotes serios de independentismo, que recogen la doble onda expansiva de los cambios políticos determinantes en Francia y los Estados Unidos, y el deterioro de las siempre conflictivas relaciones entre metropolitanos, criollos y el resto de las etnias y clases sociales. De hecho, *Cumandá* comienza diacrónicamente (cap. VI) con la alusión histórica a la revolución indígena de 1790[12], de los indios de Columbe y Guamote (actual provincia del Chimborazo), probablemente contada a Mera por Pedro Fermín Cevallos, y en la que aquéllos, para liberarse de la opresión que ejercían sobre ellos los colonos mediante el obraje y los huasipungos, desataron toda su violencia hasta provocar una severa matanza. Ya en 1765 se había desencadenado una primera revuelta en Quito, la cual, aunque no tenía un carácter netamente indigenista, constituyó sin embargo un aviso serio al poder ilustrado de los Borbones, que pretendía controlar la economía colonial hasta los últimos detalles, perjudicando tanto a los hacendados como a los pequeños comerciantes. En 1780 tuvo lugar, también en el ámbito de la región, la mayor de las revoluciones anteriores a la independencia, coincidiendo con las de Columbe y Guamote. José Gabriel Túpac Amaru, cacique mestizo de Tinta, al sur del Perú, ejecuta al corregidor Antonio Arriaga, y desencadena una ola de protestas contra los obrajes[13], repartimientos y demás métodos de esclavización del

---

[12] Hay un trabajo histórico que corrige las fechas de esa sublevación. Según Moreno Yánez, en *Sublevaciones indígenas en la Audiencia de Quito. Desde los comienzos del siglo XVIII hasta finales de la Colonia*, Bonn, Boner Amerikanistische Studien, 1976, pág. 19, «Pedro Fermín Cevallos y Gonzalo Suárez lo trataron someramente (el tema de las sublevaciones indígenas) en sus obras históricas. El primero refiere algunos hechos de la sublevación de 1780 en la tenencia general de Ambato y duplica erróneamente la rebelión acaecida en Guamote y Columbe en 1803, parte de cuyos acontecimientos traslada al año 1790.»

[13] En el capítulo VI de *Cumandá*, Mera describe las penosas condiciones de vida del indio Tubón (Tongana más tarde) y su familia, en el *obraje* que dirigía Domingo, padre de Carlos, causa inmediata de la revolución que origina el tema y el argumento de la obra. Acerca de los obrajes como institución esclavista, existe una valiosa descripción de los viajeros españoles del siglo XVIII Antonio y Jorge Juan de Ulloa, en su libro de viajes *Noticias secretas de América*, que fue publicado en 1826. Citaré la edición de Buenos Aires, Mar Océano, págs. 215-216: «El trabajo de los obrajes empieza antes que aclare el día, a cuya hora acude cada indio a la pieza que le corresponde (...) y en ella se les reparten las tareas; (luego) cierra la puerta el maestro del obraje y los

indígena. Y aunque Túpac Amaru es ajusticiado en 1781, la estela de revoluciones que provocó ya no pudo ser desarraigada hasta que comenzó el proceso directo de independencia a principios del XIX. Ahora bien, las revueltas del XIX que llevaron a la emancipación nada tuvieron que ver con las reivindicaciones de los indígenas; sus mismas acciones fueron frenadas por los criollos, que se beneficiaron del ambiente creado para eliminar el poder monárquico, impidiendo a la vez que la gran masa popular obtuviera mejoras en su situación social o económica. Uno de los primeros gritos de la independencia americana, el 10 de agosto de 1809 en Quito, tuvo como protagonistas a los mismos que habían sofocado los levantamientos indígenas. Se sabe que, por ejemplo, Quiroga y el marqués de Selva Alegre participaron en la lucha contra la rebelión de Túpac Amaru, y que el capitán Salinas aplastó el levantamiento de los indígenas de Atuntaqui. Además, muchos de ellos no ocultaban los fines exclusivamente personales y económicos que buscaban; no en vano más de uno conservaba pleitos con la Corona desde 1785 por evasión de impuestos.

En el plano económico, Ecuador participa del florecimiento que los territorios con abundantes recursos naturales y mano de obra barata estaban experimentando. Su riqueza no proviene de la plata ni el oro, sino de la industria del paño, sobre todo en la Audiencia de Quito, donde los obrajes funcionaban a la perfección, y de la exportación de productos alimenticios hacia las metrópolis europeas. Por ejemplo, desde comienzos del XVIII hasta 1821 se multiplica por seis la producción de cacao, y entre 1788 y 1820 se duplican sus ventas al exterior[14]. La monar-

---

deja encarcelados (...). Cuando la oscuridad de la noche no les permite trabajar entra el maestro del obraje a recoger las tareas: aquellos que no las han podido concluir (...) son castigados con tanta crueldad que es inexplicable; y hechos verdugos insensibles, aquellos hombres impíos descargan sobre los miserables indios azotes a cientos (...). Hay un lugar determinado con cormas o cepos para castigarlos más indignamente (...). La consecuencia de ese trato es que aquellos indios se enferman a poco tiempo de estar en ese lugar, y (...) mueren aun antes de haber podido pagar el tributo con los jornales de su trabajo.»

[14] Cfr. Oswaldo Hurtado, *El poder político en el Ecuador*, Quito, Universidad Católica, 1977, pág. 32.

quía española, para controlar ese mercado, en el que Francia e Inglaterra tenían confesados intereses, puso impedimentos para la exportación de grandes cantidades, que a menudo eran burlados por el contrabando, la piratería o la presión de los comerciantes europeos. Así, en 1809, el nivel de las exportaciones de la Audiencia de Quito era tal, que sobrepasaba los 10 millones de libras esterlinas[15].

Si bien las bases económicas para hacer triunfar la revolución eran sólidas, poco duraron los primeros brotes independentistas, pues el golpe de Quito del 10 de agosto de 1809 se dejó sentir escasamente un año, mientras Bolívar, que intentaba la insurrección en Venezuela, tuvo que huir ante la contraofensiva de los llaneros venezolanos, que en ese momento apoyaban la causa metropolitana. Además, la mayoría de las fuerzas indígenas luchaban a favor de España, dado que la clase criolla revolucionaria nunca había favorecido los intereses del pueblo. De hecho, cuando más tarde triunfa el ejército independentista —formado, por cierto, en su mayoría, con mercenarios europeos— en Pichincha y Ayacucho (1824), la Gran Colombia ha de enfrentarse con el General Agualongo, de origen indígena, que consigue sublevar a la provincia de Pasto contra la República recién nacida. La creación de esa Gran República (1822) no derivó en una unidad de progreso pacífico, sino que aumentó las diferencias entre los diversos pueblos que la formaron. Los departamentos de Quito, Guayaquil y Azuay (distrito del Sur) sufrieron una discriminación en forma de impuestos (cada vez mayores), aumento de la Deuda Pública (se les exigía una proporción desorbitada, el 21,5% del total de la Gran Colombia), exigencia de una colaboración económica abultada y conseguida con violencia para el término de los programas emancipadores, nombramientos de cargos (casi siempre funcionarios venidos de Bogotá) y mantenimiento de un ejército de ocupación que implicaba un control molesto sobre la zona. Por ello, en 1830 Ecuador se separa de la Gran Colombia, y se

---

[15] Cfr. Rosa Meneses, «Raíces socio-culturales de *Cumandá*», en Manuel Corrales Pascual (ed.), *Cumandá, contribución a un Centenario*, Quito, Universidad Católica, 1979, pág. 37.

constituye como República independiente. Elige como primer presidente al general Juan José Flores y emana su primera Constitución, la cual refleja que la independencia sólo ha conseguido ciertas reivindicaciones económicas para los exportadores e importadores, muchas garantías de continuismo para los terratenientes y sus prebendas, y el mismo régimen de ostracismo para las clases bajas y etnias desfavorecidas. Dos años después nace Juan León Mera en Ambato, una pequeña ciudad al sur de Quito, vecina de los Andes ecuatoriales.

Uno de los escollos más claros que intenta sortear esta etapa inaugural del gobierno independiente del Ecuador es la gran diferencia entre la sierra y la costa. La emancipación dividió a la clase dominante, y la que ocupaba el altiplano quedó en desventaja con respecto a la de la costa, pues a través del puerto de Guayaquil el comercio internacional produjo grandes fortunas. Y aunque en la costa también existían formas serviles de producción, como la sembraduría o finquería, poco a poco se iban introduciendo relaciones de tipo capitalista en plantaciones de cacao, recolección de productos selváticos o confección de prendas de vestir. La explotación semiesclavista, sin embargo, no desapareció. Con todo, el indígena prefería las menos malas condiciones de vida de la costa, por lo que la emigración era una constante en la época. Si en 1780, la costa suponía un 7,19% de la población, en 1824 ya era del 15%, y en los años treinta de nuestro siglo rozaba el 40%[16]. Las medidas no se hicieron esperar: en 1831 se exhorta a las autoridades a proceder con todo el rigor de las leyes para evitar que los indígenas serranos emigren a las tierras cálidas del litoral[17]. Las desventuras de las clases bajas no terminan ahí: para ser ciudadano, votar y ser votado en elecciones, en esta nueva tesitura, hacía falta tener una renta anual no menor de 300 pesos o un bien de por lo me-

---

[16] Cfr. Ángel F. Rojas, *La novela ecuatoriana*, México, F.C.E., 1948, pág. 24.
[17] Cfr. Oswaldo Hurtado, *op. cit.*, pág. 72. La novela *A la costa*, de Luis A. Martínez, el mejor ejemplo del realismo que impregna la narrativa ecuatoriana de principio del siglo XX, da cuenta de los diferentes estilos de vida desde la sierra a la costa, y del fenómeno de las migraciones interiores.

nos 3.000, y para ser presidente hacía falta poseer bienes de al menos 30.000 pesos. Este último dato intentaba hacer legítima la elección de Flores que, por otro lado, ya se había realizado fuera de todo marco legal justo. En cuanto al sector indígena, en el artículo 68 de la Constitución se nombra a los párrocos tutores y padres naturales de los indios, y se les exhorta a ejercer la caridad «en favor de esta clase de inocentes abyecta y miserable». Es decir, la primera Constitución ecuatoriana trata el status del indio de un modo similar a la Colonia, casi como una raza inferior. Su dependencia de los terratenientes y empresarios era feudal, y las pocas comunidades que quedaban de la Colonia poco a poco iban desapareciendo, porque las propiedades de la tierra iban vendiéndose a manos privadas o siendo adquiridas por el Estado. En la República los comuneros continuaban sufriendo despojos, y no tenían otra perspectiva que dedicarse al pastoreo o buscar un *huasipungo*, contrato que estipula, por parte del dueño de la tierra, la entrega de una parcela para que la trabaje el indio y viva en ella. Éste se compromete a pagar el valor de esa hacienda en servicios continuos al dueño de la tierra. El tipo de jornada y horas semanales como dedicación a la tierra depende del momento histórico y la extensión de la tierra, y el convenio se sella a través de la institución del *concertaje*. En el capítulo VI de *Cumandá* se hace referencia igualmente a esta institución cuando Mera alude a la cobranza del diezmo de las hortalizas, como espita que provocó una de las rebeliones de 1790 que terminó en matanza. Abelardo Moncayo, uno de los primeros ecuatorianos del siglo XIX que denunció ese sistema de contratación, lo describe como un «acuerdo» entre el amo y el indio, celebrado ante una autoridad de policía, que estipulaba el pago diario de cinco centavos, para cobrar mensual o trimestralmente, tras una liquidación en casa del hacendado. Como el indio no podía sostener a su familia con esa escueta cantidad, se endeudaba con el patrón, recibiendo *socorritos*, es decir, anticipos en metálico y especie. La deuda iba creciendo hasta la muerte del indio, por lo que los herederos nacían ya endeudados[18].

---

[18] Ángel F. Rojas, *op. cit.*, pág. 28.

El panorama socio-político de la República naciente se completa con una gama de notas nada halagüeñas para las clases bajas. No hubo en un principio un plan, ni recursos, ni el personal docente necesario para iniciar un sistema eficaz y rápido de alfabetización de todas las clases. Como para ser ciudadano era necesario saber leer y escribir, la mayor parte del pueblo no obtenía ese derecho. Por ello, las elecciones constituían un simulacro, con un porcentaje muy bajo de votantes y unas leyes hechas a la medida de los pocos que poseían dinero, educación y amigos o familiares en el equipo de gobierno. Además, el ejército en la época de Flores, que obtenía sueldos muy bajos pero poseía la fuerza de las armas, con frecuencia saqueaba las poblaciones donde estaba asentado, y los mandos que recibían los presupuestos derivaban las cantidades asignadas para los sueldos y la intendencia hacia sus propios bolsillos. La corrupción afectaba a la burocracia y al gobierno en general: el impuesto no era una prestación que se devolvía al individuo en forma de servicio público sino que, frecuentemente, iba a las arcas particulares de los gobernantes. Mera iba a crecer en este ambiente, en el seno de una familia acomodada, pero que pasó a tener serios problemas económicos desde que el padre del escritor abandonó el hogar, poco antes de que naciera su hijo. Paisaje idílico de la sierra cercana, educación a cargo de mujeres, autodidactismo y formación básicamente católica son los elementos más reseñables de sus primeros años. En el prólogo a sus *Poesías* (edición de 1892) explica los móviles que le llevaron a dedicarse a la literatura intimista, y describe las circunstancias de su educación sentimental:

> Mi juventud duró menos de lo que suele durar la de otras personas, y sus locuras nunca fueron extremas ni escandalosas: fueron fantasías más o menos voluptuosas, no escenas reales de esas que echan a rodar la moral y engendran arrepentimientos. A esto contribuyó sin duda el cuasi total aislamiento en que me crié. En mi primera juventud la sociedad fue para mí elemento apenas conocido, y el hogar y la naturaleza influyeron decididamente en mi corazón y en mi inteligencia. Esta circunstancia debió prolongar mis años de ilu-

siones y delirio; pero no fue así: las ideas y los afectos maduraron demasiado pronto e impulsaron mi vida por el camino de la vejez[19].

En 1845, fecha de las primeras composiciones poéticas de Mera, se produce la primera gran revolución en contra de un gobierno republicano. José María Urbina, que había sido general del ejército en la época anterior, y había desempeñado un papel importante en la abolición de la esclavitud (1841), sube al poder y surge una nueva Constitución en 1846. Trocó Urbina el ejército extranjero por otro nacional, formado en gran parte por antiguos esclavos negros redimidos, sus *canónigos*, a los que llenó de favores, los cuales fueron la base de su electorado, no sólo porque le votaron en masa, sino porque también impedían por la fuerza a los adversarios llegar a las urnas. Mera entonces se formaba en la escuela española, los modelos del «Parnaso castellano»[20]. Admiró al granadino Martínez de la Rosa, por su doble vertiente literaria y política. Leyó sus dramas, su *Poética* y se interesó por su actividad pública, de corte liberal. El vallisoletano Zorrilla fue, sin duda, su verdadero maestro. Famoso en España desde los años 30, su huella era ya una realidad palpable en Hispanoamérica cuando Mera comienza a leer literatura y a escribir. Subyugado probablemente por el orientalismo romántico, que revive el pasado árabe, el embrujo de la tierra granadina y el exotismo de una cultura ajena al ámbito latino, Mera pudo intuir los caminos que debía tomar para plasmar en poesía o en leyenda el indigenismo ecuatoriano que gravita en muchas de sus obras. En 1852, cuando se producen las primeras elecciones verdaderamente libres, Mera se traslada a Quito para asistir al taller de pintura de Antonio Salas. Allí conoce y trata asiduamente a los jóvenes intelectuales de la capital, en cuyo círculo es introducido gracias al prestigio de sus valedores: Pedro Cevallos, Vascónez, Martínez. Julio Zal-

---

[19] Juan León Mera, *Poesías*, Barcelona, Arte y Letras, 1892, pág. 6.
[20] Denominación utilizada por él en una carta dirigida a Juan Valera en 1890, que se incluye en la segunda edición de su *Ojeada histórico-crítica sobre la poesía ecuatoriana*.

dumbide fue quizá su mejor amigo de esa época, a juzgar por el amplio epistolario que se conserva: sus continuos consejos literarios sirvieron para encaminar los primeros escritos del joven ambateño, una colección de artículos y algún poema publicados en *La Democracia*, *El Progreso: periódico popular*, *Gaceta Mercantil* y *El Artesano* desde diciembre del 53 hasta finales del 57 (unos 20 artículos)[21].

En 1854 concibe un largo poema que no será publicado hasta 1861, *La virgen del sol*, de tema indígena. Comienza su poema en Baños, pequeña población de los Andes, lugar de inspiración para numerosos poetas y revolucionarios ambateños. Una descripción precisa y poética de la zona aparece en el comienzo de *Cumandá*. Zaldumbide le aconseja que trate sobre el indígena real, y no tanto sobre el histórico, para que su obra tenga un contenido americano. Esa tendencia se irá manifestando en la mayoría de sus obras: las poéticas, las narrativas, las antológicas y los ensayos. *La virgen del sol* es una novela en verso de un episodio mítico de la memoria colectiva ecuatoriana: Atahualpa, el Inca de Quito, es sacrificado por los españoles. Rumiñahui, el caudillo que pone en pie de guerra la ciudad contra los españoles, abre las puertas del templo del Sol y libera a las vírgenes encerradas; luego, incendia la ciudad y huye con todos los tesoros. Con el tiempo, se convierte en un volcán. Los tesoros son encontrados por el indio Cantuña, que los ofrece a uno de los conquistadores y con ellos se edifica el templo que todavía está en pie. La obra consta de más de 5.000 versos, se divide en dos partes, de 12 capítulos cada una. También contiene una historia de amor que anuncia el carácter romántico de obras posteriores: Cisa, la virgen inocente; Toa, la rival, y Titu, el guerrero deseado por las dos mujeres. Su obra poética lírica va creciendo y en 1858 publica en Quito su primer libro, *Poesías*, algo

---

[21] Cfr. Juan León Mera, *Antología esencial*, Quito, Ediciones Abya-Yala, 1994, edición de Xavier Michelena. A partir de la página 405 recoge toda la bibliografía de Mera, ordenada por fecha de publicación, dividida en libros y artículos. Las colaboraciones breves en periódicos, comenzadas en esos primeros años, aumentarán en cantidad y calidad a partir de 1860: casi trescientos artículos cubren su labor periodística hasta el momento de su muerte en numerosas publicaciones periódicas.

heterogéneo, con influencia de Zorrilla, en el que pueden encontrarse leyendas, exaltaciones de su ciudad natal, epigramas, poemas religiosos, sátiras, etc.

Así termina la primera etapa de la vida de Mera. A partir del año siguiente, con la subida al poder de Gabriel García Moreno, la situación del país variará profundamente, y Mera desarrollará, junto con su dedicación febril a la literatura y el periodismo, una actividad política incansable. En los treinta años de vida republicana, Ecuador apenas ha progresado desde un punto de vista social, político o económico. Mera, «el crítico ponderado, el historiador imparcial y el patriota que no perdía el sentido de la proporción»[22], resumía así la época de Flores:

> El amor y el respeto habían desaparecido y no quedaban sino el acero y las balas en apoyo del caudillo despopularizado. ¡Ay de quien para gobernar una república no cuenta con la decidida voluntad y el afecto de sus conciudadanos! ¡Ay de quien destierra las artes y las ciencias y compra sensuales placeres con el oro de la nación! ¡Ay de quien protege la impunidad del crimen y no premia nunca la honradez y la virtud! No obstante, entonces como ahora todo se hacía en nombre del pueblo y con el pueblo. ¡Pobre comodín![23].

Desde 1860 hasta su muerte ocupará una infinidad de cargos políticos y culturales. En ese año es nombrado tesorero provincial de Tungurahua, secretario del Consejo del Gobierno triunviral provisional y Diputado por Ambato en la Asamblea Constituyente. En el 61 Administrador de Correos de la provincia de Tungurahua; en el 64 miembro del Consejo General de Instrucción Pública; en el 65 Secretario de la Cámara del Senado y Oficial Mayor del Ministerio del Interior y Exterior; gobierna la provincia de Tungurahua en el 69 (como interino) y en el bienio 73-75 como titular; del 75 al 77 es Ministro del Tribunal de Cuentas; en el 84, Diputado por Tungurahua, Manabí y Senador por Pichincha;

---

[22] Juan Larrea Holguín, «La justicia en el pensamiento de Juan León Mera», *Universidad* (Quito), 14 (1968), pág. 8.
[23] Juan León Mera, *Algo sobre política*, Puebla, Ed. José Cajica, 1960, pág. 84.

en el 85 Presidente del Senado y del Congreso; en el 89-90 Gobernador de la provincia de León; en 1891 Presidente del Tribunal de Cuentas y Ministro del mismo Tribunal. Sus méritos académicos y culturales también son numerosos: en 1861 es miembro honorario de la Sociedad del Iris Ecuatoriano; el año siguiente de la Sociedad Científica y Literaria del Ecuador; el 64 de la Academia Nacional; en 1872 miembro correspondiente de la Academia Española de la Lengua; en el 73 honorario de la Sociedad Literaria de Ambato; funda en 1875, junto con Julio Zaldumbide, Pablo Herrera, Pedro Fermín Cevallos, Julio Castro y Antonio Flores, la Academia Ecuatoriana de la Lengua; trece años después ingresa en la Real Academia Sevillana de Buenas Letras; en el 90 es miembro correspondiente, y luego Presidente, del Ateneo de Quito, y el mismo año de su muerte (1894) es nombrado Socio correspondiente de la Real Academia de Buenas Letras de Barcelona y miembro honorario de la Sociedad Científico Literaria de Amantes del Saber, de Caracas.

Se estrena el político con una brillante actuación en la Asamblea Nacional Constituyente de 1861, reunida para redactar una nueva Constitución. Sus aportaciones más relevantes tienen un talante democrático y progresista hasta entonces inconcebible. Consigue Mera extender la ciudadanía a los que no saben leer ni escribir, abolir totalmente la pena de muerte, limitar las facultades del Poder Ejecutivo e implantar la libertad de imprenta. Además de estas conquistas concretas, propuso a García Moreno que desde las instancias gubernamentales se recondujera al país hacia un reflorecimiento espiritual, basado en los presupuestos del catolicismo, los cuales deberían llevar al Ecuador a un progreso moral y material que tuviera como puntos de apoyo la justicia, la igualdad, el respeto a la condición humana y el amor a Dios[24]. Esta ideología aparece claramente expresada de un modo explícito (al enjuiciar la labor de los jesuitas) e implícito (en el planteamiento del tema y su resolución) en *Cumandá*. Así, indujo a García Moreno a firmar un Concordato con

---

[24] Cfr. Francisco Aguirre, «Juan León Mera: política y literatura», en Manuel Corrales Pascual (ed), *op. cit.*, págs. 19-21.

la Santa Sede, a admitir a los Institutos religiosos y a restablecer la Compañía de Jesús, que había sido expulsada en el siglo XVIII, como aparece en el capítulo II de *Cumandá*, y más adelante por Urbina, casi en la mitad del siglo XIX.

El período que sigue a la llegada de García Moreno al poder significó «un gran impulso en casi todos los órdenes, para el progreso del país»[25]. La educación obtuvo una mejora sustancial: la enseñanza primaria se confió a los Hermanos de la Salle, y en pocos años aumentó considerablemente el número de escuelas y la calidad de la enseñanza. La secundaria pasó a manos de los jesuitas, y en las aulas universitarias aparecieron religiosos y laicos perfectamente dotados para su labor. Se fundó una escuela politécnica, que atrajo a los científicos y profesores más reputados del país, la mayoría de ellos jesuitas. También se crearon la Escuela de Artes y Oficios, un observatorio astronómico, una academia de pintura, un conservatorio de música, y una oficina de estadística.

Mera, por entonces, había contraído matrimonio, del que llegaría a tener 13 hijos desde 1862 a 1887. En 1868 publica otra de sus grandes obras, *Ojeada histórico-crítica sobre la poesía ecuatoriana*, con la que intentó, por un lado, escribir la historia de la poesía de su país, resaltando los nombres y obras más importantes, y por otro analizar las obras de los poetas coetáneos, señalando sus aciertos y sus fallos, con el fin de ir educando el gusto de las generaciones jóvenes. Esta preocupación no es trivial: desde Olmedo se produce un vacío en la poesía ecuatoriana prácticamente hasta la publicación del primer libro de Mera, alcanzada ya la mitad del siglo. Olmedo había sido el cantor de Bolívar y la independencia americana en su célebre *Canto de Junín* (1825), y luego el adulador de Flores en su oda *Al general Flores. Vencedor en Miñarica* (1835), para terminar sublevándose contra su general en Guayaquil en 1845 y formando parte del gobierno que surgió a raíz del pronunciamiento. Mera fue consciente de ese vacío, y así lo expresa en una carta a Rubió y Lluch: «Cuando comencé mis estudios y me di a los ensayos poéticos, nuestro gran Olmedo había muerto ya, y no quedaban para

---

[25] Ángel F. Rojas, *op. cit.*, pág. 38.

el manejo de la lira sino ingenios que, faltos también de acertada dirección, andaban a ciegas y dando traspiés como yo»[26]. En 1875 publica *Mazorra*, una leyenda en verso que continúa la tendencia romántica de exaltación y recuperación del pasado, entre el historicismo, el exotismo, la melancolía y la creación de una literatura netamente americana. Expresa por esos años su ideología patriótica y católica en la composición del Himno Nacional, de un *Catecismo de Geografía de la República del Ecuador*, de un libro de *Poesías devotas y nuevo mes de María*, un *Canto a María*, un tratado sobre *La escuela doméstica*, y un poema dedicado a *La Iglesia Católica*. García Moreno es asesinado en 1875 y escribe también un *Canto a la memoria de García Moreno*. Así se cierra una nueva etapa en la vida de Mera —que pierde peso específico en la vida política del país— y en la historia de Ecuador, aunque hasta 1895 no habría un gobierno netamente liberal.

La votación popular libre de 1876 da como vencedor a Borrero, que a los pocos meses es derrocado por el golpe militar del general Ignacio de Veintimilla, el cual impone de nuevo el militarismo, ahora bajo las formas de una pretendida actitud liberal, y gobierna hasta 1882. Es el período en que Mera vive apartado de la política, y dedicado casi por entero a su actividad literaria y cultural. En 1879 publica su obra cumbre, *Cumandá*. Derrotado Veintimilla, una asamblea Constituyente elige a Caamaño, al que sucederán dos escritores católicos, miembros de la Academia: primero Antonio Flores y luego Luis Cordero, último presidente de la saga de conservadores. Divididas y gastadas las fuerzas del partido conservador, en marzo del 95 el ejército que apoya al grupo liberal, encabezado por el general Eloy Alfaro, arrebata por la fuerza el poder al gobierno. La revolución se estabiliza al año siguiente, con la reunión de una Asamblea Constituyente, que corrobora a Alfaro en el poder. Mera no pudo participar de este proceso: la muerte le llegó, en su retiro de Atocha, el 13 de diciembre de 1894. En la mitad de los ochenta había llegado a la cumbre de su vida política: la pre-

---

[26] En *Ojeada...*, cit. por Trinidad Barrera en su edición crítica de *Cumandá*, Sevilla, Alfar, 1989, pág. 19.

sidencia del Congreso y del Senado. A partir de ese momento dedicará sus mejores esfuerzos a terminar su obra literaria. En 1887 se publican las *Melodías indígenas*, junto con *La virgen del sol*, etc., en Barcelona (Timbre Imperial, Sección Tipográfica del Crédito Catalán), bajo el título *Obras de Juan León Mera*. Este libro constituye un nuevo paso en el tratamiento romántico y nacionalista del tema indígena: son composiciones líricas, folclóricas, recreaciones de leyendas o tradiciones populares, que describen la idiosincrasia de una raza con un pasado glorioso irrecuperable. Continúa su esfuerzo americanista y de búsqueda de temas nacionales, de base popular e indígena, en sus novelas cortas, también llamadas *Novelitas ecuatorianas*[27]. Ya en 1872 había publicado parte de su primera novela corta, *Los novios de una aldea ecuatoriana*, en un periódico de Guayaquil. En la dedicatoria explica que este género literario debe ser popular en un doble sentido: por las características de la obra (estilo y temas) y por el destinatario. En los últimos años de su vida aprovecha una tribuna por él ideada, la *Revista Ecuatoriana*[28], para publicar sus *novelitas*, con tramas y lenguaje sencillos, descripciones muy cuidadas, pintura de caracteres y una finalidad moral, que es el alma de la novela, según Mera[29]. La primera, *Entre dos tías y un tío*, apareció en el núm. 9 de la revista, el 30 de septiembre de 1889, y nos da un esbozo bastante ajustado a la realidad —no es un simple cuadro costumbrista— de la vida aldeana en las últimas décadas del XIX. Algunos críticos piensan que es la mejor obra de Mera[30]. El 30 de noviembre del 1890, en el número 24, ve la luz *Por qué soy cristiano*, inspirada en *El capitán Vene-*

[27] Cfr. Juan León Mera, *Cumandá*, Madrid, Espasa-Calpe, 1976, 5.ª ed., prólogo de Alfonso M. Escudero, pág. 25, y Augusto Arias, *Juan León Mera, obras escogidas*, Quito, Casa de la Cultura Ecuatoriana, 1948, pág. XXVIII.

[28] Comenzó a editarse en 1889, y la dirección corrió a cargo de su hijo José Trajano y Vicente Pallarés Peñafiel. Su propósito fue única y exclusivamente el cultivo y fomento de los estudios científicos, literarios y artísticos en Ecuador. Llegó a publicar 68 números, y dejó de salir en 1894, debido a la muerte de Pallarés Peñafiel y del mismo Juan León Mera.

[29] Cfr. Isaac J. Barrera, *Historia de la literatura ecuatoriana*, Quito, Libresa, 1979, pág. 812.

[30] Cfr. Ángel F. Rojas, *op. cit.*, pág. 55.

no, de Pedro Antonio de Alarcón, y que recrea un suceso ocurrido en la batalla de Miñarica, donde Flores venció a los nacionalistas ecuatorianos en un trágico episodio de triste recuerdo. Por último, *Un matrimonio inconveniente* se incluye en el núm. 50, de febrero de 1893, y es la más extensa de las tres. Subtitulada *Apuntes para una novela psicológica*, reúne las notas que debe tener una verdadera educación cristiana de la juventud, con vistas a frenar las consecuencias que ya por entonces iba generando el ambiente liberal, positivista y materialista de fin de siglo.

En esos últimos años, su labor indagadora acerca de las características de la cultura propia, los rasgos del folclore y la literatura popular se advierten también en la publicación que llevó a cabo en 1892: la *Antología ecuatoriana: cantares del pueblo ecuatoriano*, a instancias de la Academia Ecuatoriana con sede en Quito. En el estudio introductorio analiza el tipo de lenguaje y añade datos de la tradición antigua que ofrecen alguna luz para la interpretación de los cantares. Se interesa Mera, sobre todo, por la dilucidación sobre el origen de cada pieza; es decir, qué poemas llegaron de la Península y cuáles tienen una génesis netamente ecuatoriana. Con ello culmina una etapa importante en la literatura de Ecuador, y deja el camino abierto para que la literatura indigenista y popular del siglo XX, estimulada por el interés sobre el indio real autóctono y la propia idiosicrasia del hombre americano, amplíe sus horizontes y elabore obras de elevada calidad literaria y una orientación precisa.

III. EL CAMINO DE LA SENTIMENTALIDAD
       Y LA NATURALEZA

A partir del siglo XVIII, la nueva dirección que ha tomado el pensamiento occidental plantea una relación peculiar entre el hombre y el mundo, el contenido de conciencia y la realidad, el sujeto y el objeto. La cuestión básica consiste en saber si lo que la inteligencia humana elabora en relación con todo lo que no es el propio sujeto, es decir, la realidad exterior, es anterior al contenido de conciencia, distinto de él

y se percibe como tal o bien es consecuencia de ese contenido, parte de él y, por tanto, se percibe como unidad. La percepción no sólo afecta al espectro de los objetos, conceptos,
los juicios, los entes abstractos, sino que abarca también el
campo no menos complicado de los sentimientos, la sensibilidad, los afectos, la voluntad. A partir de las posturas realistas que habían dominado el pensamiento clásico desde Aristóteles hasta más allá de la Edad Media, dos líneas parecen
consumar la escisión de ese mundo compacto: la empirista y
la racionalista. El acento sobre el conocimiento y la percepción de los sentimientos se complicó cuando también se trató como problema la continuidad de los mismos, es decir, el
hecho de que conocimiento y sentimiento son duraderos,
tienen lugar en un arco temporal. El hombre no sólo conoce y siente, sino que *dura* conociendo y sintiendo, y además
puede contemplarse a sí mismo como ser cognoscente y sujeto de sentimientos, y conociendo y sintiendo. Frente a la
diversidad y a la experiencia abarrotada se impone la identidad del yo y de la persona, la conciencia, tanto para empiristas como para racionalistas. Para Locke, la conciencia *(consciousness)* es el criterio principal para la identidad de la persona[31]. Pero una conciencia que es producto o derivado de las
sensaciones. Esta doctrina, que será continuada en líneas generales por Hume, identifica ese tipo de conciencia con la
única *verdad del individuo*[32], por lo que la recepción del mun-

---

[31] Dice el filósofo anglosajón en *An Essay Concerning Human Understanding*,
II, 27, 11: «For since consciousness always thinking, and it is that which makes
every one to be what he calls self, and thereby distinguishes himself from all ot-
her thinking things, in this alone consists personal identity, i.e. the sameness of
a rational being: and as far as this conciousness can be extended backwards to
any past action or thought, so far reaches the identity of that person.»

[32] Cfr. Álvaro Salvador y Juan Carlos Rodríguez, *Introducción al estudio de la
literatura hispanoamericana*, Madrid, Akal, 1994, 2.ª ed., pág. 132. Salvador y
Rodríguez llaman *ideología de las lágrimas* o *estructura melodramática* a la aplicación de los esquemas filosóficos del Romanticismo sobre la percepción dura-
tiva del sentimiento a las novelas de fines del XVIII y del XIX, que abusan de los
estados melancólicos, las lágrimas, la sentimentalidad frágil, e intentan provocar en el lector una respuesta identificativa. Para fundamentar, a continuación,
la diferencia entre sensualidad y sensibilidad sobre la base del contenido moral que gravita o está ausente en cierto tipo de percepciones, hemos utilizado
las ideas de Salvador y Rodríguez en la obra citada, págs. 132-138.

do exterior, mediante el proceso sensorial, es la única realidad de la que se puede predicar algo, y su naturaleza es esencialmente física y está fuera del individuo, y además carece de contenido moral. Kant, sin embargo, conserva la tradición cartesiana del *yo pienso*, y eleva al hombre a una dignidad superior a la de cualquier ser, precisamente por la naturaleza de sus percepciones o, más bien, creaciones, que guardan relación con la nueva concepción de la actividad del yo. De Kant a Hegel, pasando por Fichte, Schelling, etc., el espacio epistemológico se modifica considerablemente: se rebasa la logicidad y la aparente evidencia de los postulados autorreflexivos cartesianos, se supera el escepticismo de los empiristas, y la unidad de conciencia kantiana se amplía hasta incluir toda la realidad e insinuar incluso los movimientos globales de la historia. Hegel no deja de referirse al autoconocimiento o la autoconciencia, pero traspasa el orden individual en su noción de Espíritu absoluto. Para esta tendencia, todo proceso sensorial tiene caracteres espirituales y, por tanto, hasta la percepción más directa y simple está henchida de contenido moral[33]. Sobre la base de esta generalidad, los teóricos idealistas románticos han llamado a este proceso la *sensibilidad*, que se opone al sensualismo de los empiristas. El artista romántico es, por tanto, un alma sensible, capaz de sentir de un modo especial pero, sobre todo, portador de una habilidad específica, conectada con esa sensibilidad, por la que puede exponer de modo conveniente, original y atractivo sus sentimientos, su autopercepción, su autoconocimiento y la experiencia que su conciencia elabora acerca del mundo circundante. El amor y la naturaleza van a ser los sentimientos más específicos que el poeta o escritor romántico expresará en sus obras, y que se plasmarán de un modo extremo en la pasión, las lágrimas o la infinitud e inefabilidad del sentimiento (para el amor), y la identificación, exaltación o descripción (para la naturaleza). Naturaleza y amor quedarán, incluso, unidos o íntimamente relacionados por el carácter espiritual del sentimiento, por el tipo de estímulo interior durativo que provoca el contenido de conciencia. La aplica-

---

[33] Cfr. Álvaro Salvador y Juan Carlos Rodríguez, *op. cit.*, pág. 133.

ción práctica en la mayor parte de la narrativa y la poesía románticas consiste en la identificación de los sentimientos amorosos de los personajes, y el estado de ánimo que ellos generan, con la manifestación concreta de la naturaleza. Naturaleza y amor se entrelazarán en *Cumandá* con el aliciente añadido de la temática del indio, que aparece con todos los tópicos de la época: relaciones entre conquistadores y conquistados, vida del indígena en estado de *naturaleza* (buen salvaje), dilema civilización/barbarie, amores imposibles entre indios y blancos, etc.

Cuando Mera publica su novela indianista sentimental en 1879, la narrativa que trata sobre los amores, las lágrimas, la pasión, etc., apoyada en elementos de la naturaleza, la narrativa que descubre la verdad íntima de los protagonistas, sobre todo los femeninos, cuenta ya con un siglo de existencia. El mito del buen salvaje, demandado sobre todo por la cultura europea de la segunda mitad del XVIII, que renueva el *sueño* de América como lugar ideal, joven, impoluto, no contaminado por la civilización, entra en contacto con otro mito: el del indio lírico y poeta. La afinidad que se establece en el prerromanticismo, para explicar en ocasiones el origen del hombre y del lenguaje, entre el primitivo y la poesía (Herder, Vico, Percy, McPherson, Rousseau) desemboca, por analogía, en la idea de que el indígena *moderno*, que vive en contacto con la naturaleza y apenas conoce los valores de un mundo civilizado, también debe de ser un poeta natural, que se destaca por la intensidad de su imaginación y la frescura de su lenguaje. Ejemplos claros de esta idea pueden rastrearse en obras como *Lewti* de Coleridge, *Songs of the American Indians* de Southey o *The Island* de Byron. Al fundirse el mito del buen salvaje y el del bardo ideal de los nórdicos con la especial idea del amor romántico, el culto al paisaje, la sentimentalidad desorbitada y enfermiza, y al acercarse la naturaleza a los contenidos emocionales de la conciencia del individuo, nació el buen salvaje romántico. Naturaleza, amor e inocencia inician una singladura que se confirma como una de las más fecundas de las letras occidentales.

Rousseau es uno de los primeros en asociar la naturaleza a las emociones de los personajes y en dar al paisaje un carácter participativo en las alegrías y en el llanto de las almas sensibles. La literatura clásica se había acercado a este procedimiento estructural, pero nunca había llegado a dar cabida en la naturaleza a las emociones fuertes, exaltadas o íntimas de los hombres. En este sentido, el romántico encuentra *correspondencias* misteriosas pero reales, en cierta medida naturales, entre el macrocosmos y el microcosmos. Se establece una *analogía* por la que hay elementos del universo que coinciden, se repiten, recuerdan a otros, se mueven de modo paralelo a los que el ser humano desarrolla en su interior, entendiendo por éste tanto el interior físico (funcionamiento del cuerpo) como el psíquico (el mundo de la inteligencia, los sentimientos, la voluntad). Octavio Paz, al explicar la génesis ideológica de la revolución romántica (literaria, pero también general), observa:

> La analogía vuelve habitable al mundo. A la contingencia natural y al accidente opone la regularidad; a la diferencia y la excepción, la semejanza. El mundo ya no es un teatro regido por el azar y el capricho, las fuerzas ciegas de lo imprevisible: lo gobiernan el ritmo y sus repeticiones y conjunciones. Es un teatro hecho de acordes y reuniones en el que todas las excepciones, inclusive la de ser hombre, encuentran su doble y su correspondencia. La analogía es el reino de la palabra *como*, ese puente verbal que, sin suprimirlas, reconcilia las diferencias y las oposiciones[34].

---

[34] Octavio Paz, *Los hijos del limo*, Barcelona, Seix Barral, 1989, 2.ª ed., página 102. Acto seguido destaca Paz el papel, poco valorado por la historia de la crítica, de la obra literaria y revolucionaria de Fourier en la divulgación de esta idea. En la pág. 104 de la ed. cit. asegura que el escritor y sociólogo francés «no es menos actual que Marx (y sospecho que empieza a serlo más). Fourier piensa, como Marx, que la sociedad está regida por la fuerza, la coerción y la mentira, pero, a diferencia de Marx, cree que lo que une a los hombres es la atracción apasionada, el deseo. La palabra *deseo* no figura en el vocabulario de Marx. Una omisión que equivale a una mutilación del hombre. Para Fourier, cambiar a la sociedad significa liberarla de los obstáculos que impiden la operación de las leyes de la atracción apasionada». Luego cita unas palabras emblemáticas que aparecen en el discurso preliminar de la *Teoría de los cuatro movimientos y de los destinos generales*, de 1818, donde Fourier explica: «La primera ciencia que descubrí fue la teoría de la atracción apasionada... Pronto me di cuenta de que las leyes de la atracción apasionada se conforma-

Este universo de analogías empieza a ser entreverado en las *Reveries* de Rousseau, especie de género literario de tipo meditativo o ensoñado, que requiere la soledad, la tranquilidad, el estado psicológico entre la lucidez y el sueño, la presencia de un *lugar ameno*[35] que produce encanto y, por tanto, favorece la percepción de armonías o correspondencias. Éstas, una vez contempladas por mediación de esas circunstancias, producen un estado de felicidad suprema parecido al éxtasis. La quinta de las *Ensoñaciones de un paseante solitario* define la felicidad como un estado en que el tiempo ha desaparecido, el instante permanece, sin otro deseo que el de la pura existencia, mucho más pleno y perfecto que la felicidad imperfecta, contingente y pobre de los placeres de la tierra. Tal estado —concluye Rousseau— no deja en el alma vacío alguno que el hombre sienta necesidad de colmar. De ahí lle-

---

ban en todos sus puntos a las leyes de la atracción material explicadas por Newton: el sistema de movimiento del mundo material era el del mundo espiritual. Sospeché que esta analogía podía extenderse de las leyes generales a las leyes particulares y que las atracciones y propiedades de los animales, los vegetales y los minerales quizás estaban coordinadas de la misma manera que las de los hombres y los astros... Así fue descubierta la analogía de los cuatro movimientos: material, orgánico, animal y social... Apenas estuve en posesión de las dos teorías, la de la atracción y la de la unidad de los cuatro movimientos, comencé a leer en el libro mágico de la naturaleza.»

[35] En el amplio sentido de la palabra y no sólo como marco agradable externo donde tiene lugar una actividad amorosa, típico de la literatura medieval, sino también como lugar idílico y exótico *en sí*, Arcadia natural idealizada que desata en el alma sensible sensaciones cuasi-extáticas. Una de las consecuencias literarias más notables, aparte de las intensas y sentimentales descripciones de lugares salvajes donde desarrollan su vida hombres primitivos y enamorados ideales, fue la revalorización de la vida del campo, incluso en paisajes y ambientes europeos. Puede tratarse de una prolongación de la bucólica antigua que tanto se cultivó en el Renacimiento, pero a partir del siglo XVIII el género sufre una transformación sustancial. Desaparecen las ninfas y los pastores, y el motivo de la *aetas aurea* lleva a descubrir los supuestos placeres de la pobreza y la vida sencilla. El proceso se incuba en la Suiza del XVIII cuando Albrecht von Haller descubre la montaña centroeuropea en su poema *Los Alpes* y, con ella, la inocencia, la virtud y la dignidad del montañés. De ahí a *La Nueva Eloísa* de Rousseau hay sólo un paso. En Alemania enseguida aparecerán los idilios de aldea de Voss o Jean Paul, el *Germán y Dorotea* de Goethe, etc., y en toda Europa se irán sumando ejemplos como *Los Novios* de Manzoni, la *Elegía* de Thomas Gray, *La Aldea Desierta* de Oliver Goldsmith, o numerosas obras de los rusos: Belinski, Turgueniev, Tolstoi, etcétera.

ga a la idea intuitiva del infinito y de Dios, como expresa en una de sus cartas a Malesherbes. El ginebrino no sólo define el sentimiento de plenitud sino que logra también describirlo en su novela *La Nueva Eloísa*, identificando paisaje y estado de ánimo de los protagonistas.

Sin embargo, todo esto no llegará a la América Hispánica directamente, sino a través de Saint-Pierre y Chateaubriand, que serán además los inspiradores directos —junto con Cooper— de *Cumandá*. En algunas ocasiones, los autores franceses aparecen editados conjuntamente, como observó Allison Peers[36]. Saint-Pierre interpreta la naturaleza como un concierto que eleva al hombre hacia su creador, y en *Pablo y Virginia* «enseña a los hispanoamericanos la apreciación de lo pintoresco auditivo y visual en la naturaleza del trópico; el sentido del matiz, las gradaciones de luz»[37]. Ejemplos claros de esta influencia, antes de llegar a *Cumandá*, los encontramos en *El temple argentino* de Marcos Sastre, *Recuerdos de provincia* de Sarmiento, *Viaje por el río Magdalena* de Miguel Cané y, sobre todo, en *María* de Jorge Isaacs.

Chateaubriand es, sin duda, el autor que más ha influido en la narrativa hispanoamericana romántica, de tipo amoroso, con personajes indígenas o exóticos, en contacto con la naturaleza idealizada y de orientación religiosa tradicional. Ningún autor extranjero de la primera mitad del XIX cosechó una devoción tan unitaria por parte del público americano. Y entre sus obras fue *Atala* la más conocida, admirada e imitada. Fray Servando Teresa de Mier realizó la primera versión española, en 1801, pocos meses después de ser publicada en el original francés. En 1802, Chateaubriand publica *El genio del cristianismo*, obra que también fue promocionada enseguida en todos los ambientes donde había cuajado ya la novela, añadiendo una carga ideológica importante a los planteamientos literarios y religiosos de su obra anterior. A principio

---

[36] El crítico del Romanticismo español cita una edición conjunta de *Pablo y Virginia*, *Atala* y *René* de 1850, en su artículo «Chateaubriand en España», *Revista de Filología Española*, XI (1924).

[37] Concha Meléndez, *La novela indianista en Hispanoamérica (1832-1889)*, Río Piedras, Universidad de Puerto Rico, 1961, pág. 45.

de los años veinte, la popularidad de *Atala* era ya manifiesta: en 1822, el colombiano José Fernández Madrid incluyó en la primera edición de sus obras la tragedia *Atala*, y tres años después fue representada por los alumnos del colegio del Rosario en Bogotá, acto al que asistieron, entre otros, Bolívar y Sucre. Varios poetas de la época recuerdan al personaje en sus poemas: Heredia, en su poema *Atala*; Plácido, discípulo de Heredia, en una canción con el mismo título; Olmedo, en su *Canción indiana*, que describe casi literalmente el episodio de la prueba de la antorcha. A partir de los años 60, el culto por la obra de Chateaubriand entra en una fase de máximo esplendor. Desde ese año hasta 1890 se publican siete ediciones españolas de *Atala* y nueve de las otras novelas. En esa época, Arboleda publica su *Gonzalo de Oyón*, donde la pasión de Pubenza recuerda a Atala, mientras que las novelas indianistas y sentimentales repiten los mismos esquemas de comportamiento. *María* (1867) de Jorge Isaacs es la obra cumbre del período. Efraín, el enamorado perfecto, lee para María, la enamorada hipersensible y bañada constantemente en llanto, fragmentos de *Atala*. Los mismos personajes colombianos establecen sus paralelismos con los de la obra francesa, ayudados siempre por el ambiente físico que los acompaña, rodea y acoge, llegando incluso a imaginar destinos trágicos similares. Ahora bien, los paralelismos se multiplican cuando *Atala* se superpone a *Cumandá*. La ambigüedad étnica en alguno de los protagonistas, el tema de la huida y la persecución, la condena a muerte del amante y la salvación de la que es objeto por parte de ella, el parentesco de los enamorados que se descubre al final, la mediación de un sacerdote católico, el protagonismo activo de la mujer, la huella positiva del catolicismo en los indígenas convertidos y educados en la religión cristiana, etc., ponen de relieve la enorme deuda que Mera contrajo con Chateaubriand. No en vano la bibliografía al respecto se ha multiplicado en las últimas décadas[38]. *Atala* cuenta las vicisitudes de un indio,

---

[38] Antonio Sacoto, *The Indian in the Ecuadorian Novel*, Nueva York, Las Américas, 1967, págs. 23-32; Concha Meléndez, *op. cit.*, págs. 47 y ss; Darío

Chactas, que vuelve a las selvas del Mississipí y se acoge al paganismo nativo. De camino encuentra a Atala, y ambos se enamoran y continúan juntos la huida, pero son sorprendidos por guerreros de la tribu de ella. Chactas es condenado a muerte, pero en el último momento es salvado por Atala y logran huir de nuevo. Sufren multitud de penalidades pero son ayudados por el sacerdote Aubry, que los atiende con agrado, ya que ellos son católicos. Atala cae gravemente enferma y poco antes de morir les relata la historia de su vida. Con los datos que aporta, el sacerdote logra descubrir que los fugitivos son hermanos, hijos del español que crió a Chactas en el seno de la servidumbre. Atala, antes de morir, confiesa la rectitud de su vida cristiana y hace prometer a su hermano que va a continuar su ejemplo.

Cooper es otro de los autores que influyen de modo decisivo en la configuración de la narrativa sentimental y exotista, que incluye el tema indígena y concede una importancia capital a la naturaleza. Leído desde una época muy temprana en Hispanoamérica, su huella en España es muy posterior y menos clara. En 1826 aparece ya citado en *El repertorio americano* de Andrés Bello, y celebrado como «el Walter Scott de América». Sarmiento es consciente de que el ejemplo de Cooper le resultó útil para componer su teoría sobre la civi-

Guevara, *Juan León Mera o el hombre de cimas*, Quito, M.E.P. de Ecuador, 1965, 2.ª ed., págs. 189 y ss; Ángel F. Rojas, *op. cit.*, págs. 51 y ss; Manuel Corrales Pascual (ed.), *op. cit.* (varios artículos); Aída Cometta Manzoni, *El indio en la novela de América*, Buenos Aires, Futuro, 1960; José Puente, *The influences of Bernardin de Saint-Pierre, Chateaubriand and James Fenimore Cooper in Juan León Mera's Cumandá*, Ann Arbor, DAI, 1972, 33, 323A; José Puente, «The influence of Chateaubriand's Louisiana on Juan León Mera's *Cumandá*», *Louisiana Review*, 1, 1 (1972) págs. 84-89; Richard Young, «Juan León Mera y el discurso indianista de *Cumandá, o un drama entre salvajes*», *Actes VIII: El indio, nacimiento y evolución de una instancia discursiva*, Montpellier, Univ. Paul Valery, 1994, págs. 187 y ss; Daniel-Henri Pageaux, «Éléments pour une lecture de *Cumandá*», en O. G. Leon (ed.), *Le roman romantique latinoaméricain et ses prolongements*, París, L'Harmattan, 1984, págs. 213-218; Augusto Arias, *Juan León Mera, obras escogidas*, Quito, Casa de la Cultura Ecuatoriana, 1948, págs. XXXVIII y ss; Trinidad Barrera, ed. cit., págs. 24 y ss; Jean Franco, «The Inheritance of Romanticism: II. The Thwarted Lovers of the Novela Sentimental», *Spanish American Literature Since Independence*, Londres, Ernest Benn Limited, 1973, págs. 61-68, etc.

lización y la barbarie, y compara al mohicano con el gaucho, encontrando similitudes en las costumbres, los rasgos culturales e incluso en el aspecto externo. El mismo Mera cita a Cooper[39] en su prólogo a *Cumandá* como antecedente en el tema indígena y naturista, pero establece una diferencia entre el Norte y el Sur, por el carácter de sus habitantes y la misma configuración del entorno geofísico:

> juzgo que hay bastante diferencia entre las regiones del Norte bañadas por el Mississipí y las del Sur, que se enorgullecen con sus Amazonas, así como entre las costumbres de los indios que respectivamente en ellas moran.

Acto seguido, justifica Mera la publicación de su obra observando que se trata de un estudio de la naturaleza y el carácter de las civilizaciones del Sur, hasta ahora ignoradas por la literatura y la investigación sociológica:

> Razón hay para llamar vírgenes a nuestras regiones orientales: ni la industria y la ciencia han estudiado todavía su naturaleza, ni la poesía la ha cantado, ni la filosofía ha hecho la disección de la vida y costumbres de los jíbaros, záparos y otras familias indígenas y bárbaras que vegetan en aquellos desiertos, divorciadas de la sociedad civilizada[40].

---

[39] El impacto de la obra de Fenimore Cooper, sobre todo de *El último Mohicano*, sobre Mera y la literatura hispanoamericana ha sido estudiado por Concha Meléndez, *op. cit.*, págs. 54 y ss; Gordon Brotherston, «Ubirajara, Hiawatha, Cumandá: Natural Virtue from American Indian Literature», *Comparative Literature Studies*, 9 (1972) págs. 243-252; José Puente, *The influences of Bernardin de Saint-Pierre, Chateaubriand and James Fenimore Cooper in Juan León Mera's Cumandá*, Ann Arbor, DAI, 1972, 33, 323A, etc. En el narrador ecuatoriano, la huella de Cooper se deja ver también claramente a través de su obra *The Wept of Wish-ton-wish* (1826), donde una niña blanca raptada por indios salvajes crece en su comunidad, se casa con Conunchet, y muere cuando éste es ejecutado por su enemigo. También es posible que conociera otras obras de Cooper como *Los pioneros* y *El matador de venados*.

[40] Estos dos fragmentos pertenecen a la carta que Mera envía desde Ambato, el 10 de marzo de 1877, al Director de la Real Academia Española, para presentarle *Cumandá*, poco antes de ser publicada, en agradecimiento por haber sido nombrado miembro de la Academia. Reproducida en esta edición, págs. 81-82.

Ahora bien, hay mucha diferencia entre la huella que dejó Chateaubriand en los hispanoamericanos y la que imprimió Cooper. La razón fundamental la dio Concha Meléndez hace ya muchos años: la distinta actitud frente al indio[41]. El indio norteamericano se suele presentar siempre como algo extraño al colonizador europeo, sin opciones para la fusión, el mestizaje o el sincretismo. La literatura generada por la cultura anglosajona reproduce los mecanismos ideológicos de base que alimentan la conciencia puritana, protestante, reacia a la mezcla. Se puede admirar la naturaleza, describirla, utilizarla e incluso gozar de ella, pero no se puede sentir como el indígena, porque no hay interés en convivir con él. Por eso, en la mayoría de las obras norteamericanas de la época, los sentimientos amorosos, los conflictos psicológicos, las sensaciones producidas por el contacto con la naturaleza, etc., son menos intensos, se presentan en forma esquemática y apenas poseen fuerza[42]. La cultura puritana consideraba al indio «como una parte del elemento físico selvático que tenían que vencer o hacer desaparecer por la inteligencia o por la fuerza. No había manera de pensar en relaciones emocionales ni en unión física con ellos. ¿A qué se debía esto? A mi parecer, la razón está enraizada en el pensamiento del *pioneer* británico. El católico español vino a América sin esa clase de prejuicio. Formaba parte de una comunidad que, en su país, integraba un conjunto. Favorecía por tanto el ensanchamiento de ese conjunto, incluyendo en él a todos los hombres cualquiera que fuese su color. Además, poseía la fácil, la natural actitud del hombre meridional en lo que se refiere al sexo»[43]. El pensamiento puritano y calvinista, muy ligado a los elementos exteriores que definen o determinan un tipo de cultura, defiende el carácter de *elección divina* que se desprende de la raza, el lugar de nacimiento, la clase social, el poder adquisitivo. Según esta ideología, los aspectos externos supuestamente positivos (la riqueza, la au-

---

[41] *Op. cit.*, págs. 57 y ss.
[42] Cfr. Concha Meléndez, *op. cit.*, pág. 59.
[43] Waldo Frank, *Primer mensaje a Hispanoamérica*, Madrid, Revista de Occidente, 1930, págs. 87-88.

sencia de defectos físicos, la pertenencia a una raza *superior*, etc.) son manifestación de la bondad divina y la predilección por unas personas, y son prueba, además, de la predestinación. Al perder Lutero el concepto de mérito personal para conseguir la salvación eterna, en todo el ámbito protestante se busca una solución adecuada, que justifique la negación de la voluntad y la libertad en el contexto de la providencia divina. Y esos patrones *objetivos* terminan siendo el mundo de valores que el eurocentrismo ha definido como tales desde los comienzos de la sociedad moderna capitalista: el éxito, el placer, la riqueza, el poder. De esta primera premisa nace otra desviación más peligrosa: si Dios es providente y tiene previsto el futuro de cada persona, y si todo eso se puede inferir de unas condiciones socio-económicas, étnicas y culturales, sería un atentado contra la naturaleza de las cosas y una lucha inútil contra la voluntad divina intentar la fusión (el mestizaje físico y espiritual) con una cultura tan diferente, en todos los niveles: racial, económico, político, ideológico. Por eso, la actitud del centroeuropeo y el anglosajón con el indio americano del norte fue tan tajante, y la devastación tan inmisericorde. El católico también se sentía predestinado, pero de modo diferente: si Dios quiere que todos los hombres se salven, si España ha defendido tradicionalmente los ideales católicos frente a la Europa protestante y, si también de modo *providencial*, a España le ha *correspondido* descubrir y comenzar a colonizar el Nuevo Mundo, resulta evidente que hay que conservar para cristianizar, mediante el mestizaje y el sincretismo, la civilización indígena. Por eso el planteamiento de los amores entre blancos e indígenas será más corriente, más realista y más positivo, a pesar de los inevitables finales trágicos, propios del espíritu romántico, en las obras hispanoamericanas que en las de la zona norte. Además, el escritor norteamericano encontrará un conflicto difícilmente franqueable, cuando su sentimiento nacionalista, ya *blanco* en el siglo XIX, recupere los datos que la historia de los siglos anteriores le revele sobre la destrucción del indígena. Cabe afirmar con Meléndez que ante «el espectáculo de la destrucción de estas tribus primitivas, el novelista (en este caso, Cooper) tenía que llamar en su ayuda todos los razonamientos sociales y patrióticos para no maldecir la victoria del hombre blanco y no llorar la expoliación y destrucción cruel del hombre rojo. En esta apreciación está implícita la verdadera actitud de Cooper ante el problema. Si en sus novelas, y especialmente en *The last of the Mohicans*, se descubre, no una tristeza solemne, pero sí cierto matiz melancólico ante la destrucción del hombre rojo, razones sociales y patrióticas lo convencen de que esa destrucción es inevitable en la obra civilizadora, y no llega a maldecir al hombre blanco, y menos a llorar el absoluto vencimiento del indio, como lo llora Garcilaso el Inca en la primera parte de sus *Comentarios*»[44].

El tema amoroso es, junto con el racial y el naturista, uno de los pilares fundamentales que sostienen el interés de la narrativa romántica, dándole a la vez una consistencia ideológica[45]. Hemos visto qué autores extranjeros introdujeron la moda en Hispanoamérica. Son escritores y obras que llenan las últimas décadas del XVIII y los primeros años del XIX. La literatura sentimental llega, sin embargo, algo retrasada a Hispanoamérica. La tendencia melancólica y lacrimógena impuesta por Chateaubriand y sus contemporáneos no comienza en nuestra América hasta la mitad del siglo. Las singulares condiciones socio-políticas de los territorios en vías de emancipación o recién independizados, la conflictividad ideológica y la carencia de modelos culturales idóneos y arraigados no favorecieron el desarrollo oportuno y sincrónico de las manifestaciones artísticas. Las guerras civiles posteriores, los estados de anarquía o desgobierno, la estrechez de miras de las oligarquías triunfadoras, las constantes diatribas entre países por delimitación de fronteras, la preocupación obsesiva por la creación rápida de constituciones democráticas, los continuos desvelos por conseguir buenas relaciones comerciales con países europeos, etc., influyeron en un desarrollo pobre y tardío de la literatura hispanoamericana, hasta el punto de que la época romántica llegó a alargarse hasta casi el fin de siglo. Por eso *Cumandá* es una obra plenamente románti-

[44] *Op. cit.*, págs. 58-59.
[45] Véase, por ejemplo, el trabajo ya citado de Álvaro Salvador y Juan Carlos Rodríguez al respecto, en lo que denominaron «la ideología de las lágrimas».

ca, publicada en una fecha muy cercana a la de las otras grandes muestras del romanticismo hispanoamericano, como *María* (1867) de Isaacs, las primeras series de las *Tradiciones* de Ricardo Palma, el *Martín Fierro* (1872-1879) de Hernández, los principales poemas de Zorrilla de San Martín (*Notas de un himno*, 1877 y *Tabaré*, 1888), y obras con evidentes ecos románticos como el *Enriquillo* (1879-1882) de Galván o los primeros poemas de adolescencia de Martí o Darío. Por lo que se refiere a la novela sentimental en Hispanoamérica, el primer vestigio lo encontramos en *Soledad*, de Bartolomé Mitre (1847), continuado por *Esther*, de Miguel Cané (1851), *El primer amor*, de Blest Gana (1858) y *Julia*, de Cisneros (1861). Estas obras reproducen con asombrosa exactitud los tópicos de la literatura sentimental francesa. En este primer período hay dos obras que traspasan el esquema simple de la trama sentimental: *Amalia*, de Mármol (1855), síntesis de géneros narrativos románticos (sentimental, político, histórico), y *La peregrinación de Bayoán*, de Hostos (1863), con pretensiones críticas con respecto a la época colonial, en favor del indígena. En 1867 se publica la obra que culmina el género, *María*, del colombiano Jorge Isaacs, a la que siguen *Clemencia*, de Altamirano (1869), *Angélica*, de Ortiz (1871), *María*, de Valderrama (1878) y *Cumandá*. En ésta hay también una complejidad mayor, al incluir con toda su extensión el problema del indígena y el papel del cristianismo en los siglos de la colonia. Dos obras posteriores cierran el ciclo: *Carmen*, de Costera (1882) y *Angelina*, de Delgado (1895). Es decir, pasan más de ciento treinta años entre la publicación de la primera obra del género, en Europa (*La nouvelle Heloïsa* de Rousseau, en 1761), y la última en América, confirmando al Romanticismo como uno de los períodos literarios más largos y fecundos de la literatura occidental.

IV. Un drama entre salvajes

Éstas son las palabras que completan el título de la obra. Como en tantas otras narraciones sentimentales, el nombre del protagonista femenino sirve para denominar la novela.

50

Pero en *Cumandá* es necesario añadir que se trata de una historia que ocurre entre salvajes, y que posee fuerza dramática por su planteamiento, desarrollo y desenlace. Por el entorno idealizado en el que actúan los personajes, muchos de ellos indígenas, la crítica más común ha visto en la narración de Mera un ejemplo más de la novela indianista hispanoamericana, que se fragua en los años 30 y su estela llega hasta la década de los 80, momento de transición entre *indianismo e indigenismo*. Para diferenciar el concepto que se corresponde con ambos términos basta añadir al criterio diacrónico la intención reivindicativa. El indianismo daba una imagen exótica, decorativa, folclórica del indio, conforme a los límites que la literatura sobre el buen salvaje había canonizado, aludiendo a la felicidad de una vida natural y sin atender a los problemas reales. Se entiende, pues, que en un ambiente romántico idealista, esta tendencia llegara a su máxima expresión. Ahora bien, con la misma lucha de los pueblos hispanoamericanos por adaptarse a las nuevas condiciones que impone el capitalismo internacional del XIX, y la quiebra de las utopías coetáneas (positivismo, idealismos alemanes) se genera en la civilización de Occidente un mecanismo de defensa frente a los inmovilismos sociales propios de épocas anteriores y una actitud de desengaño en relación con los intelectuales mesiánicos, que pretenden descubrir la piedra filosofal del progreso con teorías que ni tienen base en la experiencia social, ni cuentan con los tremendos problemas de las clases más bajas ni la cada vez más extrema diferenciación entre países desarrollados y Tercer Mundo. Y nacen los irracionalismos y las utopías sociales, los movimientos obreros, y la literatura de corte realista, naturalista y modernista. Las novelas sobre el indio pierden el elemento idealizante y se convierten en denuncias en contra de la explotación del hombre en razón de su etnia o clase social. El indio se humaniza, el medio en el que vive se pinta con caracteres reales, se seleccionan los hilos argumentales, las tramas, se exageran los abusos o se describen minuciosamente. En definitiva, el escritor indigenista destapa el espejo y escribe lo que ve reflejado en él, con el fin de denunciar las situaciones de explotación, y con el deseo de terminar con la desigualdad social y económica entre las razas y las clases sociales. El punto de inflexión de una tendencia a otra está representado por la escritora peruana Clorinda Matto de Turner, con su novela *Aves sin nido* (1889), que se preocupó por describir al indio real y denunciar la explotación de los más débiles, a pesar de que sus primeros escritos, las *Tradiciones cuzqueñas* (1884), permanecían dentro de una corriente romántica puesta en marcha por Ricardo Palma años antes.

La primera novela indianista se publicó en 1832. Se trata de *Netzula*, del mexicano José María Lafragua, que recuerda en algunos aspectos a la protagonista de *Atala*. Alejandro Magariños Cervantes, en *Caramurú* (1848), combina la acción amorosa con alusiones a la lucha emancipadora, y Rosa Guzmán recrea, en versión novelesca, la leyenda de *Lucía Miranda* (1860), con todos los tópicos románticos e idealizantes que ya se encontraban en la antigua historia. Del mismo modo, José Ramón Yepes revive un mito en *Iguacaya* (1872), añadiendo a la trama muchos de los ingredientes del indianismo que ya estaban en Chateaubriand. También pueden citarse como indianistas las novelas históricas *Guatimozín* (1846) de Gertrudis Gómez de Avellaneda, *Los mártires del Anáhuac* (1870) de Eligio Ancona, *Nezahualpilli* (1875) de Juan Luis Tercero y *Enriquillo* (1879-1882) de Manuel de Jesús Galván[46]. Por ello, *Cumandá* se encuentra en la recta final del indianismo, cuando la idealización va dejando paso a la crítica social y étnica, que fraguará a partir de Clorinda Matto de Turner, y en el siglo XX dará sus mejores frutos: *Raza de bronce* (1919) del boliviano Alcides Arguedas, *Matalaché* (1928) de López Albújar, *Tungsteno* (1931) de César Vallejo, *Huasipungo* (1934) de Jorge Icaza, *El indio* (1935) del mexicano Gregorio López y Fuentes, *El mundo es ancho y ajeno* (1941) de Ciro Alegría, diversas obras de José María Arguedas y Miguel Ángel Asturias, etc. Un indigenismo que traspasa los límites de la narrativa de ficción y se extiende al ensayo socio-literario hispanoamericano: los irracionalismos opuestos a las utopías positivistas, unidos a la xenofobia que nace como mecanismo de defensa de la raza vitupe-

---

[46] Cfr. Concha Meléndez, *op. cit.*, págs. 75 y ss.

rada, explican obras como las de Ricardo Rojas, *Blasón de plata* (1912) y *Eurindia* (1914), que tratan de hacer de la historia de Argentina una cosmogonía, a partir de orígenes legendarios, de las profecías de los magos indígenas, del testamento incaico, etc. Esta labor es continuada por Bernardo Canal Feijoo con sus obras *Mitos perdidos* (1938), *Burla, credo y culpa en la creación anónima* (1952) y *Confines de Occidente* (1954), y también por diversos ideólogos del indigenismo, casi todos procedentes de los países donde hay una mayoría de población indígena. Cabe destacar a los bolivianos Franz Tamayo (*La creación de una pedagogía nacional*, 1918) y Guillermo Francovich Pachamama (*Diálogo sobre el porvenir de la cultura en Bolivia*, 1942), a los peruanos Manuel González Prada (*Nuestros indios*, 1924), Antenor Orrego (*El pueblo continente*, 1939) y Luis Valcárcel (*Tempestad en los Andes*), y sobre todo al mexicano José Vasconcelos, con sus inevitables *La raza cósmica* (1925) e *Indología* (1926). Pero lo cierto es que muchos de los planteamientos *indigenistas*, que no hacían más que continuar la veta exotista-naturista del XIX dándole un sesgo político e ideológico, cayeron en un dogmatismo y una falacia reduccionista, y fueron denunciados con crudeza por Gutiérrez Girardot en un brillante ensayo, donde definía ese *neoexotismo* y sus consecuencias:

> En Hispanoamérica produjo ese racismo al revés que es el «indigenismo» y que, mezclado vagamente con el llamado «realismo socialista», se presentó no solamente como lo único auténticamente americano, sino como la verdadera «redención», sin querer percibir que, en realidad, quería detener, cuando no anular la rueda de la historia. La justa denuncia social del indigenismo era una coartada que ocultaba su pasatismo irracional[47].

Decir que *Cumandá* es una novela indianista, sin matices, porque se sitúa en una década en que culmina el género, porque sus características son esencialmente románticas y por su

---

[47] Rafael Gutiérrez Girardot, «América sin realismos mágicos», *Quimera*, 46-47 (1985) pág. 93.

idealismo es, sin duda, simplificar la profundidad del relato. Si definimos con Aida Cometta la narrativa indianista como aquélla en la que «el drama del indio está totalmente ausente»[48], es obvio que no hablamos con propiedad de la obra de Mera. Por eso la crítica se ha dividido entre los que postulan la ingenuidad y el lirismo superficial de este *drama entre salvajes*, calco de la narrativa sentimental y naturista francesa, y los que observan claros rasgos reivindicativos, críticos, más propios del incipiente indigenismo. La novela comienza con la descripción de las selvas del oriente ecuatoriano como lugar idílico. En ellas el Padre Domingo de Orozco se dedica a purgar su mala vida anterior evangelizando a los indígenas de Andoas. Ha pasado de ser un colono explotador a un sacerdote entregado en cuerpo y alma a los necesitados, decisión tomada a raíz de una revuelta indígena en la que perece toda su familia excepto su hijo Carlos. Éste conoce a una joven india, Cumandá, también católica y con un cierto parecido físico a los blancos. Ambos se enamoran y desean casarse, pero la oposición de las familias indígenas para mezclarse con los blancos por odios de raza impide la unión. Tongana (Tubón), padre de Cumandá, decide casarla con el jefe de una tribu vecina, Yahuarmaqui, y perseguir a Carlos hasta la muerte. La pareja huye pero es apresada por la tribu de Mayariaga, el cual acaba de ser vencido y ajusticiado por Yahuarmaqui en combate cara a cara. Las dos partes deciden cambiar el botín, y el cadáver es devuelto por la entrega de los enamorados. Casada Cumandá con Yahuarmaqui, éste muere la noche de bodas y ella vuelve a escapar con Carlos. A punto de morir varias veces, Carlos es salvado por su amada, pero en la última de ellas, Cumandá se entrega a la muerte para la exculpación de Carlos. En el momento de la agonía, gracias a la aparición de un amuleto de piel de ardilla, se descubre que Cumandá es Julia, la hija pequeña del Padre Orozco, que fue raptada por Tubón, el cabecilla de la revolución contra los colonos, y que pasó a llamarse Tongana. El Padre Orozco perdona a Tongana y le asiste cristianamente en su

---

[48] Aida Cometta Manzoni, *El indio en la novela de América*, Buenos Aires, Ed. Futuro, 1960, pág. 11.

agonía. Muerta también Cumandá, Carlos fallece al poco tiempo, y el Padre Domingo se retira al convento de Quito a continuar su vida de dolor y penitencia.

Hernán Vidal, en un artículo ya clásico, «*Cumandá*: apología del estado teocrático», sostiene que Mera sigue al pie de la letra la moda indianista impuesta por los franceses, porque quizá su intención no estaba tan relacionada con la exaltación del paisaje y la naturaleza americanos, sino más bien con un deseo «de agradar al consumidor europeo, situación común en escritores de sociedades integradas al capitalismo internacional en calidad de dependientes»[49]. Por eso, el indio y lo selvático son «utilería paisajista». El narrador, al intentar superar las contradicciones existentes entre los dos mundos (el civilizado católico y el salvaje pero maravilloso y admirable indígena), intuye que la plenitud vital consiste en el trabajo de incorporar al pueblo indígena a la civilización, labor que no llegará de la mano de los latifundistas, condenados por las ideas humanitarias cristianas, sino de las órdenes religiosas. Todo esto se demuestra, según Vidal, en dos aspectos: la progresión de lo espiritual en el relato y la defensa de los jesuitas. Éstos habían sido expulsados varias veces de Ecuador, incluso en una época muy cercana a la culminación de la carrera política de Mera: en la etapa liberal de principio de los 50. Con esta novela, Mera justificaría no sólo su vuelta, sino el papel importante que han desempeñado desde su llegada en el siglo XVI, en la evangelización y labor civilizadora de los indígenas. Ahora bien, el matiz que descubre para Vidal el indianismo y la verdadera apología del estado teocrático es la continua ascensión del elemento espiritual en el relato. Es decir, casi se identifica en este autor indianismo con carácter espiritual, propio de la narrativa francesa anterior, y propio sobre todo de una ideología europea importada, como si el cristianismo y España fueran una misma idea, restando validez universal a la religión y reduciendo lo español a un modo muy particular de entender la existencia. Asimismo, indigenismo no sólo se identificaría con reivindicación

---

[49] Hernán Vidal, «*Cumandá*: apología del estado teocrático», *Ideologies and Literature*, 15, III (1981) pág. 62.

o lucha por unos derechos, sino más bien con aquel reduccionismo del que hablaba Girardot. Piensa Vidal que la crítica a la explotación, tan evidente en la novela, resulta algo ambigua, porque junto con el deseo «de hacer del indio un pequeño propietario exento de explotación» existe también un «hincapié en el control de las pasiones materialistas del hombre en aras del imperio de un espiritualismo cristiano en las actividades del estado», para configurar un «estado teocrático contemporáneo». Además —continúa Vidal— «podía soslayar una crítica demasiado intensa del huasipungo serrano para mostrar otra alternativa de organización nacional a partir de esos experimentos misioneros sin enajenarse la buena voluntad de los círculos conservadores. Más específicamente su crítica al conservadurismo se dirige al hecho de haber olvidado [...] su misión civilizadora y cristianizadora. Pero, a pesar de todo, es obvio que no deseó dar a sus planteamientos un carácter antagónico frente a sus mentores. De haber escogido tal antagonismo habría usado la novela como material de agitación política, de lo cual no hay evidencia»[50]. A nuestro juicio, Vidal confunde a veces espiritualismo cristiano con indianismo, ingenuidad y conservadurismo político, y además no repara en la imposibilidad de Mera para presentar el material crítico en moldes contemporáneos, ya que la época en la que vive está dominada, como vimos, por las corrientes románticas, y la oleada realista todavía no ha comenzado a extenderse por la América Hispánica. Como escritor de transición, no puede escribir una obra como *Huasipungo*, sino que su crítica, sin juzgar ahora su intensidad, tiene otros cauces. Richard A. Young, en un artículo bastante más reciente, pone también en duda el aspecto crítico de *Cumandá*, y se pregunta «hasta qué punto es posible aceptarla como precursora del indigenismo del siglo veinte»[51]. Reconoce los aspectos novedosos de la obra en las relaciones interraciales y el desenmascaramiento de los abusos de la conquista y la colonización española, pero concluye que «en

---

[50] Cfr. Hernán Vidal, *op. cit.*, pág. 72.
[51] Richard A. Young, «Juan León Mera y el discurso indianista de *Cumandá, o un drama entre salvajes*», *op. cit.*, pág. 188.

ningún momento se critican las instituciones sociales y políticas que permiten este sistema, ni se aboga por su reforma. Por el contrario, la culpa no se atribuye a institución alguna, sino al carácter maniqueísta de la naturaleza humana»[52]. Lo más asombroso es que Young cita a continuación varios fragmentos del capítulo II de la novela, el cual constituye un alegato en favor de la obra de los misioneros para civilizar la selva, y una dura crítica a la institución monárquica absolutista que expulsó a los jesuitas por prejuicios ideológicos y miedos políticos. Júzguese si este párrafo supone o no una tremenda censura a la actuación imperial y, en definitiva, a la misma institución, separando perfectamente lo vicioso del poder político y la generosidad y abnegación de las actividades de los religiosos, aunque ambos procedieran de la Península:

> Un repentino y espantoso rayo, en forma de *Pragmática sanción,* aniquiló en un instante la obra gigantea de dilatadísimo tiempo, de indecible abnegación y cruentos sacrificios. El 19 de agosto de 1767 fueron expulsados de los dominios de España los jesuitas, y las Reducciones del Oriente decayeron y desaparecieron. Sucedió en lo moral en esas selvas lo que en lo material sucede: se las descuaja y cultiva con grandes esfuerzos; mas desaparece el diligente obrero, y la naturaleza agreste recupera bien pronto lo que se le había quitado, y asienta su imperio sobre las ruinas del imperio del hombre. La política de la Corte española eliminó de una plumada medio millón de almas en sólo esta parte de sus colonias. ¡Qué terribles son las plumadas de los reyes! Cerca de dos siglos antes, otra igualmente violenta echó del seno de la madre patria más de ochocientos mil habitantes. Barbarizar un gran número de gente, imposibilitando para ella la civilización, o aventarla lejos de las fronteras nacionales, allá se va a dar: de ambas maneras se ha degollado la población (cap. II, pág. 98).

Mera guarda las formas: no en vano *Cumandá* está dedicada a la Real Academia Española, una institución de la Monarquía Española, de la que forma parte desde 1872. Ahora

---

[52] Richard A. Young, *op. cit.*, pág. 190.

bien, esos hilos no le atan hasta el punto de callar aquello que ha visto con claridad. Casi cuatro siglos de historia repiten una actitud que hay que recriminar sin esconder la gravedad. En una carta a Valera es mucho más explícito, se confiesa defensor del indígena, aunque es consciente de que la lucha es desigual; poco pueden sus palabras contra tantos siglos de abusos, porque sigue siendo un problema de mentalidad:

> En mis escritos, en las legislaturas a que he concurrido, en los empleos que he desempeñado, he sido defensor constante de los indios contra las preocupaciones y los abusos de la gente de mi raza; pero los abusos y las preocupaciones han sido más poderosos que todos mis razonamientos y mis esfuerzos... La herencia de los vicios y defectos de nuestros abuelos no ha desaparecido del todo entre nosotros, y sirve de rémora no sólo al mejoramiento de la condición de los indígenas, en buena parte sujetos aún a injusto y duro trato, sino también al progreso de los mismos que nos ufanamos de pertenecer a una raza superior[53].

Así, muchos críticos han hallado razones para creer que algunas partes del contenido de la obra anticipan o anuncian la dirección que va a tomar la novela realista. Fernando Alegría admite que «Mera es un precursor de la novela indianista (indigenista), no por sus tendencias literarias, sino por sus sentimientos de reivindicación social»[54]. Antonio Sacoto, en su estudio sobre el indio en la novela ecuatoriana, asegura que podemos ver en Mera «the beginning of the realist novel with social and economic tendencies»[55], lo que Tomás Esca-

---

[53] Juan León Mera, «Carta a D. Juan Valera», en *Ojeada histórico crítica sobre la poesía ecuatoriana desde su época más remota hasta nuestros días*, Barcelona, Ed. Cunil Sala, 1893, 2.ª ed., págs. 545 y 553.

[54] Fernando Alegría, *Breve historia de la novela hispanoamericana*, México, Ediciones de Andrea, 1959, pág. 85. Se entiende por el contexto de la frase que, cuando Alegría escribe *indianista*, se está refiriendo al concepto que nosotros venimos denominando como *indigenista*; de ahí la aclaración entre paréntesis en el texto.

[55] Antonio Sacoto, *op. cit.*, pág. 62.

jadilla ha denominado «indigenismo ortodoxo»[56]. El autor que más ha incidido en el tema es Manuel Corrales, uno de los mejores estudiosos de la obra de Mera. En su trabajo «*Cumandá* y las raíces del relato indigenista ecuatoriano» parte de la opinión común que sitúa a la novela *Plata y bronce*, de Fernando Chaves, en el inicio del indigenismo literario ecuatoriano, e intenta demostrar que en la obra de Mera hay ya indicios de esa corriente literaria y social, dejando claro «que el elemento indigenista no es lo central en la novela de Mera»[57], si bien es cierto que hay cuatro notas precisas que lo confirman: el carácter documental de la obra, la presencia comentadora del autor, la evocación del ancestro y la constatación de que la justicia siempre ha estado al servicio del poderoso. La referencia a la sublevación de Guamote y Columbe, relacionada con la explotación en los obrajes, se convierte en un dato histórico que provoca el argumento reivindicativo de toda la obra. El colono José Domingo Orozco (capítulo VI), a finales de 1790, va a visitar su hacienda de Riobamba, donde también dirige una serie de obrajes y huasipungos. Los indígenas que trabajan para él, encabezados por Tubón, se sublevan y matan a toda la familia excepto a su hijo Carlos e incendian el lugar. La reacción no se hace esperar: Orozco toma represalias y ejecuta a varios indígenas, pero cuando reflexiona sobre las causas de la sublevación, admite su culpa y decide abandonar el sistema de explotación para convertirse en misionero. Las descripciones de Mera sobre las condiciones de vida de los indígenas son elocuentes:

> Quien en aquellos tiempos nombraba una hacienda de obraje nombraba el infierno de los indios; y en ese infierno fueron arrojados el viejo Tubón, su esposa e hijo. La pobre mujer sucumbió muy pronto a las fatigas de un trabajo a que no estaba acostumbrada y al espantoso maltrato de los capa-

---

[56] Tomás Escajadilla, «Meditación preliminar acerca de José María Arguedas y el indigenismo», *Revista Peruana de Cultura*, 13-14 (1970) pág. 86.

[57] Manuel Corrales Pascual, *op. cit.*, pág. 120. Aunque citamos el artículo en la versión que aparece en el libro de conjunto dedicado al centenario de *Cumandá*, cuyo editor es también Corrales, conviene aclarar que se publicó por primera vez en la *Revista de crítica literaria latinoamericana* 7-8 (1978).

taces. El látigo, el perpetuo encierro y el hambre acabaron poco después con el anciano: un día le hallaron muerto con la cardadera en la mano (cap. VI, págs. 130-131).

Y junto con los obrajes, el tremendo peso de las deudas contraídas a priori por los abusivos concertajes:

> El hijo, que pudo resistir a beneficio de la corta edad, salió de su prisión a los muchos años, por convenio celebrado entre su antiguo amo y el dueño del obraje, y cargado, además de su primera deuda, con la del padre difunto (cap. VI, pág. 131).

La crítica se recrudece cuando, vistas las características de la explotación, el indígena intenta reclamar justicia, y ésta se decanta siempre en favor de los poderosos. En el mismo capítulo VI Mera explica cómo los Tubones quisieron protestar por los malos tratos del amo y fueron castigados por ello:

> Los tres, juntamente, quisieron dejar el servicio de amo tan cruel e injusto y acudieron a la justicia civil, ante la cual se sinceró don José Domingo, y apareció impecable como un ángel. No así los indios, que habían cometido el grave delito de quejarse contra el amo, el cual, para castigarlos, vendió a un *obrajero* la deuda que, por salarios adelantados, habían contraído los Tubones (cap. VI, pág. 130).

En definitiva, *Cumandá* pone de manifiesto los mecanismos de funcionamiento de una organización social colonial, es decir, un sistema socioeconómico cerrado basado en una relación estructural de dependencia, con dos estratos: el de los colonizadores y el de los colonizados. Ahora bien, falta en *Cumandá* un estudio más profundo del sistema de explotación ya que, en ocasiones, la crítica resulta algo velada, y, sobre todo, la división entre dominantes y dominados es algo simple. Sin llegar al maniqueísmo de algunos planteamientos del XIX sobre el dilema civilización *vs.* barbarie, en los que indígenas o europeos son, en bloque, o los buenos o los malos por naturaleza, la diversificación parece, a todas luces, insuficiente. Todos los indígenas son *salvajes*, a juzgar por el título de la novela y por la evolución de los hechos, a pesar de que exista una diferencia mínima en el grado de civilización, según las características propias de la tribu y el tipo de contacto previo con misioneros *civilizadores*. La única excepción es Cumandá quien, como se descubre al final, ni siquiera es de raza india. Es decir, la defensa del indio no se sustenta en el carácter de su estado inicial, libre y primitivo, sino en su capacidad de ser civilizado y en la idea cristiana de la igualdad radical y esencial de todo hombre por ser hijo de Dios y creación divina. En los blancos, la distinción se formula entre colonos y misioneros. Apenas hay aspectos negativos en la actuación de los religiosos, mientras que el colono europeo es un explotador, el único reponsable de la dominación del indígena. A este cuadro le falta, además de los matices que diferencian a los tipos de las personas reales, un trabajo más profundo acerca del elemento dominador basado en el colonialismo interno. Así lo ha visto Segundo Moreno:

> Aunque se ha señalado la situación colonial como un proceso de dominio sobre el grupo indígena, se la ha interpretado unilateralmente. Así, se ha condenado a la explotación española entendiéndola exclusivamente como la de la Metrópoli europea, mientras se han disimulado las relaciones locales de dependencia conocidas como colonialismo interno. Para los indios, tan colonialistas eran los españoles europeos, como los criollos americanos y mestizos. He aquí por qué sus luchas no terminaron con la independencia política, sino que han continuado y quizás con mayor violencia durante la República[58].

V. LA ESTRUCTURA, EL TIEMPO Y LOS PERSONAJES DE «CUMANDÁ»

Cumandá es una novela *bien* concebida desde la perspectiva clásica del relato largo. Mera nos habla de su origen y concepción en una carta a Valera fechada en Atocha el 1 de diciembre de 1889. El novelista ecuatoriano escucha la historia

---

[58] Segundo Moreno Yáñez, *op. cit.*, pág. 22.

de manos del viajero inglés Richard Spruce, enviado por el gobierno de su nación para recoger las semillas de la quina, extrayéndolas de las montañas ecuatorianas. Spruce conoce a Mera y le relata la historia de una joven jíbara que huye de su entorno y se refugia entre cristianos para no ser enterrada con su esposo, el curaca recién fallecido, ya que ésa era la costumbre entre los indígenas. Sobre la base de esa noticia, con la documentación pertinente sobre los acontecimientos de 1790 y las aportaciones de Chateaubriand, Saint-Pierre y Cooper, Mera diseña una estructura. Hay un planteamiento breve pero claro e incisivo, que presenta el tema, el escenario e introduce al lector para que llegue sin dificultades hasta el final de la aventura. El desarrollo es lineal sin saltos, exceptuando el capítulo VI, «Años antes», que recupera los orígenes de la historia que va a contar, desde el levantamiento de 1790 hasta el presente de la narración, 1808, en plena efervescencia emancipadora pero un año antes del famoso golpe de Quito. En los primeros compases predomina la descripción, y el narrador recorre el camino desde lo indígena hasta lo hispánico: el lugar donde van a desarrollarse los hechos (cap. I), las tribus que intervienen en la historia (cap. II), los Tongana y Cumandá (cap. III); en el capítulo IV se encuentra el punto de unión entre lo indígena y la colonia, y además se da a conocer la relación amorosa que condiciona el nudo de la novela: Carlos y Cumandá nos descubren su amor puro en un *locus amoenus*. A partir de aquí comienza el acercamiento al otro grupo étnico: la Reducción de Andoas (cap. V), tradicionalmente atendida por misioneros, en la que trabaja ahora el Padre Orozco, cuyos orígenes (cap. VI) y los de su familia son detallados para terminar en la figura central, Carlos (cap. VII). Por tanto, las *secuencias de desempeño* (o pruebas para el desarrollo de la acción que poseen elementos imprescindibles para que el relato avance) fundamentales se encuentran en estos primeros capítulos: en el II, Yahuarmaqui decide no apoyar a Mayariaga y retirarse de la guerra; por ello, éste odiará a aquél y Yahuarmaqui se acercará a Tongana, propiciando el posterior matrimonio de Cumandá. En el IV se descubre el amor pero también el temor, y se augura el fracaso. Asimismo se anuncia el carácter fuerte y activo de ella frente a la pasividad del amante, con lo que se invierte el esquema típico de la novela sentimental romántica. En el capítulo VI, como ya hemos visto, se produce la secuencia de desempeño más decisiva, a través de la historia de las sublevaciones.

Aquí termina el planteamiento, y comienza el tratamiento del tema. La descripción, que imprimía un ritmo más bien lento a la obra, cede paso a la acción y al diálogo, ganando en interés y rapidez, gracias a los obstáculos que los protagonistas van encontrando e intentan sortear. Se trata de la conjunción de dos fuerzas de signo contrario que funcionan en dos niveles diferentes: el amor de los protagonistas (particular y privado) se estrella contra el odio entre las razas (general y público), que significa también desavenencias de tipo ideológico y religioso[59]. En los trece capítulos restantes —veinte tiene la novela—, Mera va repartiendo los momentos de tensión y distensión estratégicamente para mantener la atención del lector, siendo fiel a su propósito inicial, expuesto en el planteamiento: amor puro entre los dos jóvenes, odio de razas, persecuciones y condenas a muerte. Tiene particular interés la parte central de la novela, los capítulos que marcan el punto intermedio entre la presentación y la resolución: en ellos se describen con agilidad los tres intentos de Tongana para acabar con Carlos. En el cap. IX el joven es arrojado al lago por el hijo de Tongana, en el X escapa de ser envenenado y en el XII se salva in extremis de ser atravesado por una flecha. En todas esas ocasiones Cumandá realiza la función de heroína que salva al amado. Dentro del contexto católico en el que Mera se desenvuelve, el número tres adquiere un valor simbólico importante, que hace resaltar estructuralmente la figura de Cumandá. El tres es uno de los números

---

[59] Se trata del contraste entre la religiosidad, positiva y *civilizada* en la novela, de los protagonistas y el Padre Domingo, y el mundo salvaje de las supersticiones indígenas. A pesar de ese planteamiento antitético, se pueden descubrir elementos de sincretismo en algunos personajes, sobre todo en Cumandá. Ésta, al mismo tiempo que se confiesa cristiana y acepta teórica y prácticamente su moral, no duda en afirmar la presencia y actuación del *mungía* y otro tipo de seres que pertenecen al mundo de las supersticiones indígenas.

de la plenitud porque significa la Trinidad, pero también es el número que representa la prueba detrás de la cual se encuentra la salvación. Tres son las tentaciones o pruebas que Cristo ha de superar, tres las negaciones de Pedro y las posteriores muestras de arrepentimiento y superación del desamor, tres los días que transcurren entre la muerte y la resurrección, etc. En *Cumandá*, los tres encuentros con la muerte son el triunfo del amor sobre el odio, el cual a su vez no puede evitar el desenlace trágico en los últimos capítulos, porque la *anagnórisis* final (*intriga de revelación*, reconocimiento de la verdadera identidad de Cumandá y Tongana gracias a la bolsa de piel de ardilla) imposibilita la relación amorosa entre dos hermanos, como en *Atala, Cecilia Valdés, Aves sin nido* o tantas otras muestras del género. Además, la novela sentimental decimonónica exige el final trágico, algo que se prepara durante todo el texto y que se resuelve a partir del capítulo XVIII, «Última entrevista en la tierra», cuando Cumandá se entrega y pide hablar con él antes de morir, y tiene lugar una de las escenas más lacrimógenas de la novela, condimentada con el dolor de la despedida.

Como puede observarse, la estructura es bastante tradicional, los capítulos son de una duración parecida, generalmente cortos, prevalece la acción sobre la descripción, y la secuencia temporal es continuada y de pocos días de duración, exceptuando las analepsis de los capítulos VI (historia de la familia Orozco), VII (historia de Carlos), XVI (en la segunda huida Cumandá recuerda la anterior, ocurrida dos semanas antes) y XIX (se rememora el suceso de los levantamientos de Columbe y Guamote). En el último capítulo, casi a punto de terminar la novela, el narrador deja pasar unos meses para contar escuetamente la muerte de Pona, madre (india) de Cumandá, y de Carlos, que no pudo soportar la desaparición de su amada. Asimismo, narra la marcha del Padre Orozco a Quito, por orden de su prelado. La acción se sitúa a principio de siglo, mientras que el tiempo de la escritura corresponde al comienzo de la segunda mitad del siglo.

La función que realizan los personajes en la obra tiene asimismo consecuencias estructurales, ya que los protagonistas constituyen el eje sobre el cual se construye la trama. Cumandá, que aparece en el principio del texto, es el elemento que se encuentra integrado en la misma estructura interna del relato, pues de ella depende el curso de los acontecimientos (la relación amorosa, el desencadenamiento del conflicto generado por el odio de razas, el protagonismo en la fiesta de las canoas, la triple salvación de Carlos, el matrimonio con Yahuarmaqui, la anagnórisis, la muerte definitiva de Carlos, etc.). Sin embargo, no resulta un personaje plenamente romántico, según el canon de la narrativa sentimental. Es, ciertamente, hermosa, sentimental, pura, enamorada, blanca criada en ambiente indígena, etc., pero no padece la pasividad propia de las protagonistas románticas. Al contrario, es el personaje que desarrolla una iniciativa más completa: siempre se muestra ágil y diestra en el manejo de la canoa o a nado, va y viene como quinde entre el follaje, salva a Carlos de los peores peligros, huye por la selva en busca de su amado, no tiene miedo a los vientos ni a las tempestades, se enfrenta a una navegación suicida en el Palora, se entrega a Sinchiriga, sucesor de su marido muerto, para ser sacrificada, promete a Carlos amor eterno, incluso después de la muerte, etc. En ella, belleza y calidad moral se identifican, haciéndola semejante a Dios por su virtud. Carece de sensualidad, y su sensibilidad es exquisita pero no enfermiza. A su alrededor crea Mera una red de sugerencias simbólicas que corroboran todas estas características. El nombre *Cumandá* significa «patillo blanco»[60], y es elegido por sus padres por la admiración primitiva a la belleza y la agilidad en el medio acuático, y debido también al color de su piel, que semeja al de los europeos. En la simbología de los animales alados, el blanco —también en la paloma— significa la elevación espiritual, la pureza, la fidelidad y el afecto, atributos que pertenecen asi-

---

[60] Comenta Reinaldo Miño, en *Juan León Mera y la conquista*, Ambato-Quito, Ed. Pío XII, 1993, pág. 185, que al no conocerse el término *cumandá* en el idioma de shuar ni en quechua, corresponda probablemente a una voz zápara. Lo cierto es que su adjudicación a la protagonista de la novela tiene una intención muy concreta. Afirma Todorov en el *Diccionario Enciclopédico de las Ciencias del Lenguaje*, Buenos Aires, Siglo XXI, 1975, 2.ª ed., pág. 263, que el nombre de los personajes en muchas ocasiones es descriptivo y «ya anuncia las propiedades que le serán atribuidas».

mismo al ámbito del quinde, con el que también se le compara. Otros animales que aparecen en el texto, en relación con las cualidades morales de Cumandá, son la mariposa (emblema del alma y de la atracción hacia lo luminoso), el cordero (inocencia, pureza, también el inmerecido sacrificio y la periódica renovación del mundo) y el ciervo (ligado al árbol de la vida por su cornamenta, al amor en el Antiguo Testamento, y a la pureza y la vía de la soledad en la Edad Media). Algunas plantas se suman al elenco de funciones simbólicas. Cumandá es comparada con frecuencia a flores blancas, aspecto espiritual y positivo. La azucena, por ejemplo, la acerca al emblema cristiano medieval de la pureza, aplicada desde los primeros siglos a la Virgen María. Los dos amantes son identificados a veces con dos palmeras, que aluden a la realidad celestial y sugieren la inmortalidad y la resurrección, y en otras ocasiones con un simbillo, árbol característico de la región, de extraordinaria fortaleza y aguante.

En la novela, los personajes femeninos tienen continuamente cualidades positivas. Pona, esposa de Tongana, trata de ayudar a la hija. Fue la nodriza de Julia y la que la salvó del incendio. Sufre las consecuencias de la complicidad, y descubre la verdad sobre el origen de Cumandá con el fin de salvarla. Al no conseguirlo, llora desconsoladamente su pérdida. Es comparada al tronco viejo, es decir, a la fortaleza y sabiduría que dan el paso del tiempo, y la fuerza protectora, acogedora. Lorenza Huamanay, que es citada tres veces en el capítulo VI, adquiere incluso caracteres heroicos. Es «la terrible conspiradora, nombre famoso en las tradiciones de nuestros pueblos» (cap. VI, pág. 120). Se trata de una de las valerosas luchadoras indígenas en la rebelión de Guamote y Columbe, apresada junto con Tubón y ahorcada. Mera describe así su coraje:

> La feroz Huamanay, supersticiosa cuanto feroz, había sacado los ojos a un español y guardádolos en el cinto, creyendo tener en ellos un poderoso talismán; pero viéndose al pie del patíbulo, se los tiró con despecho a la cara del alguacil que mandaba la ejecución, diciéndole: «¡Tómalos! Pensé con esos ojos librarme de la muerte, y de nada me han servido» (cap. VI, pág. 132).

Hay un valioso testimonio histórico que corrobora esa presencia, ese liderazgo de Lorenza Avemañay[61], y comprueba la tendencia de Mera a resaltar los roles de la mujer en una sociedad donde apenas era considerada, y por cuyos derechos y protagonismo todavía habría que luchar durante mucho tiempo: «Como en las sublevaciones pasadas, no estuvieron en Guamote ausentes las mujeres indígenas: entre ellas se distinguieron Lorenza Peña, Jacinta Juárez y Lorenza Avemañay. Ellas celebraron su triunfo con ferocidad y en medio de una embriaguez general extrajeron los ojos de los cadáveres para comérselos o guardarlos como talismanes. Por estos actos Lorenza Avemañay perduró en la memoria de los indios, quienes casi medio siglo después todavía celebraban sus hazañas en los cantos entonados con motivo de la siega»[62].

En contraste con los femeninos, el carácter de Carlos es más bien sosegado, indeciso y pasivo. En el capítulo VII es descrito como poeta infortunado, dulce, atractivo, sentimental, con gran melancolía y soledad espiritual, es decir, con caracteres más propios de las protagonistas de las novelas sentimentales de la época. Carece de personalidad propia y se acerca más al arquetipo romántico, enfermo del alma, errante, con gran capacidad de sufrir, nada preparado para la vida práctica. La idealización en este personaje es, por tanto, casi absoluta, y el lector no logra identificarse con él. Es también comparado con un pato, animal benéfico, relacionado con el agua, símbolo del origen y las fuerzas de resurrección, y con algunos árboles y su corteza protectora. Se destaca sobre todo su unión con Cumandá, su pureza, inocencia, y la idea de sacrificio. Es llamado, por último, ángel, unificando todos los conceptos anteriores con el carácter netamente espiritual de su personalidad. Su padre es muy distinto, y su historia determina la función que ocupa en el relato. Sobre él gravitan las críticas a la colonización española y las alabanzas al estamento religioso. Su conversión personal es una llama-

---

[61] Éste era su verdadero apellido, ligeramente modificado por Mera en la función novelesca que realiza.
[62] Segundo Moreno Yáñez, *op. cit.*, pág. 303.

da, de corte lascasiano, a la fe en el hombre particular, a la conciencia individual que logra vencer las barreras de la intención colectiva errada. Su arrepentimiento es real y práctico, y sus consecuencias no crean graves conflictos en su idiosincrasia particular: se adapta al nuevo tipo de vida y asume la condición de hombre nuevo. No es un héroe activo como Cumandá: su heroicidad estriba en pasar desapercibido, trabajando de espaldas al público, concibiendo su destino como servicio. Se trata, sin duda, del homenaje que Mera dedica a los jesuitas y demás religiosos que durante siglos se han dedicado anónimamente al trabajo con los indígenas en todos los territorios de Hispanoamérica.

Para los personajes indígenas, el autor mezcla rasgos literarios tradicionales, de corte idealista, con otros adecuados a la realidad. La intención es patente: mientras aboga por las reminiscencias positivas de la vida natural, pegadas al paisaje selvático, marco donde desarrolla su actividad el buen salvaje, describe los elementos reales que, según su mundo de valores etnocéntrico, cabría denominar salvajes o bárbaros, los cuales necesitan al elemento civilizador cristiano. Además, hay múltiples referencias a tradiciones reales de los indígenas de la zona descrita en la novela. Las fiestas detalladas, los atuendos de los indios, el mundo de las supersticiones, las costumbres guerreras y familiares o tribales suponen un buen conocimiento por parte del autor del hábitat al que se alude. Por otro lado, es una nota que advierte el costumbrismo de la novela, el acercamiento a datos realistas que alejan a *Cumandá* de las obras netamente indianistas. Yahuarmaqui recuerda en algunos aspectos a los héroes de los primeros poemas épicos americanos, por su valentía, prudencia, ferocidad, autoridad y capacidad de decisión. Tongana (Tubón) simboliza el odio a los blancos, a raíz de los sucesos de Columbe y Guamote, y los instintos de venganza más acendrados. Sólo al final, en el umbral de la muerte, se arrepiente de su vida pasada y abraza la fe cristiana, con todos sus valores morales. Mayariaga, curaca de los moronas, encarna el rencor entre salvajes. Decide atacar a Yahuarmaqui y sus tribus aliadas, que no quisieron la unión con su causa bélica inicial. Hay diferencias también entre las tribus indígenas: mientras los záparos se distinguen por su mansedumbre y hospitalidad, los jíbaros son temibles por su indómita ferocidad. En definitiva, el indígena está descrito en función de su posible redención material y espiritual.

VI. El punto de vista de la narración y el estilo

Mera narra como rigen los cánones de la novela del XIX, es decir, desde la omnisciencia y la omnipresencia. El narrador se sitúa fuera de la acción, y la contempla y describe desde encima, hace y deshace, y conoce la interioridad de los personajes con la misma intensidad que sus acciones externas. Es más, puede conocer simultáneamente pensamientos diversos de personajes alejados local y temporalmente. El conocimiento del narrador se extiende también a los sentimientos, razón por la cual puede graduar el amor de los jóvenes y el odio de los indígenas a su antojo para provocar momentos de gran tensión o de relajamiento. No existen secretos para el director de la orquesta, ni en el espacio, ni en el tiempo ni en la misma acción. El autor, además, se identifica públicamente con el narrador. En la conocida carta-dedicatoria a la Academia Española, declara: «Tras no corto meditar y dar vueltas en torno de unos cuantos asuntos, vine a fijarme en una leyenda, años ha trazada en mi mente. Creí hallar en ella algo nuevo, poético e interesante; refresqué la memoria de los cuadros encantadores de las vírgenes selvas del Oriente de esta República; reuní las reminiscencias de las costumbres de las tribus que por ellas vagan; acudí a las tradiciones de los tiempos en que estas tierras eran de España, y escribí *Cumandá*»[63]. Situado en el origen de la historia, pero fuera de ella, mantiene a través de la omnisciencia una serie de relaciones con su universo diegético y con el narrativo creado, ayudándose de la tercera persona. Ahora bien, no siempre es capaz el autor de mantenerse fuera de su universo, pues recurre con cierta frecuencia a un rasgo que acompañará a la historia del relato indigenista ecuatoriano: la intro-

[63] Cfr. pág. 81 de esta edición.

misión del narrador dentro de la narración[64], casi siempre en los lugares donde es importante dejar claro el sentido ideológico del relato, es decir, aquéllos que van a emitir un juicio sobre los indígenas, los desastres de la colonización, la heroicidad de los misioneros, el carácter determinado de un protagonista, incluso para comentar una escena amorosa. La intrusión llega hasta la misma apelación al lector implícito. Después de describir minuciosamente la zona selvática que va a acoger a los personajes de la novela, Mera termina el primer capítulo del siguiente modo: «Lector, hemos procurado hacerte conocer, aunque harto imperfectamente, el teatro en que vamos a introducirte: déjate guiar y síguenos con paciencia. Pocas veces volveremos la vista a la sociedad civilizada; olvídate de ella si quieres que te interesen las escenas de la naturaleza y las costumbres de los errantes y salvajes hijos de las selvas» (cap. I, pág. 95).

A partir de este esquema narrativo, todos los recursos de estilo, estructurales, las formas del discurso, etc., alimentan la intención de base. Terminada la descripción inducida de los primeros capítulos y contada la historia que interesa, comienza la narración, que suele incluir en ocasiones fragmentos descriptivos, casi siempre relacionados con la animización de la naturaleza, con el objeto de introducirlos en la narración. Telmo Guerra ha estudiado los recursos más utilizados[65]. Entre ellos hay que destacar el matiz adversativo del relato (abundancia de oraciones subordinadas adversativas, que coincide con el carácter antitético de toda la narración: los hechos están presentados en sistemáticos contrastes); el estilo anafórico (medio más apto para expresar emociones, recalcar ideas, intercalar comentarios); la enumeración de personas que intervienen en alguna acción, para conferir verosimilitud a lo que se está narrando; la acumulación —por orden de intensidad— de acciones rápidas por medio de frases cortas, en las que los verbos son las palabras claves; la técnica

---

[64] Véanse los casos de *Plata y bronce*, de Fernando Chaves (1927), y toda la obra narrativa de Jorge Icaza.

[65] Telmo Guerra, «El estilo de las formas del discurso en *Cumandá*», en Manuel Corrales Pascual (ed.), *op. cit.*, págs. 191 y ss.

—propia del estilo cinematográfico— de comenzar el relato con un débil indicio, que se va ampliando poco a poco hasta que descubrimos cómo es en su integridad; la ubicación tempo-espacial constante, con abundancia de hechos históricos con sus fechas y lugares; la oración adverbial antepuesta a la principal; la acumulación de oraciones cortas, rebosantes de acción; la colocación de artículos gramaticalmente innecesarios, sintagmas antitéticos, onomatopeyas apoyadas en vocales, sutiles matices verbales, etc. Uno de los recursos que emplea con más pericia es la técnica pictórica detallista. No en vano fue un gran aficionado a la pintura. Mera describe como el pintor pinta: la selva aparece con toda su intensidad de luz, color, movimiento, con sus claros y oscuros, rodeada de animales, plantas y seres humanos, a veces tranquila, otras alborotada por una tempestad en un gran río, una tormenta excesivamente violenta o una pelea entre tribus enemigas. Pero esos *locus amoenus* no tienen la rigidez y topicidad de los paisajes medievales, son lugares reales, observados por el autor y descritos con la actitud del pintor que pasa mucho tiempo en presencia del lugar que intenta reproducir. Por eso, la textura romántica global de la obra se ve de vez en cuando matizada por rasgos que anuncian el realismo posterior. A pesar de ello, el contenido simbólico de algunas descripciones, nombres, acciones, etc., y la abundancia de metáforas y comparaciones aseguran la realidad de una prosa poemática (así la definieron Concha Meléndez o Navas Ruiz) del romanticismo más genuino.

Antonio Sacoto ha señalado la fragilidad de los diálogos en *Cumandá*: observa que «son muy efectivos entre los personajes secundarios, comparsas; pero frívolos, sin vigor y sin ilusión entre la protagonista Cumandá y Carlos, especialmente aquellos diálogos de amor que, por lo ideal y depurado, resultan falsos y artificiales»[66]. Es cierto que en ocasiones, la función dialógica carece de fuerza y realismo, porque se encuentra muy contrapesada por la imitación de los modelos extranjeros y la presentación de situaciones dialogales tópicas. En ese sentido, las técnicas de la narración superan con

[66] Antonio Sacoto, *14 novelas claves de la literatura ecuatoriana*, Cuenca, Universidad, 1990, pág. 59.

creces a los objetivos cubiertos por el diálogo. En él predominan los comentarios exaltados y violentos que sirven para cerrar una escena espectacular. Casi no existen, por tanto, diálogos de sencillez formal[67]. Las frases exclamativas e interrogativas son los patrones de diálogo más comunes, donde la pasión romántica encuentra su lugar, casi siempre mitigada por la tendencia espiritualista que impregna toda la obra. Algunas veces, el diálogo implica incitación a pensar antes de actuar, para obrar con prudencia. Sin embargo, el diálogo de los indígenas suele ser violento, por el odio acumulado y el miedo supersticioso a lo extra-natural, y la presentación formal aparece con toda su simplicidad, para diferenciar al civilizador del civilizado. Por último, cabe señalar la abundancia de arcaísmos y americanismos, que tiñen la obra de color local y añejo, y confieren cierto matiz retórico y clásico al relato. En definitiva, en *Cumandá* se observa una gran preocupación por la estructura narrativa, el lenguaje y una voluntad de estilo que lleva a cuidar con esmero la presentación formal y el impacto que en cada momento quiere provocarse en el lector. Éste, por tanto, es inducido por el autor de un modo consciente y calculado, a través de un narrador omnisciente que utiliza a su arbitrio todas las técnicas que le brinda la experiencia literaria, con el fin de obtener una enseñanza moral relativa a la igualdad esencial de todos los hombres, y la desigualdad real existente, que hay que combatir con espíritu positivo, para construir una sociedad mejor, para llevar el progreso a los países cuya riqueza potencial es obvia.

---

[67] Cfr. Telmo Guerra, *op. cit.*, págs. 197-199.

Esta edición

El texto fundamental sobre el que se ha basado esta edición es el que fijara con acierto en 1989 Trinidad Barrera, Catedrática de Literatura Hispanoamericana de la Universidad de Sevilla, en su edición crítica publicada por Alfar, incluyendo las breves actualizaciones de la acentuación (desaparece la marca acentual por ejemplo, en los monosílabos) y la regulación de la grafía g/j o la b/v. Asimismo se han cotejado las ediciones de 1879 (la primera), en el ejemplar de la Biblioteca Nacional de Madrid, de 1891 (se trata de la segunda edición de la obra, publicada en Madrid, Fernando Fe, la última en vida del autor, fallecido en 1894, y que contiene ligerísimas e insignificantes variaciones con respecto a la primera; el ejemplar utilizado ha sido el de la Biblioteca del Congreso de los Estados Unidos, aunque el original se encuentra en propiedad de la Biblioteca de Cataluña), la ya clásica de Espasa-Calpe (Colección Austral, 1951), en su quinta edición, de 1976, y la edición de Alba (Madrid), en 1984. De todas ellas hay que destacar las dos primeras, por la importancia histórica obvia que poseen, y la de Trinidad Berrera de 1989, que posee dos elementos altamente significativos: se trata de la primera edición crítica, que recoge en notas a fin de texto las variantes más sobresalientes y corrige las erratas de ediciones posteriores, y además cuenta con un buen prólogo, algo nada fácil de encontrar en otras ediciones de la obra. En el capítulo bibliográfico hemos actualizado el abundante material que se ha ido publicando últimamente, dando cuenta solamente de una selección de los mejores textos críticos sobre Mera, *Cumandá* y el problema indígena en el XIX. No puedo terminar esta introducción sin agradecer su generosa y valiosísima ayuda a Nelly González, Directora de la Biblioteca Hispánica de la Universidad de Illinois at Urbana-Champaign (EE.UU.), que desde hace casi diez años me ha ido proporcionando toda la bibliografía que he necesitado en todas mis investigaciones, desde el inicio de mi tesis doctoral hasta el presente. Asimismo, mi agradecimiento a Edmundo Flores, de la sección Hispánica de la Biblioteca del Congreso de los Estados Unidos en Washington, por facilitarme el acceso a los originales de la obra y la bibliografía sobre el tema. A Marián Lacasa, por su ayuda y su simpatía en mis visitas a la Biblioteca del AECI en Madrid. A Avelino Picón, por sus indicaciones casi lascasianas en torno a la defensa del indio y el negro. A Ana Moreno, mi musa secreta.

Bibliografía

Ediciones más sobresalientes de «Cumandá»

Cumandá, Quito, Imprenta del Clero, 1879 (primera edición).
— Madrid, Fernando Fe, 1891.
— Quito, en *La Patria*, como folletín, del 9 de enero al 16 de marzo de 1905.
— Quito, en *La Cantárida*, como folletín, del 20 de febrero al 10 de abril de 1922.
— Guayaquil, en *El Telégrafo*, como folletín, del 1 al 29 de junio de 1931.
— Quito, en *El Comercio*, como folletín, 1943.
— Quito, Clásicos Ecuatorianos, vol. XIV, 1948.
— Quito, Talleres Gráficos Salesianos, 1949.
— Madrid, Espasa-Calpe (Colección Austral), 1951.
— Quito, Editorial Universitaria, 1969.
— Madrid, Alba, 1984.
— Quito-Guayaquil, Don Bosco, 1985.
— Sevilla, Alfar, 1989 (edición crítica de T. Barrera).

Sobre el autor y su obra

Agoglia, Rodolfo Mario, «Montalvo, Mera y el Romanticismo», *Revista de Historia de las Ideas*, 4, 2 (1983), págs. 63-71.
Alzola, Nilsa M., «La representatividad alegórica en *Cumandá* de Juan León Mera», *Estudios sobre la expresión alegórica en España y América*, Bahía Blanca, Universidad Nacional del Sur, 1983, págs. 241-296.
Arias, Augusto, *Juan León Mera. Obras escogidas*, Quito, Casa de la Cultura Ecuatoriana, 1948.

— «Juan León Mera, precursor del americanismo literario», *Casa de la Cultura Ecuatoriana*, III, 8 (1949), págs. 72-95.

BARRERA, Isaac J., *Historia de la literatura ecuatoriana*, Quito, Libresa, 1979.

BENTE, Thomas O., «*Cumandá* y *Tabaré*: dos cumbres del indianismo romántico hispanoamericano», *Revista Interamericana de Bibliografía*, 41, 1 (1991), págs. 15-23.

BERTINI, Giovanni M., «La imagen en la literatura hispanoamericana. Algunos ejemplos de *Cumandá* y de *Raza de bronce*», *Actas del V Congreso Internacional de Hispanistas*, Burdeos, Université de Bordeaux III, 1977, t. I, págs. 185-197.

BROTHERSTON, Gordon, «Ubirajara, Hiawatha, Cumandá: National Virtue from American Indian Literature», *Comparative Literature Studies*, IX, 3 (1972), págs. 243-252.

CARRIÓN, Benjamín, *El nuevo relato ecuatoriano*, Quito, CCE, 1952.

CORRALES PASCUAL, Manuel (ed.), *"Cumandá", contribución a un Centenario*, Quito, Universidad Católica, 1979.

CROS, Edmund, «Space and textual genetics. Magical Consciousness and Ideology in *Cumandá*», *Sociocriticism*, 4-5 (1986-1987), págs. 35-72.

GARCÉS, Víctor M., *Vida ejemplar y obra fecunda de Juan León Mera*, Ambato, Ed. Pío XII, 1963.

GUEVARA, Darío, *Juan León Mera o El hombre de cimas*, Quito, Ministerio de Educación Pública, 1944.

HADOUSEK, Eduard, «Juan León Mera y su *Cumandá*, la primera novela ecuatoriana», *Iberoamericana Pragensia*, VII (1974), págs 31-50.

MICHELENA, Xavier, *Juan León Mera. Antología esencial*, Quito, Ediciones Abya-Yala, 1994.

MIÑO, Reinaldo, *Juan León Mera y la conquista*, Quito-Ambato, Ed. Pío XII, 1993.

PAGEAUX, Daniel-Henri, «Eléments pour une lecture de *Cumandá*», *Le roman romantique latinoaméricaine et ses prolongements*, París, L'Harnatan, 1984, págs. 213-228.

PALADINES ESCUDERO, Carlos, «Montalvo, Mera y el problema nacional», *Revista de Historia de las Ideas*, 4, 2 (1983), págs. 51-61.

PUENTE, Joseph E., *The Influence of Bernardin de Saint-Pierre, Chateaubriand and James Fenimore Cooper in Juan León Mera's "Cumandá"*, Ann Arbor, DAI, 1972, 33, 323A.

— «The Influence of Chateaubriand's Louisiana on Juan León Mera's *Cumandá*», *Louisiana Review*, 1, 1 (1972), págs. 84-89.

ROJAS, Ángel F., *La novela ecuatoriana*, México, F.C.E., 1948.

SALVADOR LARA, Jorge, *Ensayos sobre Montalvo y Mera*, Quito, Comisión Permanente de Conmemoraciones Cívicas, 1991.

SOMMER, Doris, «Borrón y cuenta nueva: comienzos tardíos y (t)razas tempranas en *Enriquillo, Cumandá* y *Tabaré*», *Casa de las Américas*, 187 (1992), págs. 136-140.

VIDAL, Hernán, «*Cumandá*: Apología del Estado Teocrático», *Ideologies & Literature*, III, 15 (1981), págs. 57-74.

YOUNG, Richard A., «Juan León Mera y el discurso indianista de *Cumandá, o un drama entre salvajes*», *Actes VIII. «El indio, nacimiento y evolución de una instancia discursiva*», Montpellier, Université Paul Valéry, 1994, págs. 185-204.

SOBRE LA TEMÁTICA INDÍGENA

COMETTA MANZONI, Aida, *El indio en la novela de América*, Buenos Aires, Futuro, 1960.

FERNÁNDEZ HERRERO, Beatriz, «Del bárbaro degenerado al buen salvaje. (Estudio acerca del concepto del indio americano)», *Cuadernos Hispanoamericanos*, 538 (1995), págs. 7-18.

GUTIÉRREZ GIRARDOT, Rafael, «América sin realismos mágicos», *Quimera*, 46-47 (1985), págs. 91-99.

LEÓN HAZERA, Lydia, de, *La novela de la selva hispanoamericana*, Bogotá, Caro y Cuervo, 1971.

MELÉNDEZ, Concha, *La novela indianista en Hispanoamérica (1832-1889)*, Río Piedras, Universidad de Puerto Rico, 1961.

OPERÉ, Fernando, «El discurso natural y moral en Hispanoamérica: de la colonia a la independencia», *Letras de Deusto*, 26 (1996), págs. 145-167.

PASTOR, Beatriz, *Discursos narrativos de la conquista: mitificación y emergencia*, Hanover, Ediciones del Norte, 1988.

PONCE LEIVA, Pilar, «Un espacio para la controversia: la Audiencia de Quito en el siglo XVIII», *Revista de Indias*, 52, 195-196 (1992), págs. 839-865.

PRATT, Mary Louise, «Humboldt and the Reinvention of América», en René Jara (ed.), *Amerindian Images and the Legacy of Columbus*, Minneapolis, University of Minnesota Press, 1992.

SACOTO, Antonio, *The indian in the Ecuatorian Novel*, Nueva York, Las Américas, 1967.

SEBRELI, Juan José, «Indigenismo, indianismo, el mito del buen salvaje», *Cuadernos Hispanoamericanos*, 487 (1991), págs. 45-68.

CUMANDA,

o

UN DRAMA ENTRE SALVAJES,

POR

JUAN LEON MERA,

MIEMBRO CORRESPONDIENTE

DE LA

ACADEMIA ESPAÑOLA.

QUITO.

IMPRENTA DEL CLERO, POR J. GUZMAN ALMEIDA

1879.

Portada de la primera edición (1879) de *Cumandá*

Cumandá
o un drama entre salvajes

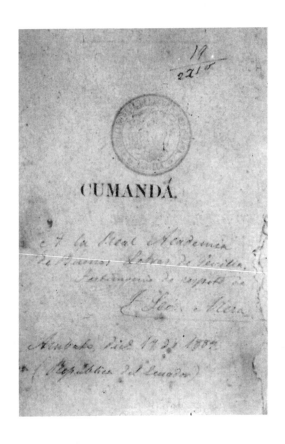

Portada de *Cumandá* con dedicatoria del autor a la Real Academia de
las Buenas Letras de Sevilla (1889)

AL EXCMO. SEÑOR DIRECTOR
DE LA REAL ACADEMIA ESPAÑOLA

Señor:

No sé a qué debo la gran honra de haber sido nombrado miembro correspondiente de esa ilustre y sabia Corporación, pues confieso (y no se crea que lo hago por buscar aplauso a la sombra de fingida modestia) que mis imperfectos trabajos literarios jamás me han envanecido hasta el punto de presumir que soy merecedor de un diploma académico. Todos ellos, hijos de natural inclinación que recibí con la vida, y fomenté con estudios enteramente privados, son buenos, a lo sumo, para probar que nunca debe menospreciarse ni desecharse un don de la naturaleza, mas no para servir de fundamento a un título que sólo han merecido justamente beneméritos literatos.

Sin embargo, sorprendido por el nombramiento a que me refiero, no tuve valor para rechazarlo; y a los propósitos, harto graves para mí, de empeñar todas mis fuerzas en las tareas que me imponía el inesperado cargo, añadí el de presentar a esa Real Corporación alguna obra que, siendo independiente de las académicas, pudiese patentizar de una manera especial mi viva y eterna gratitud para con ella.

¿Qué hacer para cumplir este voto? Tras no corto meditar y dar vueltas en torno de unos cuantos asuntos, vine a fijarme en una leyenda, años ha trazada en mi mente. Creí hallar en ella algo nuevo, poético e interesante; refresqué la memoria de los cuadros encantadores de las vírgenes selvas del oriente de esta República; reuní las reminiscencias de las costumbres de las tribus que por ellas vagan; acudí a las tradiciones de los tiempos en que estas tierras eran de España, y escribí Cumandá; *nombre de una heroína de aquellas desiertas regiones, muchas veces repetido por un ilustre viajero inglés, amigo*

mío, cuando me refería una tierna anécdota, de la cual fue, en parte, ocular testigo y cuyos incidentes entran en la urdimbre del presente relato.

Bien sé que insignes escritores, como Chateaubriand y Cooper, han desenvuelto las escenas de sus novelas entre salvajes hordas y a la sombra de las selvas de América, que han pintado con inimitable pincel; mas, con todo, juzgo que hay bastante diferencia entre las regiones del norte bañadas por el Mississipí y las del sur que se enorgullecen con sus Amazonas, así como entre las costumbres de los indios que respectivamente en ellas moran. La obra de quien escriba acerca de los jíbaros, tiene, pues, que ser diferente de la escrita en la cabaña de los nátchez, y por más que no alcance un alto grado de perfección, será grata al entendimiento del lector inclinado a lo nuevo y desconocido. Razón hay para llamar vírgenes a nuestras regiones orientales: ni la industria y la ciencia han estudiado todavía su naturaleza, ni la poesía la ha cantado, ni la filosofía ha hecho la disección de la vida y costumbres de los jíbaros, záparos y otras familias indígenas y bárbaras que vegetan en aquellos desiertos, divorciadas de la sociedad civilizada.

Cumandá es un corto ensayo de lo que pudieran trazar péñolas más competentes que la mía; y, con todo, la obrita va a manos de V. E., y espero que, por tan respetable órgano, sea presentada a la Real Academia. Ojalá merezca su simpatía y benevolencia, y la mire siquiera como una florecilla extraña, hallada en el seno de ignotas selvas; y que, a fuer de extraña, tenga cabida en el inapreciable ramillete de las flores literarias de la madre patria.

Soy de V. E. muy atento y seguro servidor, q.s.m.b.

Ambato, a 10 de marzo de 1877

JUAN LEÓN MERA

Prólogo

Si a veces el objeto de un prólogo no es otro que el de acreditar ante el lector el libro en que se lo pone, es muy fácil forjar para *Cumandá* uno que llene cumplidamente ese objeto: para esto no hay sino copiar el juicio favorable que han dado a luz literatos de gran nota y periódicos acreditados de América y Europa.

Pero un prólogo de esta naturaleza llenaría muchas páginas, y en la presente edición de la ya célebre novela del Sr. Mera, nos limitaremos a transcribir el juicio* que de ella formó el célebre novelista español Dn. José María de Pereda, en una carta que dirigió al hijo del autor el 9 de agosto de 1892.

---

* Hasta aquí casi todos los prólogos de las sucesivas ediciones —a partir de la segunda, de 1891— coinciden, y varía el contenido y el autor que es escogido por los editores para elogiar la obra. En la segunda edición apareció un texto de Pedro Antonio de Alarcón, escrito en 1886, junto con un testimonio de Juan Valera; en las ediciones de Espasa-Calpe se recogen también fragmentos de la misma carta de Pedro Antonio de Alarcón y las palabras de Juan Valera. En otras ediciones, como la de Don Bosco (Quito) de 1985, la nuestra o algunas de las de principio de siglo, se transcribe la carta que José María de Pereda dirigió a José Trajano Mera, hijo del autor, el 9 de agosto de 1892, publicada poco después en *La Vanguardia* de Barcelona.

CARTA DE PEREDA

Polanco, 9 de agosto de 1892

Sr. D. J. T. Mera.

Muy señor y dueño mío: En los últimos días de mi estancia en Barcelona, en el mes de mayo próximo pasado, al volver de mi hotel una tarde, me hallé sobre la mesa, entre otros libros que casi a diario recibía, uno acompañado de la tarjeta de usted y que tenía por título Cumandá. *Como ya los recibidos hasta entonces, no solamente en Barcelona, sino en el camino desde Madrid a esa ciudad por Valencia y Tarragona, eran en bulto y en peso bastante más de lo que puede llevar un viajero con su equipaje, sin grandes molestias, resolví mandarlos por delante a Santander; y entre ellos fue* Cumandá, *sin acordarme de recoger la tarjeta de usted que había metido yo entre las hojas. Por este motivo y por la vida de vértigo que hice en Barcelona días antes de mi salida para Zaragoza, no pude dar a usted las debidas gracias por su regalo ni siquiera con otra tarjeta mía. Vuelto a mi casa de Santander, ansioso de descanso y de familia, y trasladado con ella después a esta mi residencia campestre, entretuve los ocios de los primeros días leyendo los libros acopiados durante mi viaje; no fue* Cumandá *de los preferidos en aquella agradable tarea; porque (aunque me duela declarárselo a usted) siempre abro con cierta prevención las novelas americanas, en las que no suele abundar el arte de hacer sentir a los lectores europeos, naturaleza, gentes y costumbres que nos son desconocidas; y (Dios me lo perdone), dominado de esos mismos recelos, tomé al fin en las manos, dos días hace solamente, la obra de su señor padre de usted, cuyo nombre me era algo más conocido que sus libros. Hoy me felicito de haber comenzado la lectura de* Cumandá, *bajo tan desfavorables impresiones y sin haberme enterado siquiera de lo que de la novela dicen en su prólogo los señores Alarcón y Valera, porque, de ese modo, el chasco que me he llevado por remate de la lectura, ha sido tan grande como sabroso.*

En efecto: a las primeras páginas del libro ya me llamaron vivamente la atención la valentía del dibujo y la brillantez del colorido con que el novelista iba desenvolviendo ante mis ojos el grandioso panorama que había de servirle de escenario; y poco a poco, el pintor, y el poeta y el correcto hablista fueron conturbándome en tales términos, que quedó mi espíritu esclavo de la magia de su arte soberano.

Yo he leído mucho y en muchos estilos y con muy diversos fines, sobre las cordilleras y los ríos salvajes de todas las Américas descubiertas y por descubrir; pero en unos casos por carta de más, y en otros por carta de menos, rara vez me han llegado al alma aquellas cosas. ¡Mas, ahora!... Su señor padre de usted es de los privilegiados que, viendo mucho, y sintiendo mucho, y pudiendo decir mucho sobre cuanto ven y sienten, no dicen, sin embargo, más que lo que debe y como debe decirse, para que el efecto buscado resulte en toda pureza. Así es que en este peregrino libro todo aparece hermosamente entonado con la grandeza del natural que le inspiró; todo de una solemnidad imponente, como si las colosales barreras de los Andes y las tribus bárbaras que rebullen en sus profundos repliegues hubieran hallado al fin (y en mi concepto le hallaron) el pintor y el poeta que necesitaban. Para que nada falte en la obra, está impregnada de un espíritu cristiano, que acrecienta y ennoblece más y más sus excepcionales bellezas.

Porque yo ni siquiera le pongo la tacha que, según acabo de ver, le pone el Señor Valera, como también se la pondría yo si Cumandá *estuviera modelada en los troqueles de aquel romanticismo convencional y empalagoso de las Atalayas de otros tiempos; pero* Cumandá *no es eso, ni a cien leguas. Toda la hondura de su pensamiento y todas las delicadezas de sus actos y discursos, se aceptan y se sienten sin la menor repugnancia, porque, al fin y al cabo, son humanos y de notoria realidad, idealizada a veces hasta lo sublime, es cierto, pero dentro de los moldes sencillos y rudos del elemento en que vive y se ha formado el personaje.*

En definitiva, y porque esta carta no es trabajo de crítica minuciosa, sino sucinta manifestación de las impresiones recién adquiridas con la lectura de ese hermoso libro: no solamente no hallo tacha que ponerla, sino que tampoco le conozco igual entre los de su clase que recuerdo.

Dicho esto, excuso ponderar a usted lo que le agradezco la atención de habérmela dado a conocer, y cuánto me duele lo que, por los expresados motivos, he tardado en saborearle desde que llegó a mis manos.

Confesadas estas mis faltas, le pido a usted el nuevo favor, muy encarecido, de que, cuando vea o escriba a su señor padre, cuyo actual paradero desconozco, se sirva darle noticia de este breve y sincero testimonio de mis sentimientos, y se los ofrezca como debido tribu-

to con que le saluda el último de sus compañeros de aquende los mares, y el primero de sus más cordiales admiradores.

En cuanto a usted, después de repetirle las gracias por el inestimable favor que me hizo, mándeme cuanto guste y téngame por su amigo y obligado S.q.l.b.l.m.

J. M. de Pereda

I

Las selvas del Oriente

descriing selva

El monte Tungurahua[1], de hermosa figura cónica y de cumbre siempre blanca, parece haber sido arrojado por la mano de Dios sobre la cadena oriental de los Andes, la cual, hendida al terrible golpe, le ha dado ancho asiento en el fondo de sus entrañas. En estas profundidades y a los pies del coloso, que, no obstante su situación, mide 5.087 metros de altura sobre el mar[2], se forma el río Pastaza[3] de la unión del Patate, que riega el Este de la provincia que lleva el nombre de aquella montaña, y del Chambo que, después de recorrer gran parte de la provincia Chimborazo[4], se precipita furioso y atronador por su cauce de lava y micaesquista.

El Chambo causa vértigo a quienes por primera vez le contemplan: se golpea contra los peñascos, salta convertido en espuma, se hunde en sombríos vórtices, vuelve a surgir a borbotones, se retuerce como un condenado, brama como cien toros heridos, truena como la tempestad, y mezclado luego con el otro río continúa con mayor ímpetu cavando abismos y estremeciendo la tierra, hasta que da el famoso

---

[1] *Tungurahua:* Voz de origen jíbaro. Volcán que da nombre a la provincia.

[2] Según medidas de Reiss y Stübel en 1874.

[3] *Pastaza:* Río situado entre las provincias de Pastaza y Morona. Cercana a él, en la provincia de Morona, una población toma el nombre de Cumandá.

[4] *Chimborazo:* Volcán que da nombre a la provincia. Es la montaña más elevada de los Andes del Ecuador, con más de 6.300 metros. En la mitología indígena, esposo de Tungurahua.

salto de Agoyán[5], cuyo estruendo se oye a considerable distancia. Desde este punto, a una hora de camino del agreste y bello pueblecito de Baños[6], toma el nombre de Pastaza, y su carrera, aunque majestuosa, es todavía precipitada hasta muchas leguas abajo. Desde aquí también comienza a recibir mayor número de tributarios, siendo los más notables, antes del cerro Abitahua, el Río-verde, de aguas cristalinas y puras, y el Topo, cuyos orígenes se hallan en las serranías de Llanganate, en otro tiempo objeto de codiciosas miras, porque se creía que encerraba riquísimas minas de oro.

El Pastaza, uno de los reyes del sistema fluvial de los desiertos orientales, que se confunden y mueren en el seno del monarca[7] de los ríos del mundo, tiene las orillas más groseramente bellas que se puede imaginar, a lo menos desde las inmediaciones del mentado pueblecito hasta largo espacio adelante de la confluencia del Topo. El cuadro, o más propiamente la sucesión de cuadros que ellas presentan, cambia de aspecto, en especial pasado el Abitahua hasta el gran Amazonas. En la parte en que nos ocupamos, agria y salvaje por extremo, parece que los Andes, en violenta lucha con las ondas, se han rendido sólo a más no poder y las han dejado abrirse paso por sus más recónditos senos. A derecha e izquierda la secular vegetación ha llegado a cubrir los estrechos planos, las caprichosas gradas, los bordes de los barrancos, las laderas y hasta las paredes casi perpendiculares de esa estupenda rotura de la cadena andina; y por entre columnatas de cedros y palmeras, y arcadas de lianas, y bóvedas de esmeralda y oro bajan, siempre a saltos y tumbos, y siempre bulliciosos, los infinitos arroyos que engruesan, amén de los ríos secundarios, el venaje[8] del río principal. Podría decirse que todos ellos buscan con desesperación el término de su carre-

---

[5] *Agoyán:* Nombre del Pastaza en su primera parte, que tiene su origen en la unión de dos ríos: el Patate y el Chambo, a 1.800 metros. Es uno de los lugares más bellos de todo el país, sobre todo en la zona del salto, por su espectáculo de luz y sonido.

[6] *Baños:* Pequeño pueblo al pie del Tungurahua, en el cantón de Pelileo, cerca de la confluencia de las quebradas de Vascun y La Chorrera.

[7] Se refiere al Amazonas.

[8] *Venaje:* Conjunto de venas de agua y manantiales que dan origen a un río.

rá seducidos y alucinados por las voces de su soberano que escucharon allá entre las breñas de la montaña.

El viajero no acostumbrado a penetrar por esas selvas, a saltar esos arroyos, esguazar[9] esos ríos, bajar y subir por las pendientes de esos abismos, anda de sorpresa en sorpresa, y juzga los peligros que va arrastrando mayores de lo que son en verdad. Pero estos mismos peligros y sorpresas, entre las cuales hay no pocas agradables, contribuyen a hacerle sentir menos el cansancio y la fatiga, no obstante que, ora salva de un vuelo un trecho desmesurado, ora da pasitos de a sesma; ya va de puntillas, ya de talón, ya con el pie torcido; y se inclina, se arrastra, se endereza, se balancea, cargando todo el cuerpo en el largo bastón de *caña brava*[10], se resbala por el descortezado tronco de un árbol caído, se hunde en el cieno, se suspende y columpia de un bejuco[11], mirando a sus pies por entre las roturas del follaje las agitadas aguas del Pastaza, a más de doscientos metros de profundidad, o bien oyendo solamente su bramido en un abismo que parece sin fondo... En tales caminos, si caminos pueden llamarse, todo el mundo tiene que ser acróbata por fuerza.

El paso del Topo es de lo más medroso. Casi equidistantes una de otra hay en la mitad del cauce dos enormes piedras bruñidas por las ondas que se golpean y despedazan contra ellas; son los machones[12] centrales del puente más extraordinario que se puede forjar con la imaginación, y que se lo pone, sin embargo, por mano de hombres en los momentos en que es preciso trasladarse a las faldas del Abitahua: ese puente es, como si dijésemos, lo ideal de lo terrible realizado por la audacia de la necesidad. Consiste la peregrina fábrica en tres *guadúas* de algunos metros de longitud tendidas de la orilla a la primera piedra, de ésta a la segunda y de aquí a la orilla opuesta. Sobre los hombros de los prácticos más atrevidos, que han pasado primero y se han colocado cual es-

---

[9] *Esguazar:* Pasar de una parte a otra un río o brazo de mar bajo.

[10] *Caña brava:* Junco muy fuerte, con copa semejante a la de la palmera.

[11] *Bejuco:* Planta trepadora con ramas fuertes y largas, a modo de sogas, que se enroscan en los árboles.

[12] *Machones:* Piezas de madera de varios pies de longitud.

tatuas en las piedras y las márgenes, descansan otras *guadúas* que sirven de pasamanos a los demás transeúntes. La caña tiembla y se comba al peso del cuerpo; la espuma rocía los pies; el ruido de las ondas asorda; el vértigo amenaza, y el corazón más valeroso duplica sus latidos. Al cabo está uno de la banda de allá del río, y el puente no tarda en desaparecer arrebatado de la corriente. *bridge disappears under water*

Enseguida comienza la ascensión del Abitahua, que es un soberbio altar de gradas de sombría verdura, levantado donde acaba propiamente la rotura de los Andes que hemos bosquejado, y empiezan las regiones orientales. En sus crestas más elevadas, esto es, a una altura de cerca de mil metros, descuellan centenares de palmas que parecen gigantes extasiados en alguna maravilla que está detrás, y que el caminante no puede descubrir mientras no pise el remate del último escalón. Y cierto, una vez coronada la cima, se escapa de lo íntimo del alma un grito de asombro: allí está otro mundo; allí la naturaleza muestra con ostentación una de sus fases más sublimes: es la inmensidad de un mar de vegetación prodigiosa bajo la azul inmensidad del cielo. A la izquierda y a lo lejos la cadena de los Andes semeja una onda de longitud infinita, suspensa un momento por la fuerza de dos vientos encontrados; al frente y a la derecha no hay más que la vaga e indecisa línea del horizonte entre los espacios celestes y la superficie de las selvas, en la que se mueve el espíritu de Dios como antes de los tiempos se movía sobre la superficie de las aguas[13]. Algunas cordilleras de segundo y tercer orden, ramales de la principal, y casi todas tendidas del Oeste al Este, no son sino breves eminencias, arrugas insignificantes que apenas interrumpen el nivel de ese grande Sahara de verdura. En los primeros términos se alcanza a distinguir millares de puntos de relieve como las motillas de una inconmensurable manta desdoblada a los pies del espectador: son las palmeras que han levantado las cabezas buscando las regiones del aire libre, cual si temiesen ahogarse en la espesura. Unos cuantos hilos de plata en eses prolongadas y desiguales, y, a veces, interrumpidas de trecho en trecho, brillan allá distantes: son

---

[13] Referencia al relato del Génesis I, 2, en el inicio de la creación del mundo.

los caudalosos ríos que descendiendo de los Andes se apresuran a llevar su tributo al Amazonas. Con frecuencia se ve la tempestad como alado y negro fantasma cerniéndose sobre la cordillera y despidiendo serpientes de fuego que se cruzan como una red, y cuyo tronido no alcanza a escucharse; otras veces los vientos del Levante se desencadenan furiosos y agitan las copas de aquellos millones de millones de árboles, formando interminable serie de olas de verdemar, esmeralda y tornasol, que en su acompasado y majestuoso movimiento producen una especie de mugidos, para cuya imitación no se hallan voces en los demás elementos de la naturaleza. Cuando luego inmoble y silencioso aquel excepcional desierto recibe los rayos del sol naciente, reverbera con luces apacibles, aunque vivas, a causa del abundante rocío que ha lavado las hojas. Cuando el astro del día se pone, el reverberar es candente, y hay puntos en que parece haberse dado a las selvas un baño de cobre derretido, o donde una ilusión óptica muestra llamas que se extienden trémulas por las masas de follaje sin abrasarlas. Cuando, en fin, se levanta la espesa niebla y lo envuelve todo en sus rizados pliegues, aquello es un verdadero caos en que la vista y el pensamiento se confunden, y el alma se siente oprimida por una tristeza indefinible y poderosa. Ese caos remeda los del pasado y el porvenir, entre los cuales puesto el hombre brilla un segundo cual leve chispa y desaparece para siempre; y el conocimiento de su pequeñez, impotencia y miseria es la causa principal del abatimiento que le sobrecoge a vista de aquella imagen que le hace tangible, por decirlo así, la verdad de su existencia momentánea y de su triste suerte en el mundo.

Desde las faldas orientales del Abitahua cambia el espectáculo: está el viajero bajo las olas del extraño y pasmoso golfo que hemos bosquejado; ha descendido de las regiones de la luz al imperio de las misteriosas sombras. Arriba, se dilataba el pensamiento a par de las miradas por la inmensidad de la superficie de las selvas y lo infinito del cielo; aquí abajo los troncos enormes, los más cubiertos de bosquecillos de parásitas, las ramas entrelazadas, las cortinas de floridas enredaderas que descienden desde la cima de los árboles, los flexibles bejucos que imitan los cables y jarcia de los navíos, le rodean a uno por todas partes, y a veces se cree preso en una dilatada red allí tendida por alguna ignota divinidad del desierto para dar caza al descuidado caminante. Sin embargo, ¡cosa singular!, esta aprensión que debía acongojar el espíritu, desaparece al sobrevenir, cual de seguro sobreviene, cierto sentimiento de libertad, independencia y grandeza, del que no hay ninguna idea en las ciudades y en medio de la vida y agitación de la sociedad civilizada. Por un fenómeno psicológico que no podemos explicar, sufre el alma encerrada en el dédalo de los bosques, impresiones totalmente diversas de las que experimenta al contemplarlos por encima, cuando parece que los espacios infinitos le convidan a volar por ellos como si fueran su elemento propio. Arriba una voz secreta le dice al hombre: «¡Cuán chico, impotente e infeliz eres!» Abajo otra voz, secreta asimismo y no menos persuasiva, le repite: «Eres dueño de ti mismo y verdadero rey de la naturaleza: estás en tus dominios: haz de ti y de cuanto te rodea lo que quisieres. Excepto Dios y tu conciencia, aquí nadie te mira ni hay quien sojuzgue tus actos.»

Este sentir, este poderoso elemento moral que en el silencio de las desiertas selvas se apodera del ánimo del hombre, es parte sin duda para formar el carácter soberbio y dominante del salvaje, para quien la obediencia forzada es desconocida, la humillación un crimen digno de la última pena, la costumbre y la fuerza sus únicas leyes, y la venganza la primera de sus virtudes, y casi una necesidad.

En este laberinto de la vegetación más gigante de la tierra, en esta especie de regiones suboceánicas, donde por maravilla penetran los rayos del sol, y donde sólo por las aberturas de los grandes ríos se alcanza a ver en largas fajas el azul del cielo, se hallan maravillosos dechados en que pudieran buscar su perfección las artes que constituyen el orgullo de los pueblos cultos: aquí está diversificado el pensamiento de la arquitectura, desde la severa majestad gótica hasta el airoso y fantástico estilo arábigo, y aun hay órdenes que todavía no han sido comprendidos ni tallados en mármol y granito por el ingenio humano: ¡qué columnatas tan soberbias!, ¡qué pórticos tan magníficos!, ¡qué artesonados tan estupendos! Y cuando la naturaleza está en calma; cuando plegadas las alas, duermen los vientos en sus lejanas cavernas, aquellos portentosos monumentos son retratados por una oculta y divina mano en el cristal de los ríos y lagunas para lección de la pintura. Aquí hay sonidos y melodías que encantarían a los Donizetti y los Mozart, y que a veces los desesperarían. Aquí hay flores que no soñó nunca el paganismo en sus Campos Elíseos, y fragancias desconocidas en la morada de los dioses. Aquí hay ese gratísimo no sé qué, inexplicable en todas las lenguas, perceptible para algunas almas tiernas, sensibles y egregias, y que, por lo mismo, se le llama con un nombre que nada expresa ⸺poesía. Conocimiento y posesión de todas las bellezas y armonías de la naturaleza; iniciación en todas sus misteriosas maravillas; intuición de los divinos portentos que encierra el mundo moral, cualquiera cosa que sea aquello que el idioma humano llama poesía, aquí en las entrañas de estas selvas hijas de los siglos, se la siente más viva, más activa, más poderosa que entre el bullicio y caduco esplendor de la civilización.

Ni falta la melancólica majestad de las ruinas que en otros hemisferios llaman tanto la atención de los sabios. En Europa y Asia la maza y la tea de la guerra y el pesado rodar de los siglos han derribado las creaciones de las artes y la civilización antiguas: aquí sólo la naturaleza demuele sus propias obras: el huracán se ha cebado en esas arcadas; la tempestad ha despedazado aquel centenar de columnas; las abatidas copas de las palmeras son los capiteles de esos templos, palacios y termas de esmeralda y flores que yacen en fragmentos. Pero allá han desaparecido para siempre los artistas que levantaron los monumentos de piedra de Balbeck[14] y de Palmira[15], en tanto que aquí está vivo el genio de la naturaleza que hizo las maravillas de las selvas, y las repite y multiplica todos los días: ¿no lo véis?, los escombros van desapareciendo bajo la sombra de otros suntuosos y magníficos edificios. La eterna y divina artista no demuele sus obras sino para mejo-

---

[14] *Balbeck:* Ciudad fenicia al pie del Antilíbano, llamada Heliópolis por los romanos.
[15] *Palmira:* Ciudad de las palmas, en el oasis del desierto sirioárabe. Construida por Salomón.

rarlas, y para ello recibe nuevas fuerzas y poderosos elementos de la descomposición de las mismas ruinas que ha esparcido a sus pies.

Sin entrar en cuenta el Putumayo, desde cuyas orillas meridionales comienza el territorio ecuatoriano en las regiones del Oriente, bañan éstas y desembocan en el Amazonas los caudalosos ríos Napo, Nanay, Tigre, Chambira, Pastaza, Morona, Santiago, Chinchipe, y otros que si son pequeños junto a aquéllos, en verdad serían de notable consideración en Europa, Asia o África.

El Pastaza, cuyo descenso hemos seguido hasta el punto en que recibe las tumultuosas ondas del Topo, y de cuyas márgenes no nos alejaremos durante la historia que vamos a relatar, fue navegado por el sabio D. Pedro Vicente Maldonado y Sotomayor[16] en 1741, quien delineó su curso y el del caprichoso y enredado Bobonaza. Pasado el Abitahua, recibe por el Norte el tributo del Pindo, desde donde comienza a prestarse a la navegación, aunque no segura; luego le entran el Llucin por la derecha, y a pocas leguas el Palora, de aguas sulfurosas y amargas, y cuyos orígenes se hallan en una corta laguna de las inmediaciones del Sangay, sin duda uno de los volcanes más activos y terribles del mundo. Aquí las aguas del Pastaza, así como las del Palora, ya son bastante mansas y apacibles, y sólo se nota mayor movimiento en el Estrecho del Tayo que está a continuación y que lo forman rígidos peñascos alzados a uno y otro lado y casi paralelos. Libre ya de estos hercúleos brazos que le ajustaban, se explaya y lleva su imperial carrera primero de Poniente a Oriente y después de Noroeste a Sudeste hasta su triple desembocadura.

El Pastaza se dilata a veces por abiertas y risueñas playas, y otras está limitado en trayectos más o menos largos por peñascosas orillas, que van desapareciendo a medida que avanza en la llanura, o por simples elevaciones del terreno. En muchos puntos se divide en dos brazos que vuelven a unirse ciñendo hermosas islas, las que son más frecuentes y exten-

---

[16] *Maldonado y Sotomayor:* Político y geógrafo nacido en Riobamba (1709) y muerto en Londres (1748). Fue gobernador de la provincia de Esmeralda, y trazó notables mapas de Ecuador.

sas cuanto más el río se acerca a su término. En las orillas abundan hermosísimas palmas, de cuyo fruto gustan los saínos[17] y otros animales bravíos, y el laurel que produce la excelente cera, y el fragante canelo que da nombre al territorio regado por el Bobonaza rico censatario también del Pastaza, y por el Curaray que da más abundante caudal al gigantesco Napo.

A no mucha distancia de las márgenes del río que nos ocupa, y casi siempre en comunicación con él, hay unas cuantas lagunas coronadas, asimismo, de palmeras que se encorvan en suave movimiento a mirarse en sus limpísimos cristales, y pobladas de aves de rara belleza, de dorados peces y de tortugas de regalada carne. Y ni en lagunas ni en islas faltan enormes caimanes y pintadas culebras, hallándose a veces el monstruo *amarun*[18], terror de esas soledades, y junto al cual la boa de África pierde su fama toda. El Rumachuna, pocas leguas antes de la confluencia del Pastaza con el Amazonas, es el más extenso y magnífico de esos espejos de la naturaleza tendidos en el desierto.

Lector, hemos procurado hacerte conocer, aunque harto imperfectamente, el teatro en que vamos a introducirte: déjate guiar y síguenos con paciencia. Pocas veces volveremos la vista a la sociedad civilizada; olvídate de ella si quieres que te interesen las escenas de la naturaleza y las costumbres de los errantes y salvajes hijos de las selvas.

---

[17] *Saíno:* Mamífero artiodáctilo suiforme (pecarí de collar).
[18] *Amarun:* Serpiente sagrada. Uno de los cuatro elementos creadores de la mitología de América Central y del Sur.

II

Las tribus jíbaras y záparas

Numerosas tribus de indios salvajes habitan las orillas de los ríos del Oriente. Algunas tienen residencia fija, pero las más son nómadas que buscan su comodidad y subsistencia donde la naturaleza les brinda con más abundancia y menos trabajo sus ricos dones en la espesura de las selvas o en el seno de las ondas que cruzan el desierto. Su carácter y costumbres son diversísimos como sus idiomas, incultos pero generalmente expresivos y enérgicos. Hay tribus que se distinguen por la mansedumbre del ánimo y la hospitalidad para con cualquier viajero; tales son los záparos que viven al Norte del Pastaza y a las márgenes del Curaray, del Veleno, el Bobonaza, el Pindo y otros ríos de auríferas arenas y mitológica belleza, sin que por esto deba creerse que son encogidos y cobardes. Otras hay temibles por su indómita ferocidad, como las tribus jíbaras desparramadas en el inmenso espacio regado por el Morona y el Santiago, que se extiende desde la banda meridional del mentado Pastaza, hasta las regiones en que domina el Chinchipe, uno de los principales ríos de Loja, de esta tierra patria de la quina, y si por esto célebre, no menos famosa por la riqueza de su *flora*, sus minas de metales preciosos y sus mármoles tan bellos como los de Paros y Carrara. No hay caníbales en estas tribus, como algunos lo han creído sin fundamento; pero es peligroso viajar entre ellas, a lo menos cuando no se toman todas las precauciones necesarias para no causarles el menor disgusto ni sospechas.

En la guerra son astutos y sanguinarios, sencillos en las costumbres domésticas, fieles en la alianza y en la venganza inflexibles. No obstante su adoración a la libertad, a veces miran a sus jefes, cuando sobresalen por la bravura y el número de las hazañas, con supersticioso respeto; y cuando mueren, sacrifican a la más querida de sus esposas para que le acompañe en el país de las almas.

La guerra es casi el estado normal de los jíbaros y a ella son también aficionados los záparos. Unos y otros son muy diestros en el manejo del arco, la lanza y la maza. Su maestría en el conocimiento y uso de los venenos es horripilante. La causa de sus contiendas es por lo común el deseo de llevar a cima una venganza. Acontece no pocas veces que un jefe toma la infusión del bejuco llamado *hayahuasca*, cuyo efecto es fingir visiones que el salvaje cree realidades, y ellas deciden lo que debe hacer toda la tribu: si en ese delirio ha visto la imagen de un enemigo a quien es preciso matar, no perdona diligencia para matarle; si se le ha presentado cual adversa una tribu, que, quizás fue su amiga, la guerra con ella no se hace esperar.

Ha más de un siglo, la infatigable constancia de los misioneros había comenzado a hacer brillar algunas ráfagas de civilización entre esa bárbara gente; habíala humanado en gran parte a costa de heroicos sacrificios. La sangre del martirio tiñó muchas veces las aguas de los silenciosos ríos de aquellas regiones, y la sombra de los seculares higuerones y ceibas[19] cobijó reliquias dignas de nuestros devotos altares; pero esa sangre y esas reliquias, bendecidas por Dios como testimonios de la santa verdad y del amor al hombre, no podían ser estériles y produjeron la ganancia de millares de almas para el cielo y de numerosos pueblos para la vida social. Cada cruz plantada por el sacerdote católico en aquellas soledades, era un centro donde obraba un misterioso poder que atraía las tribus errantes para fijarlas en torno, agregarlas a la familia humana y hacerlas gozar de las delicias de la comunión racional y cristiana. ¡Oh! ¡qué habría sido hoy del

---

[19] *Ceiba:* También ceibo. Árbol de la familia de las papilionáceas.

territorio oriental y de sus habitantes a continuar aquella santa labor de los hombres del Evangelio!... Habido habría en América una nación civilizada más, donde ahora vagan, a par de las fieras, hordas divorciadas del género humano y que se despedazan entre sí.

Un repentino y espantoso rayo, en forma de *Pragmática sanción*, aniquiló en un instante la obra gigantea de dilatadísimo tiempo, de indecible abnegación y cruentos sacrificios. El 19 de agosto de 1767 fueron expulsados de los dominios de España los jesuitas, y las Reducciones del Oriente decayeron y desaparecieron. Sucedió en lo moral en esas selvas lo que en lo material sucede: se las descuaja y cultiva con grandes esfuerzos; mas desaparece el diligente obrero, y la naturaleza agreste recupera bien pronto lo que se le había quitado, y asienta su imperio sobre las ruinas del imperio del hombre. La política de la Corte española eliminó de una plumada medio millón de almas en sólo esta parte de sus colonias. ¡Qué terribles son las plumadas de los reyes! Cerca de dos siglos antes, otra igualmente violenta echó del seno de la madre patria más de ochocientos mil habitantes. Barbarizar un gran número de gente, imposibilitando para ella la civilización, o aventarla lejos de las fronteras nacionales, allá se va a dar: de ambas maneras se ha degollado la población. Pero vamos con nuestra historia.

Entre los pueblos más florecientes fundados por los jesuitas en aquel inmenso territorio, se contaban Canelos, Pacayacu y Zarayacu, a las orillas septentrionales del Bobonaza, y Andoas y Pinches, a la derecha del Pastaza. Todos sus habitantes pertenecían a la familia zápara. Cuarenta años después de haberles privado el gobierno de España de sus misioneros, la decadencia fue tal, que algunos grandes centros de población casi estaban a punto de desaparecer. Pinches se hallaba reducido a menos de la mitad, y la escasez de su población le exponía frecuentemente a ser aniquilado por los jíbaros.

A los pueblos antedichos se enviaron religiosos dominicos en sustitución de los jesuitas, y autoridades civiles que cuidaban más de enriquecerse a costa del sudor y la sangre de los indios, que no de propender a civilizarlos. Cuando tales empleados faltaban, los curas misioneros gobernaban aún en lo temporal, y si no siempre, con frecuencia se desempeñaban más acertadamente, y los pobres salvajes respiraban con libertad.

Por el año 1808 una tribu nómada de las más temibles del Sur, quiso guardar estricta neutralidad en una sangrienta guerra que a la sazón, destrozaba las tribus de los zamoras, logroños, moronas y otras, pues eran todas sus aliadas. Mayariaga, *curaca*[20] de los moronas, que había intentado en vano atraer a su partido a los neutrales, dio muestras de grande enojo, y Yahuarmaqui[21], *curaca* de estos últimos, de quienes era querido y respetado, juzgó prudente alejarse del teatro de la guerra.

Una mañana se levantaban espesas columnas de humo por entre las copas de los árboles: las cabañas de los que se retiraban ardían quemadas por sus propios dueños que, en ligeras canoas hechas de las cortezas de árboles gigantescos, rompían la corriente del Morona. Al son de las ondas rotas por los remos[22] entonaban el canto de despedida al rincón de la selva que abandonaban para siempre. A los quince días habían terminado la navegación y entregaban las canoas, inútiles ya para el viaje que llevaban, a merced de la corriente. Traspusieron a continuación por la parte superior la cordillera de los Upanos, que arranca del costado oriental del Sangay y se abate cerca de la laguna Rumachuna, y plantaron al fin sus cabañas en la margen izquierda del Palora, a tres jornadas de su pacífica entrada en el Pastaza, y en las vecindades del lugar en que estuvo la villa de Mendoza asolada por los bárbaros.

El curaca Yahuarmaqui contaba el número de sus victorias por el de las cabezas de los jefes enemigos que había degollado, disecadas y reducidas al volumen de una pequeña naranja. Estos y otros despojos, además de las primorosas armas, eran los adornos de su aposento. Se acercaba a los setenta

---

[20] *Curaca:* Jefe.

[21] *Yahuarmaqui:* Mano sangrienta.

[22] Nótese la aliteración en toda la frase, simulando el ritmo y el ruido de las canoas al navegar. Éste y otros recursos poéticos son muy comunes en toda la obra, sobre todo en las descripciones.

años y, sin embargo, tenía el cuerpo erguido y fuerte como el tronco de la *chonta*[23]; su vista y oído eran perspicaces, y firmísimo el pulso: jamás erraba el flechazo asestado al colibrí en la copa del árbol más elevado, y percibía cual ninguno el son del *tunduli*[24], tocado a cuatro leguas de distancia; en su diestra la pesada maza era como un bastón de mimbre que batía con la velocidad del relámpago. Nunca se le vio reír, ni dirigió jamás, ni aun a sus hijos, una palabra de cariño. Sus ojos eran chicos y ardientes como los de la víbora; el color de su piel era el del tronco del canelo, y las manchas de canas esparcidas en la cabeza le daban el aspecto de un picacho de los Andes cuando empieza el deshielo en los primeros días del verano. Imperativo el gesto, rústico y violento el ademán, breve, conciso y enérgico el lenguaje, nunca se vio indio que como él se atrajera más incontrastablemente la voluntad de su tribu. Seis mujeres tenía que le habían dado muchos hijos, el mayor de los cuales, previsto para suceder al anciano *curaca*, era ya célebre en los combates y se llamaba Sinchirigra[25], a causa de la pujanza de su brazo.

La tribu, según es costumbre en esas naciones que tienen por patria los desiertos, tomó el nombre del río a cuya margen acampó. La nueva del arribo de los *paloras* se divulgó rápidamente por las demás tribus y pueblos, que se apresuraron a solicitar su alianza, aconsejados por la prudencia y no por el miedo, desconocido entre los salvajes. Durante largos días Yahuarmaqui se ocupó en recibir mensajeros que, en señal de paz y amistad, llevaban *tendemas*[26] y otros adornos de brillantes plumas de color de oro en la cabeza, el cinto y las armas. Los de Canelos y Pacayacu; los de Zarayacu y Andoas; los moradores del aurífero Veleno, del Curaray y de los ríos que dan origen al caudaloso y bellísimo Tigre, enviaron sus comisionados escogiéndolos entre los más hábiles en la

---

[23] *Chonta:* Arbol de la familia de las palmáceas, con una corteza negra y durísima.

[24] *Tunduli:* Tambor de guerra. Tronco ahuecado suspendido de un poste que se oye a gran distancia.

[25] *Sinchirigra:* Brazo fuerte.

[26] *Tendema:* Diadema recamada de plumas y conchas o tejida de mimbre. Adorno de los indios de Oriente.

diplomacia por ellos usada, y acompañados de ricos presentes, cuya elocuencia es para un salvaje más persuasiva que la de los hermosos pensamientos y bien combinadas frases. A todos contestó el anciano jefe con orgullo, pero con palabras que pudieran dejarlos satisfechos, y la alianza quedó sellada con menos ceremonias y más firmeza de las que se emplean entre pueblos civilizados. Yahuarmaqui poseía en verdad la gran virtud de un religioso respeto a la fe que una vez empeñaba; lo comprueba el haberse retirado de su antigua residencia por no tomar parte en la contienda de sus amigos, los jíbaros del Sur.

El último de aquellos embajadores fue un bien apersonado mancebo, que en amable voz dijo al anciano:

—Poderoso *curaca* y grande hermano, bien venido seas a la orilla del río de las aguas amargas y a la vecindad de los záparos. Me envía a ti la tribu de quien es jefe el viejo Tongana, mi padre, la cual quiere ser tu amiga y llamarte su amparo. Es la más reducida de las familias libres del desierto y vive junto a un arroyo de agua dulce, al que se llega, partiendo de aquí, en poco menos de tres soles. No tiene alianza ninguna con otras tribus, y sólo desde hoy anhela vivir a tu sombra como la palma chica al pie de la palma grande. ¡Jefe de las manos sangrientas, acepta nuestra amistad y danos la tuya, y sé para nosotros el jefe de las manos benéficas!

Yahuarmaqui, de tal manera lisonjeado, contestó:

—Hijo mío, acepto la amistad y alianza de la familia Tongana. Ve a decirla que el poderoso jefe de los paloras es ya su padre; que nada tema y que lo espere todo. El son de mi *tunduli* será voz amiga para ella, y cuando Tongana haga resonar el suyo, al punto mi tribu estará con él: mis enemigos serán enemigos de los tonganas; sus enemigos lo serán míos. La sombra de mi rodela[27] cubre a mis aliados como a mi propia tribu. Joven hermano, has dicho lo que debías y has oído mis promesas. Estás contento; vete en paz a los tuyos.

---

[27] *Rodela:* Rosca o rodeta muelle que se pone en la cabeza para llevar una carga.

III

La familia Tongana

En el extenso y abierto ángulo que se forma de la unión del Palora con el Pastaza, y al Sur de aquél, moraba la tribu, o más bien, corta familia Tongana. Componíase del jefe, de más de setenta años y cabeza tan cana, que a esta causa, además de su propio nombre, le llamaban el *Viejo de la cabeza de nieve*; de Pona, su esposa, que mostraba más edad de la que tenía; de sus dos hijos y sus mujeres, dos niños, hijos de éstos, y la joven Cumandá, nombre que significa patillo blanco, la cual, no obstante su belleza, permanecía soltera.

Decíase que eran de sangre zápara y últimas reliquias de los Chirapas, antiguos habitantes de las orillas del Llucin, casi exterminados en un asalto nocturno de la tribu Guamboya, numerosa y feroz. Záparas eran, en efecto, las esposas de los dos jóvenes. Tongana, viejo de pocas palabras y ceño adusto, se distinguía por su odio implacable a la raza europea. Se había propuesto no salir jamás del rincón de la tierra que escogió para su morada, por no tener ocasión de encontrarse con un blanco, y prohibió a sus hijos hasta los escasos viajes que hacían a la reducción de Andoas para cambiar cera y pita[28] con algunas herramientas, desde que supo el arribo de un nuevo misionero, que no por serlo dejaba de pertenecer a la raza detestada. Pona era una buena mujer, y había lle-

---

[28] *Pita:* Hilo que se fabrica con las fibras extraídas de las hojas del maguey y plantas similares.

gado a adquirir fama de hechicera con motivo de ciertas supersticiones a que se abandonaba con frecuencia. Afirmába-
se tal nota, causa de hondo respeto para los indios, con ver
que llevaba siempre al cuello una pequeña bolsa de piel de
ardilla, en la que guardaba con extremo cuidado y entre cortezas de oloroso chaquino[29] y exquisita vainilla, un amuleto,
al cual atribuía maravillosas virtudes. Advertíanse en esta familia algunos vestigios de creencias y prácticas cristianas, a
pesar de que el viejo se había propuesto borrarlas como cosas que venían de los blancos; pero tal cual idea del Dios
muerto en la cruz, de la Virgen madre, de la inmortalidad del
alma, de la remuneración y el castigo eternos, se hallaba confundida con un vago dualismo, con los genios buenos de las
selvas, el terrible *mungía*[30], la eternidad simbolizada en el *país
de las almas*, y otras fantásticas creaciones de la ardiente pero
rústica imaginativa de los hijos del desierto.

Las casas de los tonganas eran semejantes, con cortas diferencias, a las de todos los salvajes; postes de huayacán o de
helecho incorruptible, paredes de guadúa partida y amarrada
con fuertes cuerdas de corteza de *sapán*[31], y techos cubiertos
de hojas de *bijao*[32] o de *chambira*[33]. En lo interior no había
trofeos arrebatados al enemigo en los combates, sino pocas
armas de guerra, muchas de cacería, e instrumentos de pes-
car. En contorno se alzaba un robusto muro de lozanos plátanos; a corta distancia estaban las *chacras*[34] de yucas[35], pata-
tas, maíz, y hasta algunas matas de caña de azúcar; unas pocas gallinas en el estrecho patio, y un leal perro, completaban
el cuadro de aquel fragmento de población escondido en el
bosque. Hermoso cuadro, por cierto, a pesar de la adustez

---

[29] *Chaquino:* También *chaquiro*, laurínea, llamada también jigua o cortez
de coto.

[30] *Mungía:* Genio malo o demonio de los indios del Oriente.

[31] *Sapán:* En América, nombre vulgar de un árbol de las leguminosas.

[32] *Bijao:* Planta de lugares cálidos y húmedos, de hojas similares a las del
plátano, usadas para envolver alimentos o fabricar techos rústicos.

[33] *Chambira:* Palmera que se cultiva por sus cogollos, frutos y semillas co-
mestibles.

[34] *Chacra:* Sementera.

[35] *Yuca:* Planta liliácea procedente de México y Arizona.

del *curaca*, Tongana y de los defectos inherentes a la vida salvaje: había paz, armonía entre todos los miembros de la familia, confianza mutua e interés de todos por cada uno y de cada uno por todos. La obediencia al anciano había pasado de necesidad a ser virtud, y ya nada pesaba. La dulce inocencia de los niños perfumaba el hogar, y las gracias de Cumandá eran tales, que pudieran llenar de encanto hasta el cubil de un león.

El tipo de Cumandá era de todo en todo diverso del de sus hermanos, y su belleza superior a cuantas bellezas habían producido las tribus del Oriente. Predominaba en su limpia tez la pálida blancura del marfil, y cuando el pudor acudía a perfeccionar sus atractivos, brillaban sus rosas con suave tinte, cual puestas tras delgada muselina; su cabellera, aunque negra, difería, por lo sedeño y ondeado, de las sueltas crenchas[36] de las hijas del desierto; en el airoso cuerpo competía ventajosamente con ellas, a quienes tantas veces, y con razón, se ha comparado con las palmeras de su patria; sus ojos, de color de nube oscura, poseían una expresión indescifrable, conjunto de dulzura y arrogancia, timidez y fuego, amor y desdén; los labios tenían movimientos y sonrisas en perfecta armonía con las miradas, y el corazón correspondía a los ojos y los labios; era toda ella sencillez y vivacidad, candor y vehemencia, dulzura de amor apasionado y acritud de orgullo; era toda alma y toda corazón, alma noble, pero inculta; corazón de origen cristiano en pecho salvaje, y desarrollado al aire libre en la soledad. Su voz era dulce y armoniosa como la de un ave enamorada; sus palabras corrían con cierta soltura y desembarazo, semejantes a las ondas de un arroyo en lecho de grama. Educada según las libérrimas costumbres de su raza, que tiene por inestimables prendas la robustez y actividad del cuerpo y el varonil temple del ánimo hasta en la mujer, aprendió desde muy niña a burlarse de las olas, y la primera vez que sus padres la vieron atravesar el Palora a flor de agua, como una hoja de mosqueta[37] impelida

---

[36] *Crencha:* Mata o madeja de pelo. Raya que divide el pelo en dos partes. También se denomina así a cada una de las partes.

[37] *Mosqueta:* Rosal de tallos flexibles, muy espinosos, con flores blancas de olor almizclado.

por el viento, dieron gritos de entusiasmo y la llamaron *Cumandá*. Otras veces, cuando ya más crecida, se la admiró manejando el remo con tanta destreza, que competía con sus hermanos, los vencía y avergonzaba; y en no pocas ocasiones se igualó con ellos en el ejercicio del arco. Era, en fin, el amor y encanto de sus padres y de toda la familia. Decíala Tongana contemplándola con aire bondadoso:

—Cumandá, no tienes otro defecto que parecerte un poco a los blancos; ¡oh! a veces tengo tentaciones de aborrecerte como a ellos; pero no puedo, porque al cabo eres mi hija y me tienes hechizado.

Habíase hecho la joven amiga del retiro y la soledad, y gustaba de errar largas horas entre la sombra de la selva, dada a pensamientos inocentes, sintiendo quizás la necesidad de una pasión que ocupase su pecho, mas sin saber todavía qué cosa fuese amor; o bien se entretenía a la margen del río contemplando el juego de los pececillos que, dueños de sí mismos, como ella, rompían las dormidas aguas en distintas direcciones, o saltaban, se zambullían, volvían a mostrarse en la superficie y se perseguían unos a otros, luciendo a los rayos del sol las brillantes escamas de plata y oro. A veces les tiraba plátano y yuca picados, y de verlos disputarse la sabrosa golosina, se llenaba de infantil contento y batía las palmas.

Pero repentinamente Cumandá empezó a ponerse algo taciturna; iba desapareciendo su alegría como desaparece al calor del sol la frescura que a la azucena prestó el rocío. Extendióse sobre su lindo semblante la sombra de suave melancolía que torna más linda a la virgen visitada por el primer amor. No advirtieron el cambio ni los padres ni ninguno de la familia, y si lo notaron, no hicieron alto en él; ¿qué tenían que maliciar ni temer en esas soledades? Y sin embargo, no podía ser otra la causa de aquel estado del ánimo de Cumandá, revelado en su rostro y porte, que el que acabamos de indicar. Del amor y sus efectos no está libre el corazón de una salvaje. ¡Qué decimos! pues no sólo no lo está, sino que exento de toda influencia social, de todo arte, de todo lo que no emana inmediatamente de la naturaleza, se presta a que sin obstáculo ninguno eche hondas raíces en

105

él, y crezca, y se desarrolle y se vuelva gigante la planta de la pasión amorosa.

La hija de Tongana está, pues, enamorada; ¿de quién? Este misterio trataremos de descubrir, aun antes que lo trasluzcan en su tribu, siguiéndola en sus excursiones solitarias por las márgenes del Palora.

IV

Junto a las palmeras

Entre el Palora y el Upiayacu, río de corto caudal que muere como aquél en el Pastaza, se levanta una colina de tendidas faldas que remata en corte perpendicular sobre las ondas de éste, antes del Estrecho del Tayo. Del suave declivio septentrional de esa elevación del suelo, mana un limpio arroyo que lleva como si dijésemos su óbolo, a depositarlo en el Palora, unos quinientos metros antes de su conjunción con el Pastaza. Al entregar el exiguo tributo, parece avergonzarse de su pobreza, y se oculta bajo una especie de madreselva, murmurando en voz apenas perceptible, y esto sólo porque tropieza ligeramente en las raíces de un añoso *matapalo*[38], que ensortijadas como una sierpe sobre la fuentecilla, se tienden hacia el río. Un poco arriba y por ella bañadas, habían crecido en fraternal unión dos hermosas palmeras y dos lianas, de flores rosadas la una y la otra de flores blancas, que subiendo en compasadas espiras por los erguidos mástiles, las enlazaban con singular primor al comienzo de los arqueados y airosos penachos de esmeralda; por manera que bajo de éstos columpiaban en graciosa mezcla los festones de las trepadoras plantas y los pálidos racimos de flores de las palmeras.

A este lugar concurría con frecuencia Cumandá, y gustaba

---

[38] *Matapalo:* Árbol cauchífero de corteza fibrosa. También planta parásita que mata a otras plantas.

de contemplar a esas lindas hermanas, amor de la soledad, encadenadas por las floridas enredaderas. Había llegado a profesarles cierto respetuoso cariño, especialmente desde que en su corteza veía grabadas unas cifras, para ella al principio misteriosas, si bien conocía la mano que las hizo y supo después lo que significaban; y en las cuales tocaron muchas veces sus labios con amorosa ternura.

Un día, cuando apenas acababa de rayar la aurora haciendo cesar los murmullos y ruidos de la noche y despertando las armonías y vital movimiento propios de la aproximación del sol, se encaminaba la hija de Tongana a su lugar predilecto. Llevaba desarregladas las crenchas bajo un *tendema* de lustrosos junquillos y pintadas conchas, mal ceñida la túnica de tela azul con una trenza tejida de sus propios cabellos; y denotaba en toda su persona la presteza con que dejó su lecho y salió de su cabaña, así como la inquietud de ánimo por haber tardado a una cita. Cruzando ligera, como iba, por entre los árboles, que goteaban rocío, a la indecisa luz del alba suavemente derramada por entre las bóvedas y pabellones de ramas y hojas, se habría mostrado a los antiguos griegos como una ninfa silvestre perdida durante la noche en el laberinto de la selva.

Al fin llegó a las palmeras, se detuvo un momento a contemplarlas, las dirigió algunas palabras, como si pudiesen entenderlas, besó las cifras, y haciendo al punto memoria de lo que decían, se puso a cantar a media voz, cual si quisiese imitar el murmurio del arroyo, estas estrofas:

Palmas de la onda queridas
Que exhala aquí dulce queja,
Y al pasar besándoos deja
Las plantas humedecidas;

Palmas queridas del ave
Que posada en vuestras flores
El canto de sus amores
Os dirige en voz süave;

Oh palmas, que en lazo fuerte
Os ha unido la liana,

No seáis imagen vana
De nuestra futura suerte:

Junte así lazo amoroso
A Cumandá tierna y bella
Con el vate que por ella
Se siente al fin venturoso.

Pero no cantaba de seguida: se había sentado en las raíces del matapalo que se movían flexibles sobre el Palora, y columpiándose en ellas hasta mojarse a veces el blanco pie en las ondas, guardaba breve silencio después de cada cuarteta, y se inclinaba y tendía el cuello para mirar por entre las ramas y juncos de la orilla hasta la desembocadura del río, cubierta de tenue y vaporosa neblina. Aguardaba al extranjero vate cuyos versos conservaba grabados más hondamente en la memoria que en la corteza de las palmas; y el extranjero tardaba en llegar, y el pecho de ella comenzaba a temer, a inquietarse, a llenarse de angustia, pues la mañana se pasaba y era urgente hablar con él e imponerle[39] de que al día siguiente ella y toda su familia debían ausentarse del Palora, lo menos por medio mes.

Al cabo, allá, a la distancia, se mueve un punto negro entre la bruma y las ondas; puede ser el extranjero. El corazón de la virgen salvaje comienza a serenarse. Crece el punto; acércase más y más; es una ligerísima canoa manejada por un solo remero. Cumandá doblada sobre el río y asida de un bejúco para asegurarse y no dar en las aguas, permanece con la vista fija en el nauta que ya llega; el nauta es el joven extranjero que, al compás del remo, viene también cantando. La hija de Tongana cree escuchar las melodías de los buenos genios de las aguas que saludan al nuevo día, y se llena de vehemente alborozo. Cantaba el joven:

Vuela, canoa mía, vuela, vuela,
Burlando las corrientes del Palora:
Tendida al viento de mi amor la vela
Al remo vencedor se añade ahora.

---

[39] *Imponer:* En esta acepción, hacer saber algo desconocido a otra persona.

Vuela, vuela, que allá junto a la palma
Del bosque la deidad me ha dado cita;
Allá me espera la mitad de mi alma,
La que en viva pasión mi ser agita...

Un grito de gozo infantil de Cumandá impidió continuar su canto al joven Carlos de Orozco, que reparó de súbito en ella, atracó la canoa y saltó a tierra.

—Amigo blanco —le dijo la india—, eres cruel; todavía no cesaba la voz del grillo ni se apagaba la luz de las luciérnagas, cuando dejé mi lecho por venir a verte, y tú has tardado mucho en asomar; ¿te vas olvidando del camino del arroyo de las palmas? ¡Oh, blanco, blanco! los de tu raza no tienen el corazón ardiente como los de la mía, y por eso no acuden presto a la llamada de sus amantes.

—Cumandá, me acusas de cruel, y lo eres tú en verdad, pues que así me reconvienes sin observar que no me ha sido fácil venir muy pronto; ¿no ves cómo se ha hinchado el río y se ha aumentado su corriente? Desde antes de la aurora he remado; las fuerzas se me iban acabando, y...

—Cierto —le interrumpió la india—; no había advertido yo que el río está hinchado.

—Ya ves, hermana, que yo tengo razón y que tú eres injusta.

—Cierto, cierto, hermano blanco; acabas de vencerme, e hice mal en soltar palabras amargas; perdóname y siéntate a mi lado, porque mi lengua tiene que decirte cosas importantes.

Carlos obedeció, y los dos, posados en la misma raíz, que balanceaba en compasados movimientos, parecían aves acuáticas, que habiendo pasado allí la noche arrullados por las voces de las ondas y del bosque, se disponían a lanzarse en su elemento en busca de tiernos pececillos.

—Joven blanco —prosiguió Cumandá—, mi corazón no conoce el miedo; pero ahora tembló como la hoja en su rama cuando sopla el viento, porque me pareció que oía tras de mí los pasos del *mungía*, que es parecido al diablo que hace mal a los cristianos; mas como yo también soy cristiana...

ella es cristiana

—Ya me lo has dicho otra vez; cierto, ¿eres cristiana, Cumandá?

—Lo soy; mi madre me ha dicho que cuando yo era muy chica me mojaron la cabeza en el agua milagrosa. Pero mi padre no quiere que seamos cristianos, y sólo la buena Pona me ha enseñado a ocultas algunas cosas, de las cuales me he prendado mucho más estos días, porque tú, como cristiano, gustas de ellas.

—¡Oh Cumandá, no sabes cuánto me place hallarte cristiana! Pero ¿qué me contabas de *mungía*?

—Que le hice unas cuantas cruces, invoqué a la Madre santa, y el malvado no me ha seguido. Ahora puede venirse; junto a ti no le temo.

—Amada mía —la contestó Carlos—, si penetras cuánto te amo, en verdad que debes fiarte de mí, pues la pasión es capaz de hacerme poderoso hasta contra el genio malo de las selvas. Tu presencia me transforma: eres un elemento de vida para mi corazón y de fortaleza para mi alma. Entre los de mi raza, abundante de belleza, no he hallado ninguna que se parezca a ti ni que como tú haya podido vencerme y dominarme.

—Amigo blanco —dijo la joven en tono de inocente orgullo—, vas comprendiéndome, y yo hace algún tiempo sé lo que eres y lo que vales.

—¡Oh, Cumandá! —replicóle Orozco—, esa mezcla de ternura pueril y orgullo salvaje que veo en ti, me encanta; ella forma el fondo del amor casto y noble que has podido labrar en mi pecho. Posees un arte admirable, sin haberlo estudiado, el arte de cautivar el corazón más esquivo, sin necesidad de simular lo que no sientes ni fabricar panales de engañosas lisonjas. ¡Arte pasmoso! Las mujeres de mi sangre generalmente pasan gran parte de su vida estudiándolo y no lo poseen nunca. El refinamiento de la civilización ha hecho en ellas imposibles algunas prendas que sólo conserva la naturaleza en las inocentes hijas del desierto.

—Hermano extranjero, hablas un lenguaje parecido al que deben hablar los buenos genios y capaz de hacerte querer hasta de las aves ariscas y de las bestias bravas. ¿Cómo te han dejado partir a estas soledades las mujeres de tu tierra? ¿Cómo no te han escondido entre sus brazos ni te han aprisionado con sus caricias? ¡Oh, joven amigo mío!, me gustas más que la miel de las flores al *quinde*[40] y más que al pez el agua. Mira, siento por ti una cosa que no puedo explicar, y espero de ti otra cosa que tampoco me la explico, pero cuya sola idea me estremece de deleite.

—Esa cosa inexplicable aunque se la siente, ¡oh amada mía! esa cosa es el amor, el amor verdadero que tú sientes por mí, y que de mí no tienes ya que esperar, porque lo posees todo, todo sin reserva.

—¡Ah, sí! eso es, eso es sin duda; ¡oh, yo te amo...!, porque te amo te he prometido con palabras del corazón que nunca miente, que consentiré en que me pongas los brazaletes de la piel de la culebra verde, y me ciñas el cinto de esposa. ¡Oh, blanco! tú serás mi marido, o yo no viviré; ¿para qué quiero vivir sin ti? Quita la corteza a un árbol, y ya verás cual se seca y perece: tú eres para mí esa corteza protectora: sin ti, ¿podré no secarme?

—Tú sí, exclama Carlos enajenado de amor y de entusiasmo, abrazándola y estampándole un beso en la frente; tú sí que hablas el lenguaje de los ángeles. ¡Oh Cumandá! ¡Oh amor de mi alma! ¿Cuándo consentirás que te pongan mis manos los brazaletes de la culebra verde y el cinto de esposa?

La joven se puso seria, y esquivándose del abrazo de su amante, le dijo con aspereza:

—¿Qué haces, blanco? Hoy no me toques.

—¿Te ofendo con la manifestación de mi amor, de un amor que inflamas tú misma y le haces irresistible? —preguntó Carlos sorprendido.

—¿No sabes —replicó ella en tono menos áspero—, que soy actualmente una de las vírgenes de la fiesta?

—Ni lo sé ni te comprendo, hermana; ¿de qué fiesta me hablas?

—De la fiesta de las canoas, cuyo día se acerca. Las vírgenes destinadas a figurar en ella no deben ser tocadas ni por el aliento del hombre. Respeta, hermano blanco, la pureza de mi alma y de mi cuerpo, si no quieres que el buen Dios se enoje con nosotros y el *mungía* triunfe. Desde que comienza a mostrarse la madre luna hasta que desaparece en el cielo

---

[40] *Quinde:* Colibrí.

112

treinta noches después, las vírgenes que llevan los presentes al genio del gran lago, tienen el deber de conservarse purísimas como la luz de la misma luna.

—Amable sacerdotisa de ese genio —contestó el joven—, si yo no fuera capaz de respetarte en toda ocasión, tampoco sería capaz de amarte: sé que donde falta el acatamiento a la inocencia y al pudor puede haber pasión, mas pasión carnal y torpe, y la que tú me inspiras nada tiene semejante a los amores del mundo corrompido. ¡Bendita la Providencia que ha consentido que el desabrimiento de las delicias de la sociedad se trueque para mí en el inefable amor de una virgen de la naturaleza! Pero, hermana mía, si no te es vedado, dime ¿qué fiesta es esa de que me hablas, y dónde y cuándo se la celebra? Muy hermosa y alegre debe de ser, pues que tú, que todo lo embelleces y alegras, tomas parte de ella.

—¿Qué? ¿no sabes qué fiesta es ésa? ¿nadie te lo ha dicho? ¿no te sorprendió ahora pocos días el tronido del *tunduli* que hizo temblar las hojas de los árboles, y hasta las aguas de los ríos y lagunas?

Carlos había oído que se preparaba una fiesta entre los salvajes, mas no paró mientes en ello, y en realidad poco o nada más sabía; ahora que sabe la parte que Cumandá habrá de tomar en las ceremonias, siente despertarse todo su interés, y que la curiosidad abre sus cien ojos.

—Las voces del *tunduli* —continúa la india—, llamaban a todas las tribus del contorno, y aun a las lejanas, a celebrar la famosa fiesta de las canoas. El anciano jefe de los Paloras ha bebido el conocimiento de la hierba de los sueños y las revelaciones, y los genios buenos que sirven al buen Dios en estas selvas, le han dicho que conviene celebrar con toda pompa aquella fiesta, porque sólo este requisito falta para que se confirme la amistad que Yahuarmaqui ha contraído con los záparos y éstos sean felices en la guerra. Aunque nunca he asistido a ellas, sé que las ceremonias son siempre magníficas, y que los mismos genios concurren invisibles a animarlas, y se regocijan mezclados entre los guerreros y las vírgenes. Según me ha explicado mi padre, el viejo de la cabeza de nieve, esta fiesta conmemora la tempestad de muchos días y las grandes avenidas que, ahora miles de años, cubrieron todos los bosques y montañas y no dejaron hombre con vida, excepto sólo un par de ancianos y sus hijos que se salvaron en una canoa de cedro, porque cuidaban de no ofender al buen Dios, y le ofrecían la mejor parte de sus cosechas[41]. Se ha hecho la fiesta siempre cada doce lunas, en la luna llena del tiempo alegre, cuando se abren las últimas flores de los árboles y comienzan a madurar las primeras frutas. El día señalado, infinidad de tribus se reunían al efecto en las orillas del grande lago Rumachuna, que está a más de un sol para acá de las grandes aguas donde muere el Pastaza; pero ahora que hay peleas diarias en esas tierras, y que el lago está manchado con sangre, los buenos genios no aceptarían allí nuestras ofrendas, y todos cumpliremos nuestro deber en el lago Chimano. Allá se va en dos soles desde Andoas, y se vuelve en cuatro o seis, a causa de que la corriente fatiga a los remeros y mata sus fuerzas. Además de que la fiesta ha sido anunciada por el *tunduli* de los paloras para asegurar su amistad con los nuestros, sabe, hermano blanco, que si se dejara de celebrarla durante cien lunas, el malvado *mungía*, con permiso del buen Dios, atajaría el curso de todos los ríos del mundo, haría caer todas las aguas de las nubes y la tierra volvería a ser, como en otros tiempos, un lago muy grande, mil veces grande, donde sin remedio nos ahogaríamos todos.

—Bien, Cumandá, ya sé lo que es la fiesta de las canoas y por qué se la celebra; mas ahora dime, ¿qué vas a hacer en ella?

—Llevaré las flores más lindas de los árboles, de los arbustos, de la tierra y de las aguas, y las arrojaré a los pies del anciano Yahuarmaqui, que será el jefe de los jefes y de la fiesta, diciéndole al mismo tiempo unas palabras misteriosas que me enseñará mi madre, la hechicera Poña. *¿soneros?*

—Hermana mía, dime otra cosa más: ¿se podrá tolerar la presencia de un extranjero en la gran fiesta?

—¿Quieres irte a ella?

—¡Oh! si allá ha de estar contigo mi alma, ¿no será bueno que también te siga mi cuerpo?

---

[41] En la mayoría de las teogonías de las culturas precolombinas existen lugares comunes como el del diluvio universal.

114

La joven guardó silencio e inclinó la cabeza; vacilaba entre la pasión y el temor: no podía ocultársele que había peligro para Carlos en ir entre multitud de salvajes desconocidos, que tal vez se disgustarían de su presencia, a una solemnidad en que era probable un remate con embriaguez y desórdenes, que ella misma temía. Pero al fin pudieron más las secretas incitaciones del amor, y dijo:

—¡Ah blanco! ¡cuál fuera el gozo de la virgen de las flores si te viera a las orillas del lago en ese día! Vete; pero ten cuidado de no mezclarte en ninguna ceremonia. Que tus ojos lo vean todo, mas que tu lengua y tus manos se estén quietas.

—Iré —dijo Carlos lleno de contento—; iré y te veré como al verdadero genio de la fiesta, sin mover las manos ni hablar palabra. ¿Y después...?

—Después, cuando hayan terminado los días sagrados, cumpliré mi promesa para contigo.

—¿Serás mi esposa?

—Lo seré: ¿no te he dicho que una india no cambia jamás de amor ni de voluntad? Mi palabra no la borra poder ninguno, y tengo el corazón fuerte y firme como el *simbillo*[42] de cien años, que enreda sus raíces en los peñascos y resiste a las avenidas de la montaña.

—¡Oh, noble y adorable Cumandá! Te conozco y te creo; por eso cada palabra tuya aumenta una raíz al amor que has sembrado en mi corazón, y le hace también inamovible y eterno como el *simbillo*. Pero hábleme otra vez, amada de mi alma; ¿cuándo partes al Chimano? ¿cuándo es la fiesta?

—Parto mañana con toda mi familia. Hace ya algunas tardes que comenzó a mostrarse la luna como un arco de plata a punto de despedir la flecha; dentro de otras pocas tardes vendrá como un hermosa rodela por el lado en que nace el sol, y entonces celebraremos la fiesta. Después la irá devorando la noche hasta consumirla, y todas las vírgenes, mientras esto no suceda, tendremos que permanecer intactas e inmaculadas; si no, el terrible *mungía* nos perseguiría día y noche hasta matarnos hundiéndonos en el lago que habríamos pro-

---

[42] *Simbillo:* Árbol muy corpulento y resistente; los indios creen que tomando una infusión de su corteza adquieren robustez y fortaleza.

fanado con nuestro mal proceder. Al día siguiente de consumido el último pedacito de la madre luna, podremos casarnos: tú me echarás en ambos brazos los brazaletes de la culebra verde; yo pondré en tu cabeza un *tendema* de conchas y plumas, y en tus manos la lanza y la rodela; porque has de saber, que si no te haces guerrero, no puedes ser verdadero esposo de una salvaje y todos los indios se mofarían de ti. Luego, sentados en nuestra canoa de ceiba blanco, adornada de flores y yerbas olorosas, bajaremos para Andoas, donde el jefe de los cristianos nos unirá y bendecirá. Hermoso joven blanco, ¿ves nuestras palmeras? Así seremos como ellas, unidos viviremos. ¡Oh, cuánto las quiero por eso! ¡cuántos besos he dado a esas líneas con alma que tú grabaste en su corteza, explicándome luego lo que significan!

Cumandá, al hablar de esta manera, dejaba irradiar en su espaciosa frente la luz del amor en que ardía su corazón, como irradia en el cielo, limpio de nubes, la luz del sol oculto tras la blanca montaña. Carlos no sabía qué contestar a tan apasionado lenguaje de alma tan candorosa y vehemente. Habría estrechado a su amante en su pecho; pero tuvo presente la lección que recibió poco antes y se contuvo haciendo un esfuerzo.

—Hoy —agregó la joven en el mismo tono apasionado—, hoy tú me llamas hermana y yo te llamo hermano; ésta es costumbre en nuestras tribus; pero cuando nos damos este título, siento no sé qué cosa tierna y dulce que estremece mi espíritu y mueve mis lágrimas. ¿No has visto cómo se mojan mis ojos cuando me dices: «Hermana mía»? ¡Oh! ¡qué sentiré cuando me digas: «Esposa mía!...» ¡Carlos, hermano, tú me haces demasiado feliz!

—¡Oh hermana mía, bella y pura como la niñez y adorable como la inocencia y la virtud! —exclamó el joven Orozco—: puedo jurarte que cuando vine a estas selvas buscando para mi espíritu un bien que presentía, pero que la ingrata sociedad me negaba, no imaginé jamás que pudiera hallarle tan completo entre los pobres salvajes de las orillas del Palora y el Pastaza; mas lo he hallado en ti, Cumandá; en ti, ser hechicero, angelical criatura, vida y alma mía, en medio de este desierto, menos triste, eso sí, que el desierto de mi desencantado corazón! ¡Oh amada mía! ¿será posible que yo llegue a ser feliz? Sin duda puedes tú darme un inmenso caudal de ventura consagrándome tu amor; pero ¿no debo temer que el infortunio, para el cual me siento nacido, acabe por arrastrarte conmigo a sus abismos? ¡Ah, tierna joven! la desgracia es más contagiosa que la fiebre; yo estoy apestado de ella y tú junto a mí...

—¡Ata tu lengua, amado extranjero; no digas palabras tristes que hacen temblar mi espíritu! ¿No sabes que desde que te conozco y amo, no obstante sentirme feliz y esperar serlo mucho más contigo, derramo, no sé por qué, lágrimas amargas como las aguas de este río y suelto suspiros que no puedo contener? Sucédeme, asimismo, tenerle mucho miedo a mi padre y soñar cosas funestas...

—Tu padre, sí, tu padre odia de muerte a los blancos y de seguro me detestará, y nuestro amor y nuestro matrimonio... Hermana, creo que pensamos con suma ligereza en nuestra unión, cuando todavía no hemos vencido el mayor obstáculo; ¡qué, ni hemos pensado en él!

Al escuchar estas palabras, Cumandá tomó un aspecto serio y sombrío, en el que se revelaba una honda tristeza mezclada con algo de lo duro e imperioso del carácter salvaje. Luego, en acento igualmente grave y apretando con mano convulsa la diestra de Carlos, dijo:

—Extranjero, ¿has olvidado lo que tantas veces te he repetido? Óyeme otra vez y ten en lo futuro mejor memoria: el amor y la voluntad de una india no cambian nunca; su juramento resiste a todas las contradicciones y su corazón sabe morir por su dueño antes que serle infiel. No temas nada: seremos como nuestras palmeras; inmenso es el desierto y podremos plantar nuestra cabaña a cien jornadas de quienes nos aborrezcan. ¿No eres hombre? ¿no soy salvaje? ¿a dónde no podremos ir? ¿qué no podremos hacer los dos en las selvas? Y si no nos es dado vivir tranquilos en ellas, iremos a tu tierra y no nos faltará modo de avenirnos con los blancos, de quienes parece que hoy te quejas. Yo no necesito otra cosa que tu amor, y en cualquier parte viviré contenta, si él no escasea.

Tras un momento de silencio en que ambos amantes qui-

117

sieron descubrir en sus ojos algo más de lo que expresaron los labios, añadió la india con ligereza e imperio:

—Hermano blanco, mira, ya comienzan a brillar las cabezas de los árboles; el sol ha nacido y es tiempo de que yo te deje y tú te vayas. ¡Adiós! toma tu canoa y vete.

Y saltó como una ardilla de la raíz del matapalo al labio del arroyo, dejándola por algún rato moviéndose con sólo el peso de Carlos, que contestó:

—Hasta mañana.

Ella se detuvo un momento y le dijo:

—¿Te irás de veras al Chimano?

Y casi sin atender a la señal afirmativa que le hacía Orozco inclinando la cabeza, salvó el arroyo, dio unas palmadas cariñosas a las palmeras, contempló un segundo las cifras de la corteza y se metió en la espesura cantando melodiosamente:

> Palmas de la onda queridas
> Que exhala aquí dulce queja,
> Y al pasar besándoos deja
> Las plantas humedecidas...

La voz iba perdiéndose a medida que Cumandá se alejaba y al fin sólo quedó perceptible el murmurio del arroyo. El joven apoyó la barba en la mano abierta y el codo en una rama truncada que tenía junto a sí, y en esta actitud, fija la melancólica mirada en el punto donde desapareció la hija de Tongana, permaneció como estático algunos minutos. Unas matas de helecho y menta que se movieron a corta distancia le sacaron de su embebecimiento; creyó que andaba por ahí algún tejón, o que alguna pava[43], dejando su nido oculto entre las hojas, había partido en busca de sustento; mas nunca juzgó que pudiera haber estado allí en acecho un ser humano. Saltó a la postre de la raíz, desatracó la rústica barquilla y se dejó llevar muellemente por las silenciosas ondas cobijadas por el vaporoso manto de nieblas, que por algunas partes

---

[43] *Pava:* Gallinácea americana, común en regiones selváticas del Trópico, de plumaje negro.

rompía el rayo del sol naciente. El remo, de bajada, era innecesario y Carlos se arrellanó en su asiento, cruzó los brazos, cerró los ojos y se abandonó a la tumultuosa corriente de sus pensamientos, nada halagüeños, mientras la canoa se deslizaba por el curso apacible del Palora. Era la imagen de la melancolía que sin fijarse en los objetos que la rodean, pues nada tienen que ver con ella, se deja llevar por las incontrastables ondas del destino a un término que no conoce, pero que anhela conocerlo, cualquiera que sea.

Al entrar en el Pastaza, el movimiento algo recio de la barquilla por el choque de los dos ríos, hizo abrir los ojos al indolente nauta, que sin ponerse en pie, se enderezó y comenzó a mover el remo para dirigirla mejor y alejarla de los peñascos del estrecho en que muy pronto entró. Pasado éste, atracó a la derecha frente a una corta cabaña donde le aguardaba un joven indio, a quien ordenó que se embarcase, diciéndole enseguida:

—Para Andoas, sin detenernos.

El indio vio a Carlos con alguna extrañeza, pues no esperaba tan pronto su vuelta a la reducción; mas no le hizo observación ni pregunta ninguna, y se encargó sin vacilar del gobierno de la frágil navecilla.

sólo el narrador sabe

119

V

Andoas

Andoas, bello y pintoresco pueblo, vergel cultivado por los misioneros en el corazón de las selvas, alegre esperanza de la patria en otros tiempos y del cual ¡ay! no quedan ya ni los vestigios, pues la feraz vegetación trasandina borra en un día las huellas del hombre que ha pasado largos años entre las oleadas de la dulce luz y de las aromáticas brisas de aquellas vírgenes selvas; Andoas, ya en decadencia en la época en que le visitamos con la memoria pidiéndole recuerdos e impresiones, esto es por el año 1808, se hallaba al frente de la desembocadura del Bobonaza, aunque algún trecho hacia abajo; por manera que las canoas y balsas que descendiendo de este río, tenían que atravesar el Pastaza con dirección al pueblo, lo hacían con poca diligencia y en breve tiempo. No así cuando era menester bogar aguas arriba, rompiendo la corriente, para entrar en las del Bobonaza, pues se necesitaba remo y destreza. Sin embargo esta dificultad era mucho menos sensible, cuando los ríos se hallaban en su estado normal.

Levantábase la población a cosa de cien metros de la orilla; pero como su plano era un suave declivio, y no habiendo en él sino algunas palmeras y canelos, se veía por entre sus troncos el explayado y majestuoso río, distinguiéndose a lo lejos hasta el ligero escarceo con que el Bobonaza hace ostensible el rico tributo que paga a su señor, y las canoas que iban o venían o se balanceaban amarradas a la ribera y parecían aves acuáticas prestas a surcar las ondas y cambiar de margen. Los rústicos edificios, abrigo de unas cincuenta familias záparas que constituían toda la Reducción, se hallaban aislados unos de otros y en pintoresco desorden. Los indios habitualmente dedicados a la pesca, tenían sus barracas más próximas al río; de modo que en las grandes crecidas las azotaban las olas y hacían estremecer, sin causar empero zozobra ninguna a sus impávidos moradores. Eran todas las casas, como son hoy las más de otros pueblos cristianos del Oriente, y como las ya descritas de los Tonganas, labradas sobre postes de incorruptible guayacán y *eriupo*, guadúa partida por paredes, y los empinados techos cubiertos de *chambira* o de *bijao*. Los jíbaros y otros salvajes no convertidos usan tamañas chozas donde viven juntas muchas familias, y donde arde el hogar al pie de cada lecho; pero los misioneros han enseñado a los indios de sus Reducciones la manera de vivir más cómodamente en casas separadas, y han quitado algo a la rusticidad de ciertas costumbres. En Andoas cada familia tenía su mansión aparte. En los intermedios de una a otra había naranjos de redondas copas cubiertos de azahares y frutas en diversa sazón, y plátanos de cuyas abiertas y airosas coronas desparramadas en torno pendía el fruto en luengos cuernos de esmeralda o de oro, según el punto de madurez. Atrás se extendían las sementeras de varias raíces, y cada pequeña heredad tenía por linde una hilera del precioso arbusto del achiote[44] que sirve para hacer apetitosos los manjares, y en muchas tribus para pintarse caras y cuerpos. De Norte a Sur, y en regular semicírculo, se alzaba al cielo un gigante muro de verdura, formado de matapalos, higuerones, ceibas y otros reyes de la vegetación, entre los cuales sobresalían las palmeras, cuyos penachos se movían al aire como arrancados de la masa principal. En esta magnífica fortificación de la naturaleza, delante de la cual las casas del pueblo parecían sólo colmenas artificiales, se notaban puntos sombríos como bocas de abismos, o bien sobresalían a manera de grandes brochadas dadas a la ventura, los festones de hojas claras de al-

---

[44] *Achiote:* Arbusto de la familia de las bixáceas; de sus semillas se extrae un pigmento rojo-anaranjado que se emplea para pintarse el cuerpo.

gunas enredaderas; o pendían éstas en soberbios doseles y cortinajes recamados de flores, deliciosa mansión de lindas aves y brillantes insectos, y no pocas veces columpio de abigarradas culebras, bellísimo peligro de las tierras calientes.

Por la parte inferior del pueblo y hacia el Mediodía, bajaba un riachuelo de aguas siempre cristalinas y dulces; por la superior y a unos 500 metros, además de aquel muro de árboles y matas, había un barranco formado por un peñasco bastante elevado, cuyo remate oriental, tajado perpendicularmente, daba sobre el río, obligando a sus aguas que contra él chocaban a volver sobre sí mismas en eterno vaivén, de donde venía el nombre del *Peña del remolino*, o el *Remolino de la peña*. Las orillas del barranco estaban cubiertas de espesos matorrales de *guadúa* espinosa que no dejaban paso ninguno, tanto que los indios preferían el tránsito por el río, antes que animarse a luchar con aquel obstáculo de la naturaleza. Por otra parte, éste constituía también una buena defensa contra cualquiera invasión por el Norte.

Los sacerdotes que evangelizaron en esas tribus nómadas las enseñaron la estabilidad y el amor de la tierra nativa, como bases primordiales de la vida social; y una vez paladeadas las delicias de ésta, gustaban ya de proporcionarse las cosas necesarias para la mayor comodidad del hogar, aprendían algunas artes y criaban con afán varios animales domésticos, de aquéllos sin los cuales falta toda animación en las aldeas y casas campestres. El balido de las ovejas y cabras pastoreadas por robustos muchachos casi desnudos, y el cacareo de las gallinas que escarbaban debajo de los plátanos, alegraban la choza del buen salvaje. El gallo que cantaba al abrigo del alero era el único reloj que señalaba las horas de la noche y de la madrugada; durante el día cada árbol era un gnómon[45] cuya sombra medía el tiempo con exactitud. Un perro atado a la puerta de cada cabaña era el centinela destinado a dar la voz de alerta al dueño al sentir la proximidad del tigre o del gato montés que se atrevieran a invadir el pueblo.

---

[45] *Gnómon:* Instrumento antiguo de astronomía, para medir el acimut y altura del sol. También se llama así al indicador de las horas en los relojes solares.

En ese embrión de sociedad, no obstante su menoscabo desde la ausencia de sus inteligentes y virtuosos fundadores, había algo de patriarcal, o algo de los sencillos árcades, cuya felicidad nos refieren los poetas, o, cuando menos, algo de los tiempos en que los shiris[46] y los incas gobernaban sus pueblos, más con la blanda mano del padre que no con el temido cetro del monarca. La regeneración cristiana había dulcificado las costumbres de los indios sin afeminar su carácter; había inclinado al bien su corazón, y gradualmente iba despertando su inteligencia y preparándola para una vida más activa, para un teatro más extenso, para el contacto, la liga y fusión con el gran mundo, donde a par que hierven pasiones, y se alzan errores y difunden vicios que el salvaje no conoce, rebosa también y se derrama por todas partes la benéfica civilización, llamando a sí a todos los hombres y a todas las naciones para hacerlos dueños de la ventura que es posible disfrutar en la tierra.

La casa mayor de Andoas, era la del misionero; tenía dos pisos, y al segundo se subía por una escalera labrada en un solo tronco de más de un metro de ancho; rodeábala en la parte superior una galería angosta, desde la cual se dominaba con la vista el Pastaza y las casas del pueblecito encajadas en sus marcos de verdura.

La iglesia era otra casa de mayores dimensiones que la del misionero, con puerta de cuatro metros de alto y bien espaciosa, como destinada a que entrara por ella, no un individuo ni una familia, sino un pueblo, y con su campanario delante, que consistía en un palo amarrado por los extremos a los mástiles de dos dátileras; de él pendía una sola campana, querida de los salvajes, porque su vibradora voz servía para todo. Los despertaba antes del alba, los convocaba a la oración; alegrábalos en la fiesta, alarmábalos en el incendio, gemía con ellos en el entierro, y sus clamoreos eran más tristes y solemnes repercutidos por los ecos del río y de las selvas, que los de las grandes campanas de una catedral. En los días domingos y días de fiesta los niños y las doncellas cuidaban

---

[46] *Shiris:* Reyes de Quito en la época anterior a la conquista de esta nación por los Incas, con una cultura muy desarrollada.

de adornar el altar y los muros del agreste santuario con frescas y olorosas flores, traídas del vecino bosque, y ancianos y madres depositaban al pie del arca, en graciosos cestillos de mimbres o en canastillas de hojas de palma, naranjas y badeas[47], dulces *granadillas de Quijos*[48], aromáticas *uvas camaironas*[49], y otras delicadas frutas que la Providencia ha puesto en esos escondidos vergeles para alimento del hombre, de la bestia y del ave; pero, sobre todo, madres y ancianos, doncellas y niños, presentaban a la divinidad otras cosas que valen muy más que esos dones de la naturaleza y que todas las riquezas del mundo, y eran sus corazones sencillos y agradecidos, conciencias limpias, humildes y constante fe.

¡Oh felices habitantes de las solitarias selvas en aquellos tiempos! ¡cuánto bien pudo haberse esperado de vosotros para nuestra querida Patria, a no haber faltado virtuosos y abnegados sacerdotes que continuasen guiándoos por el camino de la civilización a la luz del Evangelio! ¡Pobres hijos del desierto! ¿qué sois ahora?... ¡Sois apenas una esperanza! ¡y los frutos de la esperanza a veces tardan tanto en madurar!... Vuestra alma tiene mucho de la naturaleza de vuestros bosques: se la limpia de las malezas que la cubren, y la simiente del bien germina y crece en ella con rapidez; pero fáltele la afanosa mano del cultivador, y al punto volverá a su primitivo estado de barbarie. Vosotros no sois culpables de esto; lo es la sociedad civilizada cuyo egoísmo no le permite echar una mirada benéfica hacia vuestras regiones; lo son los gobiernos que, atentos sólo al movimiento social y político que tienen delante, no escuchan los gritos del salvaje, que a sus espaldas se revuelca en charcos de sangre y bajo la lluvia del *ticuna*[50] en sus espantosas guerras de exterminio.

---

[47] *Badea:* Fruto parecido a la calabaza.
[48] *Granadillas de Quijos:* Fruto de una especie de pasionaria.
[49] *Uvas camaironas*: Las produce un árbol bastante corpulento; tienen la figura y sabor de la uva verdadera.
[50] *Ticuna:* El veneno más activo que usan los indios.

VI

Años antes

Era un día del mes de diciembre de 1808. Fray Domingo de Orozco, dominicano que servía de cura de Andoas, hacía cosa de seis meses, lo pasó más retraído y triste que de costumbre, y un indiecito que le ayudaba a misa, aun llegó a decir que durante la que celebró esa mañana le había visto derramar lágrimas.

¡Infeliz religioso! llevaba en su corazón, escrita con caracteres indelebles, una terrible historia, cuyo aniversario caía dentro de pocos días.

Joven todavía, amó con delirio, amó como solamente en esa edad se ama, a la sobremanera linda y virtuosa Carmen N..., como él nativa de Riobamba. El matrimonio afianzó la pasión, y ésta produjo frutos dignos de un par tan selecto como simpático. El primogénito fue Carlos; seguíanse cinco niños más, bellos como unos amores, y por último una niña superior en belleza a todos sus hermanos, y a quien pusieron los padres, que en ella idolatraban, el dulce nombre de Julia.

D. José Domingo de Orozco poseía una hacienda al Sur de Riobamba, y el gusto o la necesidad le obligaban a pasar en ella con su familia largas temporadas.

Una mañana, en los últimos días de 1790, quiso D. José Domingo visitar a Carlos, de diez años de edad, que se hallaba en una escuela de la ciudad, y partió antes de la salida del sol. Limpio y espléndido estaba el cielo, y magnífico y gran-

125

dioso el cuadro de la antigua Purubá[51], la noble cuna de los Duchicelas. Las dos cadenas de los Andes se abaten algún tanto y se alejan una de otra, como para dejar que los astros bañen sin estorbo con torrentes de luz la tierra en que otro tiempo tuvieron altares y numerosos adoradores. Cíñenla extensos nevados; al Noroeste el Chimborazo, de fama universal, levanta la frente al cielo y tiende las regias vestiduras, candidísimas y resplandecientes, sobre su inmenso trono de rocas; al Este el Tungurahua alza la cabeza desde la honda región en que descansa, y parece contemplar todavía los fantásticos jardines en que se recreaban los shiris; al Sudeste el despedazado Cápac-urcu[52] simboliza eternamente la ruina del imperio, a cuyo trono ascendieron varios egregios hijos de Purahá. Cuando la luna llena se muestra sobre esos colosales picachos envueltos en perpetua nieve, y reverberan en ellos sus oleadas de pálida y encantadora luz, a par que se extienden por el espacio, hiriendo las nubes que parecen otras montañas blancas moviéndose majestuosas al impulso de las auras nocturnas; ¡oh! entonces el horizonte oriental de Riobamba no tiene rival en el mundo.

Pero no era menos encantador en la mañana en que Orozco salió de su hacienda con dirección a la ciudad; aunque no pudo gozarlo, pues llevaba el ánimo incapaz de gratas impresiones, y sí perturbado por una secreta inquietud. Carmen había sido presa de un mal sueño, estaba triste y hasta angustiosa, y se despidió de su marido abrazándole y llorando sin saber por qué. Su corazón sí lo sabía; mas ella no podía traducir el lenguaje del corazón que se llama presentimiento; lenguaje misterioso que expresa casi siempre una terrible verdad futura.

En ese mismo día aconteció el alzamiento de los indios de Guamote y Columbe, que se despeñaron en sangrientas atrocidades, conservadas hasta hoy con espanto en la memoria de nuestros pueblos.

---

[51] *Purubá:* Antiguo nombre de la nación que hoy constituye Chimborazo. Los Duchicelas fueron sus príncipes antes de la fusión de su familia con la de los Shiris de Quito.

[52] *Cápac-urcu:* Voces quichuas que significan montaña que sobresale.

Ya muy avanzada la tarde, llegó a Riobamba la noticia del suceso. Orozco que penetró al punto el peligro de su familia, montó a caballo y voló a su hacienda. La noche le sorprendió en medio camino. Un mozo que venía del lugar de la sublevación le dice que varias casas de campo se hallan ardiendo incendiadas por los indios, quienes además no han dejado un blanco con vida. Don José Domingo despedaza los ijares del caballo, que hace los postreros esfuerzos, pero que al empezar una cuesta cae muerto de fatiga. No importa: el temor de llegar tarde, el deseo de volar, la ansiedad, le prestan alas y corona la subida. Observa que se elevan al cielo, de distintas partes, espesas columnas de humo entre las que relumbran millares de chispas. Avanza un poco más; pónese al principio del declivio de una loma... ¡Qué horrible espectáculo! Todas las casas de la llanura inferior están envueltas en llamas. ¿Y la suya? ¡Dios santo! ¿y la suya? ¡Allí está, y arde también! Al ruido que hace el incendio se mezclan los feroces alaridos de los sublevados, y el ronco y pavoroso son del caracol que ha servido para convocarlos, y que ahora los anima a la venganza y al exterminio. Orozco, sin embargo, no teme la muerte que pueden darle los indios, y echa a correr; salva cercados, salta zanjas, atraviesa sementeras, y está en el linde de su hacienda, y al cabo, delante de la casa que acaba de ser consumida por las llamas. ¡Qué abandono! ¡qué silencio! Sólo se ven las últimas lenguas de fuego que se desprenden de entre las paredes ennegrecidas, y las brasas que las rodean. ¿Dónde está la gente de la hacienda? ¿dónde los indios enemigos? D. José Domingo grita desesperado; da vueltas en torno de la hoguera, llama a su esposa, a sus hijos, a sus criados, y nadie le responde. ¡Todos han huido o han muerto!

Entretanto, los sublevados contemplan desde una altura la obra de su saña infernal, y repiten los gritos de salvaje alegría, las carcajadas y los juramentos contra la raza blanca que desearían barrer del suelo que fue de sus mayores. Orozco repite, asimismo, sus voces angustiosas:

—¡Carmen! ¡Carmen! ¡Hijos! ¡Hijos míos!

Y de este modo clamando torna a correr aquí y acullá sin saber qué hacer ni aun qué pensar. Ocúrresele un pensamiento, el de ir en pos de los indios, pues quizá tienen presa a su familia: ¿por qué han de haber matado a su Carmen, a su virtuosa Carmen, ni menos a sus inocentes hijos? Va a poner por obra su idea; da algunos pasos... Mas asoma al cabo una criada, temblando de pies a cabeza; está lela y muda: es la personificación del espanto.

—¿Mi familia? —balbucea Orozco, y ella nada contesta, y echa por todas partes miradas llenas de inquietud y terror—. ¿Mi Carmen? ¿Mis hijos?... —Sigue el silencio de la mujer que le ve con ojos que le hielan el alma—. ¡Habla! ¡Habla! ¿Mi esposa? ¿Los niños? ¿Dónde están?...

Ella abre la boca, pero no puede articular palabra y, extendiendo la trémula mano, señala la hoguera que tienen delante. D. José Domingo sigue con la vista la dirección de la muda seña y exclama:

—¡¡Allí!!

—¡A...llí..! —repite apenas la criada, y el desdichado lanzando un ¡¡ay!! lastimero va a precipitarse en las brasas, pero un par de robustos brazos le contienen por detrás. El mayordomo había asomado y llegó a tiempo para impedir el horrible sacrificio. Más animado que la criada, trata, aunque en vano, de consolar a su amo que se retuerce vencido y desgarrado por la fuerza del dolor. De uno en uno van presentándose otros sirvientes y vecinos, y todos echan agua a los restos del incendio para apagarlos y poder buscar los cadáveres, si acaso no los han consumido del todo las llamas. Orozco, animado por la desesperación, trabaja como ninguno. A la aurora siguiente ya no es difícil apartar los escombros y las cenizas. De entre ellos sacan un tronco humano negro y deforme, medio envuelto en retazos de tela que el fuego no había quemado del todo. ¡Ese desfigurado cadáver fue la virtuosa y bella Carmen! Orozco se echa desesperado sobre él, le ajusta a su corazón y queda sin sentido. El paroxismo que le dura largo tiempo le evita mirar la conclusión de la escena en que se van desenterrando, de entre la ceniza y los carbones, humeantes todavía, los restos de los infelices niños. Casi los ha consumido el fuego; no se puede distinguir a ninguno. Julia, como la más tierna, ha sido devorada sin duda completamente por las llamas, y no ha quedado reliquia ninguna de su cuerpecito...

128

Con frecuencia hacían los indios estos levantamientos contra los de la raza conquistadora, y frecuentemente, asimismo, la culpa estaba de parte de los segundos, por lo inhumano de su proceder con los primeros. En 1790 la cobranza del diezmo de las hortalizas, antes no acostumbrada y por primera vez entonces dispuesta por el Gobierno, fue el pretexto que los indios de Guamote y Columbe tomaron para derramar el odio y venganza que no cabían en sus pechos, y acabar con cuantos españoles pudiesen haber a las manos.

D. José Domingo de Orozco, cierto, no era mal hombre; pero, no obstante, hacía cosas propias de muy malo. Esto parecerá inconcebible a quien no haya penetrado alguna vez en el corazón humano para admirarse de cuántas anomalías y absurdos es capaz. Arraigada profundamente, en europeos y criollos, la costumbre de tratar a los aborígenes como a gente destinada a la humillación, la esclavitud y los tormentos, los colonos de más buenas entrañas no creían faltar a los deberes de la caridad y de la civilización con oprimirlos y martirizarlos. ¡Ah! y cuánto más duros e incurables son los males que proceden de un bueno engañado que los provenientes del perverso! Orozco, el buen Orozco, no estaba libre de la tacha de cruel tirano de los indios. Notábanse en él dos hombres de todo en todo opuestos: el excelente esposo y tierno padre, el honrado ciudadano y cumplido caballero, y hasta el piadoso católico, por una parte, y por otra el inhumano y casi feroz heredero de los instintos de Carvajal[53] y Ampudia[54], figuras semidiabólicas en la historia de la conquista. Caracteres de esta laya eran comunes en la época de la colonia, y aun en días de vivos no escasean: el hombre bueno formado por los principios cristianos y por la tradición de la nobleza española, se halla contrariado y casi ofuscado por completo por el hombre malo, obra de las injustas ideas de la conquista, de sus crueldades y del hábito que se estableció entre los sojuzgadores de andar siempre vibrando el látigo sobre los vencidos, cargándoles de cadenas, arreba-

---

[53] *Carvajal:* Maestre de Campo en la época de Pizarro.
[54] *Ampudia:* Oficial de inhumana conducta que Belalcázar llevó a la conquista de Quito.

tándoles con la libertad los bienes de fortuna, y hollando y aniquilando cuanto en ellos quedaba de honor, virtud y hasta de afectos racionales. Si las razas blanca y mestiza han obtenido inmensos beneficios de la independencia, no así la indígena: para las primeras el sol de la libertad va ascendiendo al cenit, aunque frecuentemente oscurecido por negras nubes; para la última comienza apenas a rayar la aurora.

La venganza de los indios no podía, pues, dejar desadvertido a D. José Domingo en el memorado levantamiento; y como ella venda siempre los ojos de quienes la invocan, la atroz conspiración envolvió a los inocentes con los culpados y los hirió con la misma cuchilla: Carmen y sus hijos fueron, por tanto, sacrificados en las aras que debieron empaparse en la sangre de Orozco.

Muchos indios jornaleros de la hacienda de éste tomaron parte activa en el alzamiento, y entre todos se distinguió el joven Tubón, a quien movían las recientes desgracias y fieros ultrajes que sufriera de parte de su amo. Una corta falta del viejo padre de aquél fue castigada con numerosos azotes y muchos días de cepo; el hijo salió en su defensa, y tan buena acción le atrajo una pena no menos fuerte; la anciana madre lloró por el hijo y el esposo, y la recompensa de sus lágrimas fue abrirle las espaldas con el rebenque[55]. Los tres, juntamente, quisieron dejar el servicio de amo tan cruel e injusto y acudieron a la justicia civil, ante la cual se sinceró D. José Domingo, y apareció impecable como un ángel. No así los indios, que habían cometido el grave delito de quejarse contra el amo, el cual, para castigarlos, vendió a un *obrajero* la deuda que, por salarios adelantados, habían contraído los Tubones. Quien en aquellos tiempos nombraba una hacienda de obraje nombraba el infierno de los indios; y en ese infierno fueron arrojados el viejo Tubón, su esposa e hijo. La pobre mujer sucumbió muy pronto a las fatigas de un trabajo a que no estaba acostumbrada y al espantoso maltrato de los capataces. El látigo, el perpetuo encierro y el hambre acabaron poco después con el anciano: un día le hallaron muerto

---

[55] *Rebenque:* Especie de fusta que consiste en una lonja de cuero sobado sujeta a un cabo de madera forrado de cuero.

con la cardadera en la mano. El hijo, que pudo resistir a beneficio de la corta edad, salió de su prisión a los muchos años, por convenio celebrado entre su antiguo amo y el dueño del obraje, y cargado, además de su primera deuda, con la del padre difunto; pero repleto también de odio mortal contra el blanco autor de sus infortunios y ansioso de vengarse. Dos meses después de vuelto al servicio de Orozco, la sublevación mentada le proporcionó coyuntura favorable para llevar a cima su mal pensamiento, y el nombre de Tubón figuró dignamente junto al de Lorenza Huamanay, la terrible conspiradora, nombre famoso en las tradiciones de nuestros pueblos.

Tubón, durante su largo cautiverio en el obraje, había podido trabar amorosas relaciones con una indiecilla, las cuales produjeron frutos; y cuando D. José Domingo necesitó nodriza para la linda Julia, le presentaron aquella muchacha, quien, huraña y displicente al principio, acabó por cobrar grande cariño a la niña. La noche fatal, cuyos horripilantes sucesos hemos recordado quiso huir la familia de Orozco; pero Tubón salvó sólo a su querida, encerró a Carmen y sus hijos en un mismo cuarto, aseguró con llave la puerta y prendió fuego a la casa. Vanos fueron los ruegos de la infeliz señora y el desesperado llanto de los niños: eran blancos y no podían librarse del odio de su verdugo; eran además prendas adoradas del amo detestadísimo. Cuando ya las llamas las rodeaban, los agudos alaridos del dolor y la desesperación provocaban la risa y los aplausos de los indios, ebrios de contento de ver cumplida su venganza. ¡Pobres dementes! no reparaban cuán estéril debía ser su ferocidad para los suyos, y para sí mismos cuán fecunda en castigos proporcionados al negro crimen con que se manchaban!

Pocas horas después surgió de entre los sublevados la noticia de que gente armada, procedente de Riobamba, iba a caer sobre ellos, y atemorizados comenzaron a retirarse a las alturas vecinas, para facilitar la fuga en que ya pensaban. La falsa nueva, porque falso de todo punto fue que en esos momentos pensaran los desapercibidos riobambeños en debelar un alzamiento que se les pintaba con exagerados y funestísimos colores, sirvió para que D. José Domingo pudiera sin gran peligro acercarse al lugar de la catástrofe de su familia.

Sólo algunos días después, y cuando se conceptuaron fuertes los vecinos de la ciudad, engrosadas sus fuerzas con los auxilios de otros pueblos, persiguieron a los millares de indios que, hora tras hora, habían ido menguando de ánimo, bien que no de deseo de mayor venganza. Al fin, muchos de ellos vinieron a manos de la justicia, sin contar gran número que perecieron a las de los blancos, que en el despique no fueron menos crueles que los sublevados, ni desmintieron su instinto de opresores y tiranos. Tubón y Lorenza Huamanay fueron apresados entre otros cabecillas; muchísimos fugaron por distintas direcciones, metiéndose en las serranías y en las selvas; mas aquéllos pagaron en la horca su atentado. La feroz Huamanay, supersticiosa cuanto feroz, había sacado los ojos a un español y guardádolos en el cinto, creyendo tener en ellos un poderoso talismán; pero viéndose al pie del patíbulo, se los tiró con despecho a la cara del alguacil que mandaba la ejecución, diciéndole: «¡Tómalos! Pensé con esos ojos librarme de la muerte, y de nada me han servido.»

Tubón se dejó colgar con rara serenidad, y a poco de haber columpiado en su lazo, en las contorsiones de la agonía, se rompió la cuerda y dio su cuerpo en tierra, que, junto con los demás cadáveres, fue recogido por unos parientes y llevado al cementerio.

La impresión que todos estos sucesos causaron, no solamente en los pueblos de Riobamba, sino en toda la Presidencia, vivió muchos años sin amortiguarse; mas si del alzamiento ningún provecho sacó la raza indígena, a los opresores tampoco les sirvió de lección saludable la venganza de los oprimidos. Otras sublevaciones hubo posteriormente que tuvieron el mismo remate: la horca; y los blancos no se cansaron de instigar a los indios a la venganza, para luego ahorcarlos...

Don José Domingo Orozco, después de tan tristes acontecimientos, padeció una larga y peligrosa fiebre. Apenas convaleciente, hizo voto de retirarse del mundo, y tomó el hábito de Santo Domingo; pero no obstante el cambio de vida y el estado del ánima que vino en el convento, donde se entregó a completo misticismo, tuvo cuidado de hacer dar a Carlos, única prenda que le quedó del tesoro de su familia, educación esmerada, en la cual muchas veces entendió él mismo con laudable afán. No salió de los claustros cerca de dieciocho años, y en ellos y fuera de ellos era considerado con razón como el fraile más virtuoso de la época.

El pesar, que una vez pegado a las almas sensibles es cáncer incurable, y la continua penitencia le habían demacrado y cubierto de una palidez de muerto; los ralos cabellos que adornaban su cabeza sobre las sienes, eran hebras de plata. Había huido toda alegría de su corazón, y ni la más breve sonrisa animaba sus labios. La melancolía, a par de la santa resignación, se hallaba pintada en su semblante, y resaltaba, puede decirse, en toda su persona. El que permanecía una hora con él se contagiaba de tristeza, pero admiraba su santidad y bendecía su angelical mansedumbre. En medio de la gravedad de su carácter, de la austeridad de sus costumbres y de los místicos pensamientos que le dominaban tenía grabadas en su corazón y conservaba con singular cariño las memorias de otros tiempos y de los seres que más amó en el mundo, que casi adoró: ¡cómo olvidar jamás a su Carmen, a sus tiernos hijos, a su Julia, bella como una azucena y dulce como una paloma!...

En el silencio del claustro había recorrido el padre Orozco la historia de su vida; la fiscalizó conforme a las máximas evangélicas, y descubrió todo lo que había de verdadero en punto a la conducta que observaba con los infelices indios. «Eres culpable —le dijo la conciencia—, y en cierta manera tú mismo fuiste la causa del exterminio de tu familia.» ¡Tardío conocimiento de un mal sin remedio! Con todo, fray Domingo quiso aprovechar de él e indemnizar a los indios, en lo posible, el daño que les había causado; para esto pensaba que lo mejor sería consagrarse al servicio de las misiones.

El Provincial, que tales designios no ignoraba, puesto una vez de acuerdo con el Obispo, cuando se trataba designar a varios religiosos para curas de las antiguas reducciones del Oriente, señaló al padre Orozco para la de Andoas. Obedeció gustoso; dio gracias al Cielo que le concedía poner en práctica su excelente pensamiento; metió el breviario bajo del brazo, tomó el bordón del peregrino y partió.

Ya está en Andoas. Lo primero que intentó, y lo consiguió sin dificultad, fue captarse el cariño de los salvajes. En poquísimo tiempo estableció entre ellos la costumbre de obedecerle sin esfuerzo. La mansedumbre y dulzura con que los trataba les infundía amor, y la tristeza habitual de su genio le atraía el respeto común. Llamaba hijos a los jóvenes y hermanos a los viejos, y ninguno de ellos le conocía sino con el nombre de Padre Domingo; algunos salvajes aun no convertidos le daban el de Jefe de los cristianos. Su nombre del mundo, Orozco, había desaparecido: no quería que subsistiese allá donde para él no había mundo.

134

VII

Un poeta

El joven Carlos de Orozco había solicitado y obtenido de su padre el permiso de seguirle a la misión. Se amaban profundamente, y a entrambos cuadraba muy bien el vivir como compañeros en las selvas.

Carlos, además de un bonísimo corazón, debía a la naturaleza el don de clara inteligencia realzado por una ardiente pasión a las musas. Éstas le hallaron en extremo sensible, y le abrieron y franquearon sin reserva sus tesoros; tesoros de poco o ningún precio para la gente enferma de raquitismo de espíritu y que sólo se deleita de las impresiones de la materia; pero de valor inmenso en el mundo moral, en el mundo de las almas nobles y generosas, que gustan de levantarse sobre las mezquindades de la tierra y aproximarse al cielo. Carlos fue, pues, tierno y dulce poeta casi desde niño.

Pero la vida de los poetas se anticipa siempre a los años, y corre de principio a fin con un cortejo de pasiones de fuego que consume sus fuerzas, de ilusiones que van pasando como rápidos meteoros, de desengaños que amargan hasta lo íntimo de su corazón, de tristezas que los abruman terriblemente. Digno de lástima fuera el poeta si no estuviera en su propio infortunio la grandeza de su destino. El infortunio que ha entrado al templo de la inmortalidad, connaturalizado, identificado con Homero, Tasso, Milton, Camoens y otros de esta raza de genios felizmente desgraciados, ¿no vale infinitamente más que la dicha de ciertos grandes que termina encerrada en una huesa, sin haber dejado rastro de sí ni haber honrado en manera alguna a la patria ni a la humanidad?

¡El poeta, ser condenado a buscar en la tierra cosas que se hallan sólo en el cielo! Ha traslucido una virtud divina, un amor puro e infinito, una belleza de ángel, una armonía y encanto inefables; tiende las alas de la imaginación hacia esos bienes, y tropieza a cada instante en las bagatelas y miserias del mundo, y ve cieno por todas partes, y percibe fetidez, y le zumban a los oídos las roncas carcajadas de los vicios y la prostitución; entonces siente todo el peso de un infortunio que las almas vulgares no conocen nunca. ¡Pobre poeta! ¿No podría mejorar su suerte prestando a lo malo que ve en la tierra algo de lo bueno que ha vislumbrado en el cielo? El genio que alcanza esta especie de visión beatífica, ¿no podría hacer el milagro de labrarse en el mundo alguna ventura superior a lo que el vulgo de los hombres llama dicha? ¿Está de Dios que la desgracia ha de ser siempre en la tierra la compañera de las grandes almas? ¿Está escrito que así como la beatitud se compra con penitencia y lágrimas, la gloria en el mundo ha de comprarse haciendo que el genio se purifique en las penalidades y dolores?... Sin duda; y así desgraciado, y así padeciendo, y así llorando, el poeta se levanta sobre la multitud como el rey del pensamiento, engalanado con los diamantes de la fantasía, para hablar, seducir y encantar a las futuras edades, y esparcir sobre ellas los rayos de su gloria. ¡Oh! ¡y después de esto, téngase lástima de ese desdichado semidiós!...

Carlos a los veinticinco años había gastado más vida que otros a los cincuenta. El telón del mundo se levantó demasiado presto para él, y vio sus variadas escenas con la clara mirada del talento, comprendiéndolas y apreciándolas más rectamente que los mismos que más activo papel desempeñaban en ellas. Alma noble y pundonorosa, no quería mezclarse en los enredos sociales donde peligran la buena fe y el honor. Corazón de poeta, según la idea que hemos indicado brevemente acerca de los favoritos de las musas, era todo sensibilidad y delicadeza. Inteligencia creadora, hallaba estrechos los límites de la naturaleza material, y buscaba las regiones infinitas del espíritu. Para él la esencia de la vida estaba

136

en el pensamiento, y como pensaba mucho vivía más aprisa. Hallaba satisfacción en dar pábulo a todo afecto puro y a las sensaciones internas, y como sufría a cada paso contradicciones en lo material del mundo, frecuentemente se ponía triste y buscaba la soledad y el silencio. Júzguese si con un carácter tan extraño al común de la humanidad, con un alma tan candorosa y limpia, que ha debido pasar de la niñez a la categoría de ángel, y que sólo se detuvo entre los hombres en fuerza de un destino incomprensible; júzguese, decimos, si podría gustar alguna felicidad de la escasísima que otros saborean en esta galera turca llamada vida.

Pero es verdad que naturalezas como la de Carlos suelen padecer anomalías inconcebibles también como su destino, y repentinamente ven algo del cielo que soñaron en la mirada de una belleza, en la sonrisa de un niño, en el canto de un ave, en el aroma de una flor. Este estado anormal les dura a las veces largos días: la ráfaga de pasión que los envuelve, los trae, digamos, a la tierra y los reconcilia con la vida material, haciéndoles catar la miel de sus deleites. Otras veces pasa la ilusión con la rapidez de la onda que cae en un abismo: el elemento espiritual de su carácter no se deja subyugar por las tentaciones de lo mundano. En ambos casos anhelan desahogarse dando salida al tesoro de armonías que rebosa en su alma, y cantan; porque, eso sí, no hay verdadero poeta que pueda decir jamás al mundo: —No soy poeta. Si tal dice, se expone a delatarse en los momentos en que, obedeciendo al numen, procede sin conciencia de sus propias acciones.

El joven Carlos, cuando se halló en el corazón de las selvas, creyó hallarse en su elemento; tenía soledad, silencio, cierta misteriosa grandeza que le rodeaba por todas partes, y una libertad de que nunca hasta entonces había gozado, y que, enajenándole del mundo, le hacía dueño absoluto de sí mismo, para lanzarse derecho y más fácilmente a la contemplación de lo infinito. Allí le pareció más perceptible la idea de Dios, y halló más claras y precisas algunas verdades sobre las cuales había cavilado mucho. El aire del desierto había limpiado todas las brumas que ofuscaban su inteligencia, y además de poeta ya era también filósofo. El estudio de sí mismo y de la naturaleza en relación con su divino Autor, se hace mejor donde en más hondo sosiego se medita. El hombre interior no goza de la plenitud de sus facultades sino en la soledad: allí el espíritu no halla obstáculos a su vuelo.

Carlos, como su padre, supo hacerse querer en su nuevo pueblo, y se complacía del título de *hermano* que le daban los salvajes y de la familiaridad que, de conformidad con ese trato, empleaban siempre con él. Se apresuró a comprar una canoa y aprendió a manejarla con sorprendente destreza. En ella, muchas veces solo y otras acompañado de un joven záparo, según la necesidad, según las circunstancias o el estado de su ánimo, subía o bajaba por el Pastaza, pasaba a la orilla opuesta y recorría la boca del Bobonaza; o bien, haciendo alto en las *chacras* que los andoanos labraban a una, dos o tres jornadas de la población, y venciendo las dificultades y peligros del Estrecho, se metía por el Palora, buscando sitios que armonizasen con su carácter e inclinaciones por la soledad, el silencio y la belleza sombría y tétrica, tan común en aquellos bosques. Tal cual vez se distraía echando cebo a los peces o derribando con la escopeta las pavas que descubría en las ramas tendidas sobre el río. Sucedióle más de una ocasión verse sorprendido por la noche en sus solitarios paseos, y entonces se volvía al pueblo o a la *chacra* más cercana, complaciéndose en ver brillar con la luz de la luna la espuma que levantaba el remo en torno de la canoa; o bien amarraba ésta a un tronco, y pasaba hasta la aurora dormido al blando vaivén y arrullo de las olas.

Una mañana se recordó en las inmediaciones de las dos palmeras y junto a la desembocadura del arroyo que ya conocen nuestros lectores. Creyó haber oído allí cerca un canto dulcísimo; pero lo juzgó sueño y sintió haberse despertado tan pronto. Desató la barquilla y, al tiempo de separarla del atracadero, vio salir del agua una joven y que se ocultaba presurosa entre el follaje; era blanca como la pulpa del coco, y no obstante la rapidez del movimiento y desaparición casi instantánea, pudo Carlos pasmarse de su rara belleza. Por el pronto su poética imaginación le trasladó a la antigua Grecia: pensó que el Palora era el Alfeo[56] y juzgó que acababa de

---

[56] *Alfeo:* Río del Peloponeso, en Arcadia, formado por dos ramas. A su derecha se encuentran las ruinas de Olimpia.

vio una mujer entre palmeras

sorprender a una de sus más encantadoras ninfas. Pensamiento justificable en el instante de tan singular visión. Se quedó suspenso una buena pieza: mas al fin se sintió arrastrado a pesar suyo por la corriente y bajó al Pastaza, y luego a la Reducción, llevando fijos los ojos de su alma en esa extraña belleza de la soledad.

nympa

Desde aquel día un secreto y poderoso impulso le llevaba siempre al arroyo de las palmas, no obstante la distancia y el tener que alejarse por algunos días de Andoas, inquietando el corazón del buen P. Domingo.

La ninfa no era otra que Cumandá. Carlos había sido también para ella una extraña aparición, y aunque la primera vez se asustó mucho, tampoco faltó una fuerza desconocida que la impeliese a irse casi todas las mañanas al arroyo, donde por rareza no hallaba al joven hermoso, a quien, la primera vez que le vio, tuvo por un genio del río, o de la selva. Y luego ¡cuál era el pesar que le atormentaba la mañana que no le veía!

No sabemos cómo se dirigieron las primeras miradas, ni cuáles fueron las primeras palabras con que se hablaron, ni de qué modo se acercaron el uno al otro, ya libres de recelo; pero todo se puede adivinar de parte de quien ha sido verdadero amante alguna vez: se acercarían por una especie de atracción magnética, se hablarían y mirarían con timidez y ternura primero, y después con ternura progresiva, con aquel dulce fuego que verifica la fusión de dos almas nacidas para la existencia en un solo sentimiento y un solo amor. ¿De qué otro modo pudieran haber comenzado sus relaciones esos seres puros, sencillos y ardorosos que se encontraban por casualidad en el desierto?

o romantico
*

El joven Orozco tuvo por seguro que la Providencia le había permitido realizar sus sueños de poeta, entrando a vuelo tendido en las regiones de una felicidad desconocida en la tierra. Cumandá se preguntaba muchas veces a sí misma cómo y por qué había llegado a ser objeto de amor apasionado de un ser que, si no era uno de los genios que la fantasía de los indios veía en el desierto, era probablemente la encarnación de uno de aquellos espíritus que los cristianos llaman ángeles, y se llenaba de recelosa confusión. Los amores de

mano de dios

139

entrambos eran, pues, castos, y correspondían a la idea que los dos se habían formado mutuamente uno de otro. La hija de Tongana habló primero de matrimonio; pero fue sólo porque juzgó que con este lazo aseguraría mejor para sí el corazón del joven extranjero. Ella también le daba con frecuencia el nombre de hermano; y aunque en sus labios sonaba dulcísimo como en ningunos otros, ambicionaba el poder llamarlo esposo. Entre los escasos destellos de luz cristiana que había recogido de las reminiscencias de la madre, algunos eran referentes a aquel sacramento que ha establecido bases santas y eternas para el amor y la inquebrantable unidad de la familia. Carlos se contentaba con que su amor tuviese el carácter de fraternal, una vez que lo creía llevado a la perfección típica que llenaba sus anhelos; pero aceptó el pensamiento de Cumandá y le hizo juramento solemne de elevarla a la categoría de esposa. Hallado, como imaginaba, el centro de su ventura, era menester no salirse de él, y para esto creía excelente cosa transformar los lazos de la fraternidad en los del matrimonio.

Pero en todo caso necesitaba vencer algunos obstáculos que, a primera vista, se presentaban insignificantes, y que en verdad eran de cuenta. Ella temía el odio mortal que su padre mostraba por los blancos, y él no contaba todavía con la aquiescencia del padre Domingo: ¿quién sabe si su modestia llegue al extremo de consentir que su aristocrática sangre se mezcle con la sangre india?

En este punto se hallaban las relaciones y proyectos de nuestros jóvenes al tiempo de la entrevista en que los hemos sorprendido, y en vísperas de la gran fiesta de las canoas a la cual los vamos a seguir.

VIII

Del Pastaza abajo

A fray Domingo le desagradó bastante el proyecto de Carlos de concurrir a la fiesta de las canoas, pues a más de ser una solemnidad enteramente pagana, indigna, a su juicio, de que un cristiano la presenciara, temía, con razón, los peligros de la ferocidad de los jíbaros excitada por la embriaguez a que en tales ocasiones se daban. Sin embargo, conoció el vivísimo interés que el joven ponía en llevar a término su designio, y hubo de ceder, mal su grado. Bendíjole con ternura, diciéndole: ¡Dios vaya contigo, amado hijo, como va el pensamiento de tu padre! ¡Que vuelvas a mis brazos con el corazón inmaculado y el cuerpo ileso!

Varios indios de Andoas, so pretexto de hacer algún comercio en los días de la fiesta, habían solicitado también la venia del padre Domingo para bajar al Chimano, y estaban mohínos de no haberla conseguido; pero la partida de Carlos cambió la oposición del misionero en beneplácito, porque su hijo tuviese buenos compañeros.

Los záparos, ya contentos, se pusieron de acuerdo con su hermano el extranjero, y sus familias se agitaban con los preparativos del viaje. Carlos aceptó a sus compañeros de partida los servicios que le ofrecían; mas les dijo que le permitiesen ir solo en su canoa y obrar en todo con entera voluntad.

—Hermano —replicaron ellos—, tú serás nuestro jefe.

—No, hermanos —les contestó—, porque el mando me

quitaría la independencia que deseo; así, pues, servidme cuando podáis y gobernaos como gustéis.

El día de la partida, desde muy temprano, se hallaban listas las canoas de los indios, y entre ellas la de Carlos. Todas amarradas a los troncos y arbustos de la orilla se movían inquietas como belicosos corceles detenidos por las bridas en los momentos en que tiemblan, patean y saltan al oír el clarín que los llama al combate.

El sol había asomado espléndido y hacía tender las espesas sombras de los árboles sobre el río hasta tocar la margen opuesta; por manera que sólo al Occidente reverberaban las ondas de trecho en trecho con vivísimo claror, como pedazos de espejo roto adheridos a una moldura de esmeralda. Las masas de follaje de que ésta se componía, bañadas de lleno por la luz, dilataban a su vez la sombra sobre otras masas que tenían detrás, y sólo por tal cual resquicio daban paso a algunos rayos solares que, como largas y relucientes espadas de cristal, penetraban hasta lo profundo de la espesura. Sorprendidas por ellos, las mariposas se despertaban en las hojas de las flores, y alegres y en fantástica danza batían las alas cubiertas de oro, diamantes y rubíes. Las pintadas avecillas gozaban, asimismo, de las delicias de la mañana, y se sacudían, arreglaban las plumas, o tendían el cuello para alcanzar la gota de rocío que temblaba en la hoja vecina, o cantaban sus amores en aquella hora en que la naturaleza es toda puro amor, y en aquel lenguaje que lo entiende sólo la Divinidad que lo ha enseñado.

A poco empezaron a llegar y detenerse, frente a Andoas, canoas y balsas henchidas de familias záparas, que moraban a las márgenes del Copataza y del Pindo o a las faldas del Abitahua. Hasta los salvajes del Rotuno, el Curaray y el Veleno, por no atravesar lo intrincado de las selvas por largo trecho, habían preferido trasmontar la cordillera de Conambo para abandonarse a la suave corriente del Bobonaza, y unidos luego a sus aliados los habitantes de Canelos, Pacayacu y Zarayacu, descender al lago de la cita. Muchos de aquéllos eran cristianos; mas habían obtenido licencia de sus misioneros para acceder a la invitación de los jíbaros paloras. A tal condescendencia contribuyó mucho la terrible idea que, así los religiosos como los indios conversos, tenían de aquellos bárbaros. Por acatamiento al curaca de éstos, habían convenido todos en esperarlos en el puerto de Andoas. Era digna de verse la ancha desembocadura del Bobonaza cuando vomitaba sobre el Pastaza la multitud de barquillas rústicamente empavesadas.

Tras no corto aguardar, durante el cual el sol había ascendido casi a la mitad del cielo, y faltaba poco para que la sombra de los árboles cayese a plomo en torno de sus troncos, comenzó a escucharse a lo lejos el bronco y sordo toque del caracol de los jíbaros. Un murmullo de satisfacción salió de cada barca, y esto cuando ya en todas se notaba el silencio del disgusto. Presto el murmullo se convirtió en gritos de alegría, pues asomaron las canoas de la tribu Palora, y como bandadas de patos perseguidos por el cazador, se apresuraban a arribar, entre confuso clamoreo, a las mansas aguas del lugar convenido.

Lo extraño de la rústica escuadra que se juntó en Andoas es difícil imaginar para quien sólo ha visto las de los pueblos cultos. La figura de las canoas y balsas era bastante uniforme; pero estaban cargadas de adornos que sorprendían por lo variado y pintoresco. Muchas llevaban unas como velas latinas de corteza de *jauchama*[57], fuerte como la lona, y orladas de plumas de papagayos y gallos de la peña[58]; no pocas tenían cubiertas aboveadas de hojas de *yarina*[59]; a sus puertas iban tejidas luengas sartas de flores, de simientes y frutas; de los bordes de las barcas pendían espesos festones de yerbas olorosas, que a veces se deshojaban al movimiento del remo, y en medio de ellos lindas aves disecadas de plumas aterciopeladas y brillantes. Rodeados de estos jardines que nadaban y se movían a merced de las aguas y de los remos, se mostraban los indios casi desnudos, ostentando hercúlea talla y fornidos músculos, de caprichosos dibujos pintada la piel, ceñi-

---

[57] *Jauchama:* Corteza del mismo árbol, que macerada y lavada forma una hermosa tela para vestidos.
[58] *Gallos de la peña:* Gallos silvestres.
[59] *Yarina:* Nombre de una palma, cuyas hojas son preferidas para las cubiertas de las canoas.

da la frente del *tendema* de conchas y plumas, y la cintura de cordones de hilo purpúreo o de cabellos humanos, con adornos también de hermosas plumas, lujo común del tocado y vestuario de los hijos de las selvas. Las esposas e hijas cuidaban las provisiones de las tribus viajeras, y a las espaldas de las madres, en una red de pita o en un ligero paño cruzado a manera de *tahalí*[60], saltaban alegres o dormían descuidados y con las cabezas y brazos caídos para afuera, los niños de jíbaros y záparos. La canoa de Yahuarmaqui se distinguía entre todas, así por el mayor tamaño, como por la profusión de adornos, trofeos y armas que rodeaban su toldadura.

Detúvose la peregrina escuadra en el puerto, mientras todos de barca a barca se saludaban, y en tanto algunos las desatracaban de la orilla.

Pero ¿cuál era la canoa de la familia Tongana? ¿En cuál iba Cumandá? ¿Qué importaba a Carlos tan magnífico aparato, si no parecía la virgen de la fiesta? Buscábala con ávidas miradas y corazón agitado; y la buscaba en vano. Temió que no hubiese venido, se puso desazonado, y aun le vino el pensamiento de que, tal vez, no concurriría a la fiesta. Pero el záparo, a quien hizo algunas preguntas disimuladas, le aseguró que era imposible que la familia del viejo de la cabeza de nieve se hubiese quedado en su casa; que sin duda estaba allí presente, pero que era difícil dar con su canoa en ese moverse, y cruzarse y chocar de más de doscientas como a la sazón se hallaban en aquel punto reunidas.

El bronco y prolongado son del caracol tocado en la barca de Yahuarmaqui, y contestado por un grito general que estremeció la selva, y tuvo algo de terrible sublimidad, fue la señal de la partida. Los remos rasgan la superficie de las olas sólo para enfilar las ligeras naves, que viran entre cándidos vellones de espuma, y enderezadas las proas hacia abajo, son llevadas de la suave corriente en compasado movimiento. Hecha esa maniobra, poco cuidado emplean los salvajes en la prosecución del fácil camino, y arrellanados o tendidos

---

[60] *Tahalí:* Faja diagonal sobre el pecho, hecha de tela.

en el fondo de sus embarcaciones, reciben indolentes los rayos del sol abrasador, y beben licor de yuca y cantan coplas sin medida artística, pero rebosantes de vivas imágenes y de pensamientos enérgicos y audaces como la naturaleza de que son nacidos.

La sombra de los árboles de la orilla derecha cubre ya toda la faz del río, brevemente rizada por el viento del Sur, y comienza a trepar por los enhiestos troncos de la orilla izquierda; el sol en partes ya no hiere sino las copas de las palmeras, y se aproxima la tristeza del crepúsculo precursora de la tristeza de la noche, como lo es de la muerte la vejez. Vuelve a sonar el caracol, y vuelve también a contestarle el grito de los salvajes, que en razón de la hora parece más solemne y lúgubre que la anterior: es la salutación que el desierto envía al día agonizante. Luego se ponen todos en movimientos activos para atracar las canoas y desembarcar.

La mitad del viaje estaba terminada, se hallaban a las márgenes del Airocumo, casi frente al pueblecito Pinches, a orillas del río del mismo nombre. Sus habitantes eran cristianos, y como carecían de misionero, hacía algún tiempo, el padre Domingo les prestaba los auxilios que podía. Los indios pinches eran jíbaros de origen, y por lo mismo tenían simpatías por los paloras.

Vino la noche señoreada por una hermosísima luna que derramaba abundante copia de pálida luz sobre la selva, que la impedía descender hasta sus oscuros y misteriosos senos. Derramábala también sobre el río que la reflejaba y devolvía mágica y multiplicada en su incesante e infinito vareteo.

Parte de las familias viajeras se habían quedado en sus canoas, que parecían mecerse entre dos abismos de luz, o jugar silenciosas entre las crespas olas ribeteadas de brillante espuma, cual si fuesen magníficos encajes de cristal. Parte habían saltado a tierra y hospedádose en los anchos aposentos que forman las salientes raíces de algunos árboles, y que los indios llaman *bambas*; otros habían improvisado barracas atando *guadúas* a los troncos de árboles desconocidos y cubriéndolas de ramas; muchos habían suspendido sus hamacas bajo los floridos doseles de las enredaderas, y a su blando vaivén invocaban al sueño tranquilo y ligero a un tiempo en el salvaje; cual tenía una tolda de corteza de *huamaga*[61], cual, en fin, se había tendido a cielo raso y dormía junto a su pica de *chonta* hincada en tierra, y a su arco y aljaba cuidadosamente colocados a su cabecera. A la puerta de cada barraca ardía una hoguera en que se cocían las viandas que llevaban las diligentes mujeres; y la claridad de las llamas, mezclada con la de la luna, se tendía sobre las aguas y reverberaba en las tupidas masas de verdura de ambas orillas. Por todas partes se oía en aquel campamento del desierto conversaciones animadas, cantos, risas, lloro de niños y el traqueteo y chirriar de los troncos verdes forzados a arder en las fogatas.

El joven Orozco se había resuelto a pernoctar en su canoa, que amarró bajo un coposo *lechero*[62], algo retirada de las demás, y a la parte superior del campamento. De allí pudo contemplar el bello cuadro de la naturaleza animada desde el cielo por la luna y las estrellas, y en la tierra por las sencillas, aunque bárbaras, costumbres de los hijos de las selvas. Completa satisfacción habría gozado; quizás habría sido visitado en esos lugares y a esas horas por alguna de las divinidades amigas de los poetas, y, por tanto, de él amigas; pero Cumandá, la única divinidad que entonces le llenaba el corazón e iluminaba el alma, no parecía, no había podido verla, ni aun noticia tenía de ella, y esto le entristecía y angustiaba sobremanera.

Ya la luna volteaba al Occidente su encantadora faz de perla, pero el sueño no había tocado los párpados del joven extranjero. El rumor de la gente había cesado del todo en la tierra y en el agua, y tan sólo se escuchaba el chirrido de los grillos, el monótono cro cro de las ranas, el canto no menos desapacible de la lechuza y el gemido sordo, vago y trémulo del viento nocturno entre las ramas y las hojas. En esas avanzadas horas de la noche y con tan discordes sonidos, el aspecto del cuadro había cambiado: poca poesía, en verdad, quedaba en la tierra: habíase recogido al fondo del cielo, y por él andaba en compañía de los astros y de las cándidas nubes; había también descendido a encerrarse en lo íntimo del corazón de Carlos, a juntarse y armonizar con sus desazones y dolores.

---

[61] *Huamaga:* Semejante a la jauchama.
[62] *Lechero:* Nombre común de árboles y plantas de savia lechosa.

Por eso, ya que su amada no parecía, e iba perdiendo la esperanza de verla, se puso, si se nos consiente decirlo, a cruzarse pensamientos con la luna y las estrellas, cuya luz rieló en lágrimas que mojaron sus mejillas.

Las hogueras estaban casi apagadas; sólo de rato en rato el soplo del viento limpiaba las cenizas de algún tronco encendido y hacía brillar la brasa; alguna vez se alzaba una corta llama, que al punto volvía a desaparecer como aplastada por mano invisible; otras veces estallaba entre las cenizas, cual si fuese grano de pólvora, algún desgraciado insecto que, fascinado, caía en ellas; o bien era una hoja marchita que se encendía un segundo como un rubí.

Repentinamente observa Carlos a su izquierda, a pesar de las densas sombras que dominan en la espesura, un bulto que se le acerca, haciendo crujir, sin embargo, del tiento con que pisa, las hojas secas del camino que trae. Detiénese junto al *lechero*, cuyas ramas cubren la canoa del joven.

—Hermano mío —murmura dulcemente.

Salta en seguida con la presteza de una ardilla, y cae de pies en la barca.

No hay que decir quién es. Carlos no puede contenerse y estrecha a Cumandá en sus brazos y le besa la frente, sin que ella oponga resistencia ninguna, ni observe, como el otro día, que es la virgen de la fiesta. Luego la hace sentar a su lado y le dice:

—Amada mía, lleno de tristeza he estado, porque mis ojos han vagado inútilmente buscándote entre la multitud. ¿Qué ha sido de ti? ¿dónde te has ocultado, lucero mío?

—¡Oh blanco, hermano mío! —contesta ella en lenguaje apasionado y trémulo—, la amargura de los pesares ha llovido en mi corazón. Mi padre tiene ahora para mí la cara de un tigre y las palabras punzantes como la ortiga; mi madre me contempla y llora en silencio; mis hermanos no me hablan. Hanme obligado a venir oculta bajo la ramada, y sólo consintieron que me asomase un momento cuando pasábamos delante de nuestras palmeras; pero ¡qué vi! ¡ay blanco! vi una cosa terrible, que yo hubiera tenido por obra del malvado *mungía*, a no ser porque después he sospechado que lo hizo alguno de mis hermanos, mis espías...

147

—¡Cumandá, tus palabras me sorprenden y afligen! ¿qué han hecho de nuestras palmeras?

—Al pie de ellas hay un montón de cenizas...

—¿Las han quemado?

—Las han quemado, sí, y la mía ha sido derribada por el fuego; la tuya no ha caído, mas está negra y sin vida. De las lianas que las enlazaban y unían no ha quedado rastro ninguno.

—Cálmate y no llores, hermana; ¿qué importa que un enemigo oculto haya destruido el símbolo de nuestra unión, si nosotros vivimos y nos amamos?

—¡Oh hermano extranjero! ese destrozo es la imagen de nuestra desdicha futura; es la muestra del destrozo que ya ha comenzado en mi pecho. Óyeme: las indias que amamos con más ternura y vehemencia que las mujeres de tu raza, sabemos también penetrar mejor el motivo de nuestra tristeza; en el silencio del bosque escuchamos unas voces que no sé si serán de los genios buenos o malos, pero que siempre anuncian al alma lo que sucederá después. De nuestras palmeras abrasadas me pareció que salía un acento que oyó mi espíritu y se atribuló, y por eso sé que nos aguardan infortunios y dolores. Mas tú, aunque padezcas, quedarás en pie; yo... ¡ah, extranjero querido; yo... acabas de oírme: tu palmera no ha caído, y la mía está por tierra y destrozada!

—Cumandá, tu imaginación de fuego te hace prever cosas que no sucederán; desecha esos temores, amada de mi alma, y piensa que, a pesar de los obstáculos que quiera oponernos el anciano de la cabeza de nieve, llegaremos a unirnos y seremos felices. El buen Dios, a quien tu puro corazón sabe invocar, velará por nosotros; pues nuestro amor es casto y nuestras intenciones rectas, y Él es el Dios que protege a los que andan por el camino de sus santas leyes. ¡Ánimo, hija del desierto! Además, sabe que la bendición que echará sobre nuestras cabezas el sacerdote cristiano, será también segura prenda de felicidad para entrambos.

Carlos se esforzaba en dirigir a Cumandá palabras que la consolasen y animasen; pero sentía como ella que se agrupaban en su interior las nubes de una tormenta que no acertaba a conjurar. La anhelada presencia de la joven salvaje, ¡oh misterios del pobre corazón humano! le trajo el recargo de la oculta pena que le había roído todo el día: creía que estaba a su lado el frío cadáver de su dicha soñada, y quien a su lado estaba era, sin embargo, la única mujer que le había inspirado verdadero amor y traídole esa dicha que ya imaginaba muerta.

Cumandá guardó silencio, mirando como embebecida y con indecible ternura la faz de su amante bañada por un pálido rayo de la luna. Habíale tomado la diestra con ambas manos y la ajustaba suavemente. Carlos enmudeció también, y buscaba algún pensamiento capaz de que pudiese engañar su propia pena y la de su amada; pero estaba el infeliz en aquella situación de ánimo en que los pensamientos oportunos se ocultan a toda diligencia, y en que la mente del hombre es como un pedernal que no da chispas por más que el acero le golpee. No es raro que, cuando se siente mucho se piense poco o nada; los afectos vehementes o avivan o absorben las ideas: no hay término medio.

Cumandá rompió al fin el silencio y dijo con infantil sencillez:

—¿En qué piensas, hermano?

—En buscar la manera de hacerte feliz —contestó con prontitud el joven.

—Piensas en una cosa difícil —replicó ella.

—Creo —añadió Carlos—, que es deber mío buscar de todos modos tu dicha.

—Y yo creo, joven blanco, que tengo por deber sacrificarme por ti. Esto sucederá primero antes que tú puedas conseguir tu buen deseo. Cumplir ese deber, morir por ti, será mi única dicha.

—Hermana, ¿por qué tienes esas ideas tan tristes? ¿por qué te anuncias cosas tan funestas?

—Yo no lo sé; lo sabrá el buen Dios que mueve mi lengua en este momento.

Cumandá exhaló un hondo suspiro, y sin dar a Carlos tiempo para contestarle, prosiguió:

—¿No sabes que mientras más tristeza tengo, te amo más, y que se aumenta mi tristeza a medida que crece el amor? Y tú, amado blanco mío, ¿dejarás de amarme algún día?

—¡Nunca! ¡Nunca jamás! —contestó Orozco en tono apasionado.

—¡Ah! bueno; te creo, hermano: tienes el corazón hermoso como el semblante, y es imposible que digas lo que no sientes. Aunque yo quede hecha tierra aquí, y mi alma se vaya al lugar donde viven el buen Dios y la Madre santa y los buenos genios que los cristianos llaman ángeles, no dejarás de amarme. En cuanto a mí, guárdate de hacerme la pregunta que yo te he dirigido, pues sabe que, como te amo con el alma, en el país de las almas seguiré amándote. ¿Acaso amar como nos amamos es cosa mala, para que el buen Dios me impida amarte aun en el cielo?

Carlos iba a contestar a la hija del desierto; pero ella, como tenía de costumbre, agregó al punto:

—Te dejo: he venido venciendo grandes dificultades, y es imprudencia estarme más tiempo contigo, cuando tal vez nos atisban.

Y poniéndose de pies y dando al joven un pequeño lío de hojas:

—Ésta ha sido hoy —continuó—, mi ración de frutas, y no he podido tomarlas, porque he pensado que tú no las tendrías. Son dátiles, camaironas y madroños. Amado extranjero, adiós.

—Adiós —contestó Carlos dominado por una viva emoción, en tanto que la encantadora india saltó a la orilla con ligereza y desapareció en las sombras como una aérea visión.

El joven cayó abatido en el fondo de su canoa, y se entregó al huracán de sus pensamientos que al fin se desencadenó violento, y le arrastró a mil abismos sin salida y harto desesperantes. ¡Cuántas cosas tristísimas le ha dicho Cumandá!

En el lago Chimano

Mucho antes del alba estuvo el campo alzado, y las tribus moviéndose en sus ligeros vehículos sobre las majestuosas olas del Pastaza. Era toda una población blandamente transportada en las palmas de unas cuantas divinidades acuátiles, en premio de lo piadoso del objeto de la peregrinación.

A poco la luna, avergonzada de ser sorprendida por el día, según la poética expresión de los indios, se ocultó bajo los velos de cándidas nubes que para recibirla desplegaba el occidente. El sol, antes de levantarse, tendió por los etéreos espacios y por la superficie de las selvas su inmensa aureola de luz vaporosa y suave, que ensanchándose en magníficos radios la abarcaba en casi toda su extensión. Brilló el astro en el horizonte; la aureola se convirtió en ondas de luz deslumbradora que inundaron toda la creación; y el azul de los cielos, y la verdura de los bosques, y la candidez de las nubes que sobre ellos se arrastraban, y el limpio cristal de los dormidos ríos, y el perfil de las remotas montañas, parecían estremecerse de gozo al contacto de los vivificantes rayos solares.

La navegación fue rápida como en el día anterior. Las hermosas islas, esas ninfas abrazadas y acariciadas eternamente por los dioses de las ondas, iban apareciendo más frecuentes. En el seno de una de ellas asomó un *amarun* que, huyendo de la multitud de canoas, se escondió en la espesura arrastrándose como una enorme viga de color ceniciento. Las mujeres y los niños dieron gritos de espanto, y los indios dispararon algunos inútiles flechazos. Luego dejaron a la izquierda el río Huarumo y a la derecha el Huasaga, y a poco, cuando la tarde estaba apenas mediada, llegaron a la desembocadura de un angosto canal que encadena el Pastaza con el lago Chimano, sin que pueda saberse si éste da sus aguas al río, o el río conserva el depósito de las del lago: tan dormidas permanecen las ondas que los juntan.

Sin embargo, el canal no es navegable sino cuando las crecidas del Pastaza le hinchan y dan hondura. En los días en que lo estamos visitando con la memoria, la escasez de aguas no consentía surcar fácilmente ni la más ligera canoa, tanto que las destinadas a la fiesta hubieron de ser llevadas a remolque, no sin bastante trabajo, quedando las muy pesadas y de gran magnitud atadas a la ribera del río. Los indios *pinches*, más vecinos al Chimano, habían recibido anticipadamente la comisión de desembarazar una buena extensión de su orilla meridional de la alta y espesa enea y de otros matorrales y aun árboles en que abunda, de preparar muchos materiales para las barracas que debían construirse, y de ayudar en el remolque de las naves. Sin embargo de este auxilio, la operación de transportar tantas familias y tanta abundancia de útiles como todos llevaban para la vida y para la fiesta, se prolongó hasta muy avanzada la noche.

Con la aurora siguiente se despertó el afán de todas esas tribus, que no obstante formar por entonces un solo pueblo no se mezclaban ni confundían. No cabe inquietud mayor, pues si se dice que semeja a ese ir, venir y agitarse de un hormiguero que quiere aprovechar los últimos días del buen tiempo para hacer sus provisiones de invierno, es poco decir al compararla con la de aquella multitud de salvajes ocupados en disponerse para los festejos y ceremonias que deben comenzar a medio día en punto. Los primeros rayos del sol hallaron levantada, como por obra de magos, una pintoresca al par que extraña población, en el punto en que la víspera, a esas horas, no había sino malezas donde las aves acuátiles ocultaban sus nidos, y donde se arrastraban monstruosos reptiles que ahuyentaban la presencia del hombre. Las aves huyeron también de los inesperados huéspedes, y los peces des-

cendieron asustados a lo más recóndito de sus cavernas; pero
ni a las primeras la fuga ni a los otros su escondite los libra-
ron de los cazadores y pescadores: las flechas y el *barbasco*[63]
los destrozaron; de ellas atravesadas rodaban las aves desde
las más encumbradas copas de los árboles, y narcotizados los
peces con el zumo de la venenosa yerba, surgían a la superficie del lago, vueltos al sol los plateados vientres, y lasas y caídas las aletas. Las tardas tortugas sufrieron mayor estrago de
manos de los salvajes, y les dieron mayor provecho, pues su
carne es por ellos apetecida.

Ábrese el Chimano en elíptica figura, y, tendido de Este a
Oeste, cuando el viento agita sus ondas, las desarrolla sobre
hermosas playas, o bien, por algunos costados, van a chocar
con trozos de rocas o árboles seculares, y se rompen sonan-
tes y espumosas. En algunas partes se puede saltar fácilmente a una canoa, o de ésta a tierra, pues la naturaleza ha puesto cómodos muelles en las salientes raíces o en los árboles
que el peso de los siglos o la furia del huracán han obligado
a inclinarse sobre las aguas.

Las cabañas, ramadas y toldaduras piramidales, cubiertas
las primeras de variedad de hojas y ramas y de la enea cortada en la misma orilla, y las otras de diversas telas debidas a la
industria del hombre, o bien tejidas por la naturaleza, formaban una línea curva, cuyos extremos se avecinaban al lago.
La parte central tocaba a los límites de la playa, al principio
de la selva, dejando despejado un gran espacio a la manera de
una ancha plaza destinada para las ceremonias, danzas y jue-
gos de la fiesta.

Grande número de canoas atracadas a la ribera y adorna-
das de ramos olorosos, flores y plumas que competían en la
riqueza y variedad de los matices, estaban listas a obedecer al
remo y romper los cristales del Chimano que las retrataba.
Una balsa de mayores dimensiones que las comunes y atada
a un robusto poste, se movía en grave compás en medio de
las otras barquillas. Al centro de ella se elevaba un asiento forrado de piel de tigre y con espaldar de entrelazados arcos y

---

[63] *Barbasco:* Zumo de una planta usada por los indios de la zona para en-
venenar el agua de los ríos con fines de pesca.

picas. Los bordes de la rústica barca eran verdes festones, airosos penachos y chapas de infinidad de lindas conchas de tortuga y gayas pellejas de culebra; de ellos se desprendían enhiestas veinte lanzas de chonta con cabos barnizados de rojo, y de cada lanza pendiente una cabeza de enemigo disecada, que parecía ceñuda al presenciar el festín del terrible guerrero que a tal ignominia la trajo. De un asta a otra y engarzadas en hilo de *chambira* columpiaban blancas azucenas, frutas en sazón, pintadas aves y relucientes pececillos. Tal era el trono flotante del rey de la fiesta; algo de miedosa grandeza había en él, y era digno sin duda del anciano *curaca* que iba a ocuparlo.

Todo el mundo sabía que éste era Yahuarmaqui; y no obstante, había que sujetarse a una antigua y respetada costumbre, cual era la de la elección del jefe de los jefes de todas las tribus. El sol no solamente se había encumbrado a lo más alto del cielo, sino que comenzaba a inclinarse a la parte donde cada mes se hace visible, al fin de la tarde, su hermana la luna, cual breve ceja luminosa, y la sombra de todos los objetos iba tendiéndose al Oriente. El son del tamboril y el pito anunció el momento de la elección. Pusiéronse de pies y formando círculo todos los *curacas* y los guerreros más notables, vestidos de gala: llevaban el pecho, los brazos y piernas desnudos, y desde el rostro todos pintarrajeados de caprichosas figuras hechas con la roja tintura del *achiote* y el jugo de *zula*[64] color de cielo; la cabeza empenachada o ceñida del lujoso *tendema*; el cinto y el delantal recamados de lustrosas simientes de copal[65] y de huesecillos de *tayo*[66], semejantes a cañutillos de porcelana; gargantillas de dientes de micos; brazaletes de finísimos mimbres; a la espalda el carcaj henchido de cien muertes, en la siniestra la rodela forrada de piel de danta[67], larga pica en la diestra, en la frente la expresión del valor temerario y del orgullo salvaje en que rebosa su férreo corazón.

---

[64] *Zula:* Grano u otro fruto dañado por falta de nutrición regular.
[65] *Copal:* Árbol resinoso.
[66] *Tayo:* Ave que los indios cazan en las orillas de los ríos.
[67] *Danta:* Tapir americano.

154

Una segunda señal del tamboril, y comienza la votación: uno a uno van los concurrentes hacia Yahuarmaqui que se halla entre ellos; le dirigen alguna palabra o frase que motiva el voto, como: «Eres valiente»; «Eres como el rayo»; «Has vencido a muchos enemigos». Clava cada uno en tierra la pica y vuelve a su puesto. Al fin una selva de esas armas, de las que penden cordones y cabelleras humanas, rodea al anciano de las manos sangrientas. El guerrero más benemérito cuenta los votos y proclama al elegido, quien entre mil gritos de entusiasmo y al son de rústicos instrumentos, que repercuten las selvas en eco prolongado, salta a la balsa y ocupa su asiento.

Acude y apíñase a la orilla del lago la multitud radiante de gozo y sedienta de curiosidad. No hay quien no ostente lo mejor de sus galas; todo brillo; los más vivos y gayos colores se hallan caprichosamente mezclados; aquello es un jardín en que todas las flores han abierto a un tiempo sus corolas a recibir el vivificante calor del sol en medio día. Algunos jóvenes guerreros tienen en alto sus lanzas con penachos volantes y borlas purpúreas. Las doncellas forman grupos entre las de su edad, y parecen lindos cisnes que han salido de las aguas a secarse sobre el mullido césped. Las madres alzan en brazos a sus hermosos niños y les enseñan al jefe de la fiesta, tendiendo ellas mismas el cuello cargado de gargantillas para alcanzar a verle mejor; los chicos sueltan el redondo pecho que queda goteando dulce néctar, y dirigen con asombro las miradas al punto señalado; o bien muchos se encogen asustados y hunden las cabecitas entre el cuello y hombros de las madres, como el pichón que quiere ocultarse entre las plumas de la paloma.

Unos cuantos indios, para contemplar de mejor punto las ceremonias, se han embarcado y están en larga hilera delante del trono del anciano jefe. Hállase, entre ellos, Carlos buscando con inquietos ojos lo que le interesa más que el rey de la fiesta y que la fiesta misma.

Las canoas en que los mancebos y las vírgenes deben desempeñar su importante papel, están ocupadas por sus dueños. Los primeros se hallan solos y se bastan para el manejo del remo; las vírgenes, menos una sola, llevan consigo un remero, y en su porte y semblante muestran vergüenza y cobardía. La excepción es Cumandá: como sabe dominar las olas, así hendiéndolas con el remo como rompiéndolas a nado, irá sola: —irá; pero aún está vacía su canoa. Todos lo notan y nadie sabe a qué atribuirlo. ¿Por qué esa tardanza en concurrir a su puesto? El carácter exigente de los salvajes comienza a manifestarse en una sorda murmuración.

Pero al fin asoma la joven y salta con gallardía a su nave, que tiembla como una hoja. Todas las miradas se vuelven a la hija de Tongana. ¡Qué belleza y qué gracias las suyas! Es no solamente la virgen de las flores, sino la reina de todas las vírgenes de la fiesta, cuyo encogimiento crece en su presencia. Lleva el ondeado cabello suelto al desgaire y ceñida la cabeza de una ancha faja recamada de alas de moscardones, que brillan como esmeraldas, amatistas y rubíes; igual adorno le cruza el blanquísimo pecho, y sujeta a la flexible y breve cintura una ligera túnica blanca; penden del cuello y rodean brazos y piernas, graciosas cadenillas y sartas de *jaboncillos*[68] partidos, negros y lustrosos como el azabache, y de otras simientes de colores que, entre los libres hijos del desierto, se aprecian más que las preciosas joyas de oro y diamantes entre los esclavos de la moda civilizada. Pálida está la virgen; en sus ojos y mejillas hay muestras de haber llorado; en toda su expresión hay claras señales de oculta pena. Sin embargo, se esfuerza por cobrar ánimo, y se reviste de cierta dignidad que aumenta quilates a sus gracias. De pies en la barquilla y ligeramente apoyada en el remo, ve a la deshilada con desdén el trono del viejo *curaca*, a cuyas plantas debe arrojar luego las frescas y lindas flores que la cercan.

En tanto, en la ribera el padre de la encantadora joven hablaba a media voz con uno de sus hermanos:

—El aborrecido blanco está allí en su canoa —le decía—; ya no cabe duda que es él quien ha engañado el corazón de tu hermana, y que ella le ama.

—¿Qué duda cabe? —contestaba el mancebo—; ya te he dicho cómo sorprendí a entrambos hablando cual si fuesen

---

[68] *Jaboncillo:* Árbol de América tropical de la familia de las sapindáceas, cuya madera y fruto contienen una sustancia jabonosa que se usó para lavar.

antiguos amigos allá junto a las palmas del Palora, en la corteza de las cuales hallé grabadas, probablemente por el blanco extranjero, unas líneas mágicas que Cumandá besó al retirarse. Amontoné ramas secas al pie de las palmas y las quemé.

—Tu hermana es una indigna, y tú obraste muy bien. ¿Qué otra cosa has observado?

—¿Pues no lo viste tú también? Cuando al venirnos vio Cumandá el montón de cenizas, palideció, suspiró y lloró.

—¡Hija loca y mala! ¡luego llorará mucho más!...

—Después, cuando dormíamos a la orilla del Airocumo, a la hora en que la madre luna comenzaba a descender y todos parecían difuntos de puro inmóviles por el cansancio y el sueño, Cumandá salió de nuestra ramada y se dirigió a tientas a la canoa donde yacía el blanco, y habló con él. La seguí, y tuve el arco tendido largo tiempo aguardando, para dispararlo, ver en qué paraba esa conversación; pero sólo parecía que lloraban ambos y me contuve.

—Hiciste mal.

—¿Qué? ¿y no habría sido malo, además, manchar estos días sagrados con sangre de gente?

—No, porque matar a un enemigo odiado nunca es mal visto ni por los genios buenos, observó el anciano con sequedad.

—En tal caso ¿no llevarías a mal que en cualquiera de estos días enviase yo al blanco extranjero al país de las almas?

—Hijo, sabe que he jurado odio eterno a la raza blanca, y nada me importan los días sagrados con tal que pueda hacerla algún daño. Ese extranjero debe morir a nuestras manos, y morirá. Si para conseguirlo es preciso que perezca Cumandá; perezca también. Mi hija tiene la desgracia de parecerse a las mujeres de aquella maldita raza.

—¡Padre! —dijo sorprendido el joven indio—, en cuanto al extranjero, te ofrezco que... ¡Ah, padre!... pero en cuanto a mi hermana...

—Tu hermana, sí, no podría morir a tus manos; pero... En fin, ¿matarás al blanco?

—¡Mungía me trague, si no lo mato!

—Bien, hijo, bien; persuádete que harás una buena acción. Pero en vez de temer que los genios de las selvas se enojen de ver manchados con sangre los días de la fiesta de las canoas, es preciso evitar la cólera del jefe de los jefes; pues además de ser dueño de la fiesta, los andoas son sus aliados, y el extranjero vive querido entre ellos, por donde vendría sin duda el enojo de Yahuarmaqui contra el matador de aquél.

—Emplearé toda prudencia.

—Sí, hijo: que no se vea la mano que le hiera o que el hecho parezca tan casual, que nadie se atreva a acusarte. ¿Sabes ya el nombre del extranjero?

—Se llama Carlos; pero ignoro su apellido.

—Carlos —murmuró el viejo inclinando la cabeza en actitud pensativa.

El son de los agrestes instrumentos interrumpió la conversación. Comenzaron a moverse las canoas y empezó la fiesta, y por todas partes sonaban voces de alegría. El hijo de Tongana saltó a su barquilla y se internó y mezcló entre los demás salvajes que formaban el semicírculo delante de la balsa de Yahuarmaqui.

En seguida un hermoso y robusto mancebo se apartó del grupo de las canoas, y en la suya, cargada de ricas armas, y en airoso caracoleo, en que se ostentó muy diestro remero, se acercó al jefe de los jefes y le dijo:

—Padre y maestro de la guerra, ¡oh Yahuarmaqui!, dueño de la lanza que atraviesa al tigre y de la flecha certera; dueño de veinte cabezas y veinte cabelleras arrancadas a los enemigos; ilustre *curaca* de la temida tribu de los paloras, óyeme: vengo a nombre de los guerreros de las selvas y los ríos a presentarte en este día solemne el tributo de las armas, para que a tu vez lo entregues al gran genio bueno que en otro tiempo salvó a nuestros abuelos de las grandes lluvias y avenidas. Entre ellos hubo un guerrero. ¡Allá van las armas de la guerra!— y tomándolas en haces las arrojó a los pies del anciano y se retiró.

Luego se presentó el mancebo que representaba a los cazadores; dirigió poco más o menos las mismas alabanzas a Yahuarmaqui, expresó el motivo de la ofrenda y concluyó añadiendo:

158

—De aquellas grandes aguas se salvó un cazador. ¡Allá van las armas de la caza!

Otros jóvenes desempeñaron igual papel a nombre de los pescadores, de los artesanos, de los que buscan granos de oro entre la arena y el légamo de los ríos, de los que extraen la cera de la palma y el laurel, de los ancianos que desean morir en los combates y evitar la ignominia de acabar la vida en un lecho, y en fin, de la juventud —plantel en todas partes de esperanzas y aun de ilusiones—, de la juventud que anhela imitar el valor y las hazañas de los viejos.

Tócales el turno de las ceremonias a las vírgenes. Una de ellas, bella y engalanada, pero encogida y temblando como una tórtola a la vista del milano, es conducida por el remero a la presencia del anciano jefe. Lleva el tributo de objetos mujeriles: gargantillas de varias simientes y de colmillos de animales, *huimbiacas*[69] y pendientes de huesecillos de pejes, y fajas con recamos de tornasoladas alas y cabezas de moscardones.

—Gran *curaca*, dice haciendo un esfuerzo para sobreponerse al susto y la vergüenza: gran *curaca*, a cuya mirada tiemblan los enemigos más valientes como tímidos polluelos, obedecen los súbditos sin replicar, y caen las cabezas enemigas como las frutas de los árboles sacudidos por el viento; ¡oh, Yahuarmaqui! amor de tus numerosas mujeres y respeto de las doncellas de todas las tribus, recibe estas ofrendas, estas labores de nuestras manos, en nombre del genio bueno de las selvas y las aguas, a quien las consagramos.

Preséntase a continuación la virgen de las frutas, no menos tímida y pudorosa:

—*Curaca* poderoso —dice—, gran jefe protegido de los genios benéficos; estos sabrosos plátanos; estas granadillas que se han pintado del color del oro en la cima de los más altos árboles; estas uvas camaironas que son la delicia de todos los paladares; estos madroños y huabas[70] y badeas: todas estas frutas en sazón te envían por mi mano los árboles, matas

<hr>

[69] *Huimbiaca:* Especie de redecilla para el pecho.
[70] *Huaba:* Árbol de las leguminosas que se planta para dar sombra al café.

y enredaderas que se crían en las riberas de los ríos y en el silencio del desierto. Preséntalas al dios de las aguas y de los bosques, para que sea propicio a todas nuestras familias y tribus.

Viene después la virgen de los granos; síguenla las de las raíces y legumbres, y presentan sus ofrendas, precedidas de breves y expresivos discursos. Así a los mancebos como a las vírgenes contesta el viejo Yahuarmaqui, semejante en verdad, a un genio silvestre que recibe culto de un pueblo de guerreros, cazadores y labriegos, alzando pausadamente ambas manos a la altura de la cabeza y juntándolas luego sobre el corazón en señal de aceptación y de agradecimiento, mas sin desplegar los labios, ni sonreírse, ni dirigir, ni aun a las tiernas doncellas, siquiera una mirada suave y halagadora; siempre grave y sombrío como cielo borrascoso, no desmiente en lo más mínimo ni su carácter ni su historia. Rebosando de gozo está; pero su gozo, oculto bajo la corteza de bronce de las pasiones materiales y bárbaras, no puede manifestarse. ¿Puede acaso brillar el diamante envuelto en una capa de arcilla? ¿puede un rayo de sol atravesar el muro de piedra de un calabozo?

La muchedumbre busca con ansia, entre las canoas, la de la virgen de las flores, que otra vez tarda en presentarse; no gusta a los salvajes que las huellas de espuma que deja una barca al retirarse del escenario, se desvanezcan antes que asome en él la que debe sucederla. Entre esa gente el cumplimiento de un deseo sigue al punto al deseo; para ella querer es obrar, pedir es tener derecho incontestable de recibir. El disgusto comienza a pintarse en todos los semblantes, y el de Yahuarmaqui se pone más en claro que de costumbre.

Pero al cabo, como un *quinde* que ha estado entre el follaje y sale de súbito y se lanza al espacio, y con indecible rapidez hace idas y venidas, giros, espiras, zetas y cien figuras donairosas, batiendo como una exhalación las tornasoladas alas, y abriendo y cerrando las flexibles cintas de la bifurcada cola; así se presenta Cumandá, sola en su ligera barquilla de forma de lanzadera y cubierta de bellísimas flores. Cosa más linda, más fantástica, más encantadora, no han

160

visto jamás las selvas del Oriente, ni las vieron las antiguas mitológicas ciudades de Europa y Asia, ni las modernas cultas sociedades. Esa joven es más que la virgen de las flores, más que la reina de la fiesta, más que un genio del lago; es un pedazo de sol caído en las ondas y convertido en ser mágico y divino que atrae todas las miradas, enciende todos los corazones y despierta todos los espíritus a una como adoración de que ninguno puede prescindir. La multitud da un grito de sorpresa y entusiasmo, y enmudece enseguida para disfrutar más de la maravilla que se mueve en las ondas. Yahuarmaqui queda como una estatua, y hasta en su frente de granito se dibuja al cabo el sacudimiento que sufre en su interior a la presencia y movimientos magnéticos de la virgen de las flores. Esta se acerca al anciano; se detiene, guarda silencio algunos minutos a causa de la fatiga que le ha ocasionado el manejo del remo, en el cual se apoya con la siniestra mano en ademán altivo y desdeñoso, mientras con la derecha acaricia y sujeta la sedeña cabellera con que juegan las brisas del Chimano, o bien se ajusta el levantado pecho, como para contener y calmar el corazón que le salta inquieto.

—Gran jefe de los paloras —dice al fin en voz melodiosa pero firme—; anciano venerable a quien el Dios bueno ha colocado en ese brillante asiento para que le represente en la fiesta de este día, escucha a la hija del desierto que se atreve a desplegar sus labios ante ti; las flores de los altos árboles; las de las plantas que viven adheridas a sus troncos; las de las enredaderas que forman columpios o suben a coronar las más erguidas palmas, o que las enlazan y unen con anillos y nudos amorosos, símbolo del destino de los amantes corazones; las flores que apenas alzan las cabezas del polvo de la tierra; las flores que se nutren de aire y las que navegan en las dormidas aguas; todas las flores de las selvas, ríos, lagunas y montañas, me han elegido para que te las presente. Míralas, ¡oh *curaca*!, lindas son como la niñez, frescas como la esperanza del pecho enamorado, olorosas como el aliento de los buenos genios. Recíbelas, Yahuarmaqui, recíbelas grato; allá van todas a tus plantas.

Y Cumandá echa en la balsa del viejo guerrero una lluvia

de amancayes[71] y norbos, aromos y rosas, tajos[72], palomillas[73] y otra infinidad de flores exquisitas y sin nombre que atesoran las selvas trasandinas.

Suenan por todos lados voces de aplauso; los tamboriles y pífanos expresan el entusiasmo público, y las canoas de los curiosos, como si fuesen impelidas por súbito viento, se aproximan a la canoa de la hechicera virgen. Todos quieren verla y oírla de cerca; todos ansían percibir la fragancia que despide, gozar de la luz que brilla en esos divinos ojos, en esa frente, en toda ella... Apresúranse muchos a coger las hojas y los botones de las flores que, escapados de las manos de Cumandá, flotan en las ondas, y se disputan con tenaz porfía tan codiciadas reliquias, que las llevan a los labios o las ocultan en el pecho.

Carlos es uno de los más entusiastas, y más de diez veces se pone en peligro de zozobrar, porque en el frenesí de apoderarse de algunos pétalos que huyen revueltos entre la espuma que levanta su propia barquilla, olvida el remo, saca brazos y pecho fuera, y pierde el equilibrio. Al cabo llega a chocar con la suya la canoa de un indio, quien al manejarla obra en apariencia casualmente, de modo que al bornear el remo para enderezarla y traerla a movimiento seguro, da con la pala tan fiero golpe en la cabeza al joven Orozco, que le echa al agua y hunde cual si fuera un pedernal. Muchos no advierten el suceso; pero el viejo Tongana suelta una carcajada diabólica. Otros aguardan que surja el extranjero, y los de Andoas se arrojan a nado desde la orilla para salvarlo. Sus diligencias habrían sido quizás inútiles; pero Cumandá, que todo lo ha visto, parte como una flecha en su canoa al punto en que la agitación de las aguas indica el hundimiento de su amante y, sin vacilar, se arroja de cabeza en ellas y desaparece. Un grito de asombro y espanto se escapa de todos los corazones; todos los rostros palidecen, y las mujeres retroce-

---

[71] *Amancay:* Lirio o azucena silvestre de varias especies parecido al narciso.

[72] *Tajo:* Nombre vulgar de una planta medicinal.

[73] *Palomilla:* Planta enformiácea, de un metro de altura, con flores arracimadas que contienen miel.

162

den o caen en tierra horrorizadas. Nadie sabe que la joven tiene por su elemento las ondas, y la dan por muerta, o miran, cuando menos, como inminente su riesgo de perecer. Menos conocen sus amores, y por tanto el pasmo es mayor al ver que su acción temeraria es por el extranjero. Un minuto después torna a agitarse el agua y burbujea; las crespas y circulares olas se suceden con rapidez como naciendo de un centro común y van a morir chocando lánguidas contra las canoas y la arena de la orilla. Ábrense y surgen a la superficie Cumandá y Carlos por ella sostenido. El joven respira; su primera mirada es para quien le ha salvado, y al ver que es la virgen de las flores, se reanima y cobra fuerzas para nadar hacia la orilla. Entrambos salen a ella cual dos patos que, burlando el tiro del cazador, se zambulleron en un punto y asomaron en otro inesperado, triunfantes y contentos.

Otro golpe de sorpresa. Pero si unos aplauden, no falta quienes murmuran, y muchos guardan silencio que indica indecisión o disgusto. Tongana, inmutado de ira, exclama:

—¡Por los genios del lago!, la virgen de las flores se ha mancillado con el contacto de un hombre, y merece castigo. Gran tribu del Palora; valerosas tribus del Copataza, el Conambi y el Lliquino; todas las nobles tribus hermanas y aliadas que celebráis la fiesta de las canoas en este bendito lago, no reparéis en que la delincuente sea mi hija; os la entrego. Tomadla; sacrificadla junto con ese blanco que se ha atrevido a mezclarse con nosotros en este día consagrado a nuestras divinidades. Desagraviad al buen Dios y a los genios benéficos; no dejéis que triunfe el malvado *mungía* a causa de una imprudente y loca doncella y de un blanco advenedizo. ¡Hijos del desierto, cumplid vuestro deber!

Diversa impresión causa en los ánimos el arranque de enojo del anciano de la cabeza de nieve: unos lo juzgan obra del celo piadoso y, justificándole, fulminan terribles miradas sobre los dos jóvenes; otros vacilan entre lo que piensan ser un deber sagrado, esto es, que deben solicitar el castigo de los culpables, y la simpatía que por ellos sienten; no pocos los tienen por inocentes y culpan al hijo de Tongana que echó al agua al extranjero. Las mujeres, a quien ni el salvajismo ha vuelto insensibles, tiemblan por el castigo que espera a la virgen y al hermoso blanco, y derraman silenciosas lágrimas. Cumandá, entretanto, con la vista baja, los brazos cruzados y de pie en medio de sus compañeras en las ceremonias que aterradas y llorosas la miran presintiendo su próxima desgracia, guarda silencio, muestra indiferencia por cuanto pasa en su torno, y sólo ve con ojos rebosantes de ternura a su amado blanco. Éste, rodeado de sus amigos, los záparos de Andoas, teme por Cumandá y se olvida de sí mismo.

—Venerable anciano —dice dirigiéndose al irritado Tongana—, escucha al extranjero cuyo castigo solicitas junto con el de tu hija inocente. Es cosa extraña que reputes delito una buena acción, cual la que ha practicado Cumandá salvándome de la muerte; y ¿no temes que el buen Dios y los genios benéficos, a quienes has invocado, lleven a mal que se la recompense quitándole la vida? Pero si tus hermanos los de las bravas y nobles tribus aquí presentes quieren una víctima para calmar su venganza, heme aquí; sí, yo sólo debo perecer, porque soy la causa única de la acción de la virgen de las flores: si no me hubiese hundido en el lago, claro es que ella no habría tenido por qué ponerse en contacto conmigo.

Cumandá iba también a hablar, y ya puede colegirse lo que habría dicho: que ella sola era la culpable, y que sola debía ser sacrificada; que el joven blanco era inocente; pero sus primeras palabras: «Óyeme, anciano padre mío; oídme tribus», fueron ahogadas por multitud de voces, palmadas, golpes de rodelas y picas y hasta de los tamboriles que sonaban sacudidos con ímpetu, y la virgen hubo de continuar silenciosa.

—¡Muera el blanco! —gritaban por una parte.

—¡Viva el blanco! —respondían por otra.

—¡La sangre de ambos a los genios del lago!

—¡No, no! ¡De ninguno de ellos!

—¡Sí, sí! ¡Justicia, castigo!

—¡Silencio! ¡Que el jefe de los jefes lo decida!

—¡Bien!

—¡Que venga el gran curaca!

—¡Que venga y lo resuelva!

Yahuarmaqui, en efecto, había saltado de su balsa; se acerca al lugar de la disputa, levanta su pica en señal de autoridad, y reina súbito silencio. Todas las miradas convergen hacia él; todos aguardan con los pechos agitados la decisión de sus labios que será inapelable. ¿Si será de vida? ¿Si será de muerte? El llanto de las mujeres se ha suspendido en sus párpados, como las primeras gotas de la lluvia entre las menudas hojas del espárrago; la queja de sus corazones o el suspiro del dulce desahogo están prontos a escaparse por los entreabiertos labios. Cumandá y Carlos se cruzan una mirada de dolor y de indecible angustia.

Habla al fin el anciano jefe:

—Valientes hijos del desierto, hermanos míos, y tú noble Tongana, vuestro celo por el deber os lleva a juzgar con sumo escrúpulo de un suceso en el cual conviene antes meditar. Yo, por cuya boca hablan en este día sagrado los genios del lago y de las selvas, os digo que conviene continuar la fiesta antes de decidir cosa alguna acerca de la suerte de estos jóvenes, que durante ella no se riegue ni una gota de sangre, ni se viertan lágrimas, ni se oigan quejas ni gemidos. Que los jóvenes, todos sin excepción, dancen, canten y rían, y que los viejos, en lo posible, imiten a los jóvenes. ¿Acaso nadie ha venido a la fiesta de los genios para entristecerse y llorar?

Un grito de aplauso hizo resonar los senos de las aguas y los bosques; los mismos que pocos minutos antes pedían el castigo de Carlos y Cumandá, batieron palmas: ¡tal es siempre el influjo de las palabras del poderoso! El mundo no deja de ser mundo ni entre los salvajes. Sólo Tongana obedece mal su grado, inclina la cabeza y se retira mohíno, como el furioso perro a quien se impide morder.

Jíbaros y záparos, en tanto, ya no piensan sino en prepararse para las ceremonias de la noche que se aproxima.

X

La noche de la fiesta

La reina de las estrellas, a quien si ya no adoran los indios cristianizados, la ven todavía los salvajes con filial cariño, anunció su aparición tendiendo sobre los lejanos montes y las copas de los más gigantes árboles un velo de suavísima luz, y haciendo brillar en el horizonte su aureola de plata entre nubecillas esparcidas en torno como retales de un vellón despedazado. Todos la esperaban como si debiese presidir la fiesta nocturna, partiendo la honra de ella con el anciano jefe de los paloras. ¡Qué contraste el de la luna que brillará luego en la inmensidad del firmamento rodeada de millones de luceros, y un pobre salvaje envanecido entre los bárbaros en un rincón del desierto! ¡Y así van todas las cosas de la tierra comparadas con las del cielo, excepto la inteligencia humana que, como puede elevarse hasta Dios, es también cosa grande, magnífica, divina!

Un numeroso coro de doncellas debe saludar al astro de belleza melancólica, tan agradable a las almas sensibles y apasionadas, con un cántico sagrado; grata reminiscencia, quizás, del tiempo de los shiris y los incas.

Crece la luz en el horizonte; reverbera una línea de esplendor inefable entre el cielo y la masa de sombras de las selvas; asoma un breve fragmento del globo luminoso, y suena un concierto de voces suaves, dulces y divinamente tristes. Parecen las melodías combinadas de las canoras aves, del murmurador arroyo, del aura gemidora, para ex-

166

presar los más tiernos e inocentes afectos de esos corazones virginales conmovidos por los recuerdos de una dicha perdida, resignados por la fuerza a su destino presente y temeroso del porvenir. El *solo* que alterna con el coro es de Cumandá; las argentinas vibraciones de su voz revelan la tempestad que en esos momentos descarga en lo íntimo de su pecho y lo despedaza. ¡Desdichada virgen! ¡quizás el canto de salutación a la luna sea su propio canto fúnebre! ¡Quién sabe lo que después de la fiesta decida el adusto viejo de las manos sangrientas! ¡quién sabe lo que será de ella y de su amante el joven extranjero! Pues, ¿acaso Yahuarmaqui ha dicho que quedaban definitivamente absueltos?...

Coro

Ven, querida madre luna,
Ven, que tenemos dispuesta
La gran lumbre de la fiesta
Orillas de la laguna.

Cumandá

¡Oh luna! el temido arquero,
Y el de la terrible lanza,
Y el bravo cuya venganza
Sabe como el rayo herir;
    Viéndote tan hechicera,
De ti prendados suspiran,
Y al placer de verte aspiran
A su fiesta concurrir.

Coro

Ven, querida madre luna,
Ven, que tenemos dispuesta
La gran lumbre de la fiesta
Orillas de la laguna.

Cumandá

¡Oh luna! la madre anciana,
Que hijos a la guerra ha dado,
Y la esposa que ha encantado
Del guerrero el corazón;
   Como eres tan linda y buena
Y las amas, ellas te aman;
Y única reina te aclaman
De esta sagrada función.

Coro

   Ven, querida madre luna,
Ven, que tenemos dispuesta
La gran lumbre de la fiesta
Orillas de la laguna.

Cumandá

   ¡Oh luna! la tierna virgen
La del solitario lecho,
Mas que ya siente su pecho
Arder en brasas de amor,
   Al ver tu dulce tristeza,
como a su numen te adora,
Y en aqueste canto implora
Tu poderoso favor.

Coro

   Ven, querida madre luna,
Ven, que tenemos dispuesta
La gran lumbre de la fiesta
Orillas de la laguna.

Cumandá

   ¡Oh luna! el niño que ignora
De la vida los enojos,

Alza a ti los bellos ojos
Entre el reír y el saltar.

 Tú le miras amorosa,
Con tu blanda luz le halagas
Y así la inocencia pagas
Con que te sabe adorar.

Coro

 Ven, querida madre luna,
Ven, que tenemos dispuesta
La gran lumbre de la fiesta
Orillas de la laguna.

No se habían apagado todavía las voces del coro, cuando el astro, desprendido completamente de la línea del horizonte, lucía la plenitud de sus apacibles rayos en los espacios infinitos, sirviéndole de caprichoso pedestal las nubes que pocos minutos antes fueron su argentada corona.

Entonces el lago presentó de súbito el espectáculo más pasmoso: habíase puesto en las canoas numerosos mechones de estopa de palma impregnada de aceite de *andirova*[74] o de resina de copal, los cuales daban grandes y vivas llamas; y todas a un tiempo, manejadas por diestros remeros, después de haber dado en ordenada procesión una pausada vuelta al lago, cantando un himno guerrero, comenzaron a cruzarse, primero en regular movimiento, y luego con la rapidez del relámpago y en distintas direcciones, formando las más fantásticas figuras que se puede imaginar. Con la velocidad de la carrera se inflamaban más y más las teas y semejando ondeadas sierpes de fuego, silbaban y chisporroteaban, y sus reflejos multiplicados en las infinitas ondas de las agitadas aguas y confundidos con los millones de fragmentos de luna que en ellas parecía moverse, sacudirse, saltar, chocar, hundirse, reaparecer, formaban un abismo de llamas y centellas cubierto por el abismo del estrellado cielo. ¡Peregrino, magnífico,

---

[74] *Andirova:* Árbol de la familia meliácea, de 60 a 80 pies de altura, nativo del Trópico.

sublime cuadro, no contemplado jamás en las fiestas de los pueblos civilizados! Era una escaramuza de estrellas en el lago; era una aurora boreal en la superficie de las aguas.

Fatigados y cubiertos de sudor los remeros, arrimaron al fin las canoas a la orilla. Ya en tierra, las mujeres se apresuraron a salirles al encuentro; les enjugaron cariñosas las frentes; les dirigieron frases lisonjeras, y les dieron a beber, en cortezas de coco talladas, chicha de yuca condimentada con jugo de piña y olorosa *naranjilla*[75].

Habíase levantado, entretanto, en la mitad del campamento una inmensa pirámide de troncos, ramas secas y enea. Yahuarmaqui tomó una tea y la encendió; siguiéronle los curacas de las demás tribus según su preeminencia y, encendida por varias partes, la mole combustible fue muy pronto una sola masa de fuego, un solo conjunto de llamas que iluminó todo el lago y la selva a gran distancia. Gemían los troncos al abrasarse, y las ígneas ondas batidas por el viento se tendían mugiendo furiosas, o agudas lenguas de ellas arrancadas iban en rápido vuelo a morir cual exhalaciones lejos del incendio; un diluvio de partículas brillantes se movía en la obscuridad, o entre la enorme columna de humo que remataba en una ancha copa compuesta de innumerables vellones que, ensanchándose lentamente en el espacio, quebraban los rayos de la luna y le ocultaban por completo la divina faz.

En esa pira se iban echando gradualmente las ofrendas que, durante las ceremonias del día, se habían depositado a los pies del anciano jefe de los jefes. Las esposas, las doncellas y los mancebos añadían de cuando en cuando resina de chaquino, cortezas de estoraque[76] y otras sustancias olorosas que, consumidas en pocos segundos por las brasas, enriquecían el ambiente de exquisito perfume.

Mientras se hacían estos inocentes sacrificios, invocando al Dios bueno y a los genios benéficos, sus siervos, todos los guerreros engarzados por las manos y al son de los tambori-

---

[75] *Naranjilla:* Fruta también llamada *solarium quitense.*

[76] *Estoraque:* Árbol americano de las ebenáceas, del que se obtiene un bálsamo oloroso usado en perfumería.

les y pífanos, danzaban dando vueltas en torno de la hoguera, y entonando coplas nacionales en alabanza de las tribus
del desierto.

Libres hijos de las selvas.
¿Quién os supera en valor?
Nunca el miedo vuestra frente
Con vil huella mancilló.

La palmera hiergue airosa
Sobre el bosque su pendón,
Y el penacho del salvaje
Más airoso luce al sol.

Tras su presa raudo cruza
Por los cielos el condor;
Mas le vence en ligereza
Del desierto el guerreador.

El bramar del tigre hambriento
Llena el bosque de pavor;
Mas la fiera tiembla y huye
De los indios a la voz.

La montaña tiene rocas
Que no mella el rayo atroz,
Y en la guerra tiene el bravo
Como roca el corazón.

¡Oh guerreros del Oriente
Cuán temidos siempre sois!
¿Quién jamás al rudo golpe
De vuestra ira resistió?

Furibundo es vuestro arrojo
Cual del monte el aluvión
Que derriba añosos troncos
Con su oleaje atronador;

Mas si el cráneo os hiende el hacha
Si la flecha os traspasó,
Si el *ticuma* en vuestra sangre
Muerte cierta derramó...

No ruin queja os abre el labio,
sino frases de baldón,
Dardos últimos que el alma
Desgarran del vencedor.

Libres hijos de las selvas,
¿Quién os supera en valor?
Nunca el miedo vuestra frente
Con vil huella mancilló.

Al baile y canto se siguió la comida común, con el ir y venir, y cruzarse, y dar y pedir de los que servían las humeantes viandas. El animado desorden es característico del festín de los salvajes. La algazara crecía como el ruido de un río que aumenta su caudal con las aguas de la tempestad y los arroyos y torrentes que bajan de los collados vecinos. El fermentado licor de yuca y de palma, al que todos los indios se daban con frenesí, surtía su debido efecto; en esas diversiones la amable eutrapelia, termina siempre ahogada en brazos de la torpe embriaguez.

En lo interior de su barraca Tongana y su hijo, el mozo que derribó a Carlos en el lago, hablan con sigilo. Sólo la hechicera Pona los escuchaba sin ser vista. El viejo desprende de una de sus orejas un cañuto de pluma de cóndor, de los que, a guisa de adorno, llevan casi todos los salvajes; lo destapa con cuidado, toma una corta dosis del sutil polvo que contiene y, humedeciéndolo con saliva lo pone bajo la uña del pulgar derecho de su hijo.

—Al ofrecer el licor —le dice en voz sumamente baja—, ten cuidado que esta uña se lave en él. Se escapó del agua; mas no podrá librarse de este polvo. ¡Ah, blanco, tú caerás!...

El joven Orozco, acompañado de algunos indios de Andoas que no se mezclaban en la fiesta, y llevando como un fardo sobre sí el disgusto, la pena y el cuidado por Cumandá, andaba entre la multitud. Repentinamente le tocan por detrás el hombro.

—¿Quién es? —pregunta, volviéndose con viveza. Es el hijo de Tongana que le contesta:

—Un hermano tuyo. Blanco, ¿por qué no te diviertes? —añade en tono afable.

—La fiesta no es mía.

—Hermano, la fiesta es de todos; pero ya conozco que estás triste por lo que sucedió ahora tarde. ¡Oh extranjero! óyeme: mi corazón siente pesar, pues sin quererlo te causé daño y puse en peligro tu vida y la de mi hermana. Ninguno de los dos es culpable, y no quiero que en vuestros pechos haya enojo contra mí. Voy a ser tu amigo, y enseguida mi hermana me perdonará. Ven, déjate llevar de mí.

No poco sorprendido Carlos se dejó llevar por la mano a la puerta de la choza del viejo de la cabeza de nieve. El joven indio llenó un coco de chicha de yuca, hasta que se mojara el pulgar en ella, y se diluyera el terrible veneno escondido bajo la uña.

—Hermano extranjero —dijo estrechando con la mano siniestra una mano de Carlos contra el corazón en señal de afecto—, óyeme: delante de la hoguera sagrada que acaba de devorar nuestras ofrendas, te ofrezco mi amistad, seremos como el bejuco y el tronco que se abrazan y forman un solo árbol; y el que te hiera a ti a mí me herirá, y el que a mí me hiera, te herirá también; mi aljaba y arco serán tuyos, y yo usaré tus armas como mías; comeremos en un mismo plato y beberemos en un mismo coco. Después, si tú, como sospecho, has sembrado amor en el alma de Cumandá, seremos verdaderamente hermanos. ¡Ea, blanco! a ti me entrego; éste es el licor del juramento de la amistad; bebe hasta su última gota.

Creció el pasmo de Carlos, y como en su corazón de poeta jamás el vil engaño había labrado su nido, y no podía sospechar que, bajo afectuosas apariencias, se escondiese la más refinada maldad, sintió descender sobre él una ráfaga de esperanza y felicidad. Hasta alcanzó a entrever allanadas las dificultades para su enlace con Cumandá.

—Generoso mancebo —contestó al indio—, tus palabras me han hecho gran bien: ¡oh!, ¡vive el cielo, que nunca ha descendido rocío más delicioso a refrescar y dar vida a una flor quemada por el sol en la arena del desierto! Mira, el juramento es para el cristiano blanco mucho más sagrado que para el indio infiel, y yo te juro que no tendrás jamás que romper, arrepentido y despechado, el vaso de coco en que vamos a apurar el licor de la amistad eterna. ¡Ea, joven amable, seamos amigos y hermanos!

Carlos alza el coco y lo acerca a los labios: la muerte se cierne sobre él, y el salvaje hipócrita sonríe con malicia; pero en este instante le arrebatan el vaso de las manos, y quien lo hace es Cumandá que acaba de presentarse.

—Este licor —dice la joven—, debe penetrar en mis entrañas, antes que en las del blanco extranjero.

Y dirigiendo una mirada de águila irritada al hijo de Tongana, añade:

—Hermano, dime poniendo por testigos a los genios benéficos del bosque y del lago, ¿no es cierto que conviene que beba yo este licor en que se ha lavado la uña de tu mano?

El joven salvaje ve con espanto a Cumandá, se pone cadavérico, abre los labios a par de los ojos, pero no acierta a proferir ni una sola palabra.

—Yo también —prosigue la india con terrible ironía—, yo también quiero ser amiga y hermana de este hermoso y amable extranjero, y voy a partir con él y contigo esta dulce y saludable bebida; así los tres nos uniremos en paz y buena armonía para siempre.

En el semblante y las palabras de Cumandá y en la inmutación de su hermano, descubre Carlos la perfidia y maldad de éste, y a tiempo que ella acerca también el licor a sus labios, exclama:

—¡No bebas! —y lo echa al suelo al punto.

—¡No bebas! ¡Allí hay veneno!

—Sí —contesta Cumandá— lo sé: mi hermano ha traído debajo de su larga uña la muerte para ti, y yo he llegado a tiempo para librarte de ella. ¡Oh blanco! veo que soy la causa de que te persigan, y a mí me toca apurar ese licor fatal. Tú ¿por qué has de sufrir pena ninguna? ¿por qué te has de ir por causa mía a la tierra de los muertos? Yo velaré por ti y por ti moriré.

Algunos curiosos iban aproximándose al lugar de la escena. El envenenador había desaparecido. La prudencia obligó a separarse a los dos amantes, y Carlos apenas pudo decir a media voz, lleno de asombro y de pasión:

—¡Oh, Cumandá! ¡Cumandá! ¡Tu corazón tiene algo sobrenatural! ¡Virgen admirable! ¿Quién eres?

El joven Orozco penetró toda la gravedad del peligro que corría entre los bárbaros, y se acordó del temor y repugnancia que su padre había mostrado de que concurriese a la fiesta de las canoas. Quería regresar inmediatamente a la Reducción, acompañado de sus amigos los cristianos de Andoas, y ellos le persuadían también de la necesidad de volverse; pero la suerte de Cumandá le interesaba mucho más que antes; pues, una vez descubiertos sus amores, en su mismo padre y hermanos tenía la infeliz temibles enemigos. Además, ¡con qué actos de valor y generosidad se había presentado ella a salvarle de la muerte! ¡cuán negra ingratitud sería alejarse de quien le amaba hasta exponer su vida por él! ¡y alejarse para no saber más de ella, a lo menos en esos días de la fiesta en que probablemente corría mayor peligro!

Apurada era la situación de Carlos, y no cabía que se resolviese a ciegas a cosa alguna. Andoas le atraía con el respeto y amor filiales, más que con la necesidad de evitar las asechanzas de los bárbaros; las orillas del Chimano le contenían con el amor apasionado de Cumandá y con el deber que el honor y la gratitud le imponían de no abandonarla. A nada se resolvía, y la indecisión llegó a enojarle contra sí mismo. Pidió a los andoanos que le dejasen solo; y solo, triste y aburrido se puso a vagar por las afueras del campamento, cuyo ruido y desorden le emponzoñaban más el ánimo. A la luz de la hoguera, ya bastante disminuida, y de las teas de resina que ardían en las chozas, veía el ir y venir, el formar corros, y hasta el reñir de hombres y mujeres en el afán del rústico festín, y distinguía la cabaña del viejo Tongana; mas no daban sus miradas con la bella joven, tras la cual andaban ansiosas; como que era el único objeto capaz de llevar, siquiera con una breve aparición, algún alivio al alma enferma del cuitado extranjero.

175

XI

Fatal arbitrio

La ira del viejo de la cabeza de nieve estalló de nuevo contra Cumandá por haber mostrado, de nuevo, también, su afecto al extranjero que él detestaba. Hallábase excitado por el licor, y los denuestos y amenazas contra la joven fueron mayores: tres veces alzó la maza para descargarla sobre ella, tres veces le enderezó al pecho la aguda pica. Furioso como un saíno herido:

—Mira —le decía—, te has hecho aborrecible como los blancos, y regaré tus sesos y no dejaré gota de sangre en tus venas. ¡Necia y loca! Amas a ese vil extranjero, y no sabes que con tu amor le preparas la muerte. El caerá, y tú caerás con él; sí, yo os echaré a tierra, como corta y derriba el árbol el leñador. Te has vuelto como el blanco objeto de la venganza del terrible Tongana, y esa venganza será infalible. Sí, sí: ama al extranjero, y mátale; júntate con él, y con él muere. ¡Ah, pobre moza demente! ¡Pobre Cumandá! ¿No sabes que tu muerte será sabrosa para mí? ¿No sabes que delante de tu cadáver he de beber chicha de yuca en el cráneo de tu amante? Sí, ¡morirás también!... ¿Por qué no te he matado antes de ahora? ¿por qué no lo hago hoy?... ¡Ah! estamos en una fiesta... y Yahuarmaqui... y los paloras... Mas...

Tras esta reticencia de amenaza se siguió en el corazón del viejo furioso un juramento que confirmaba para sí cuanto acababa de expresar, y que lo manifestó a su hija alzando una

176

mano y mostrándole la palma, como quien dice: «¡Aguarda, y ya verás!»

Pona lloraba; sus hijos temblaban; los niños se habían ocultado llenos de terror entre los trastos volcados en el aposento. Sólo Cumandá, noble y altiva en medio de su pena y cuidado, tenía enjutos los ojos y de cuando en cuando dirigía a su padre miradas de glacial indiferencia.

—Padre mío —dijo al fin por toda respuesta a las increpaciones y amenazas de Tongana—, tus canas son el respeto de tus hijos, y tus palabras son sagradas órdenes para ellos; tu hija soy; puedes quitarme la vida que me diste; pero con ello no creas que me harás mal ninguno: ¿acaso matar a un desdichado es castigarle?

Iba a retirarse; pero el viejo la detuvo de un brazo con rudeza, diciéndole:

—¡Espera!

Obligóla a permanecer en pie, mientras hondamente pensativo, la diestra apoyada en su maza de cocobolo[77] claveteada de colmillos de saíno, y la siniestra cerrada en los labios apretados, parecía un victimario indeciso entre descargar o no el golpe sobre la víctima.

Al cabo de algunos minutos de cavilación, tira a un lado la maza, se golpea la frente con la mano y murmura:

—Está bien.

Enseguida apura una buena porción de licor, y dice a todos:

—Venid, seguidme —y asiendo de la mano a Cumandá se la lleva a la cabaña del jefe de la fiesta.

Yahuarmaqui, bastante ebrio también, yace rodeado de los principales guerreros de las diversas tribus. Todos conversan a un tiempo, pues donde escasea el juicio *abundan* las palabras: quién ensalza las hazañas del anciano *curaca*, quién habla de su propio valor, quién recuerda el heroísmo de los jefes muertos, quién, en fin, somete a discusión algún proyecto bélico; ni faltan salvajes que sólo sueltan algunos monosílabos, porque el estado de su cabeza no lo consiente más, y aun algunos hay que, derribados de sus bancos o arrimadas las cabezas en sus aljabas y en forzadas posturas, duer-

---

[77] *Cocobolo:* Árbol americano de las poligonáceas.

men el pesado y torpe sueño de la beodez. Por fuera no cesa el monótono son de los tamboriles y pífanos, y se oyen de cuando en cuando ruidosas carcajadas, entre blasfemias y juramentos, voces de pendencias, clamores de mujeres y agudos lloros de niños que compiten con los desacordes pitos. Todo anuncia que el rústico festín ha llegado a su colmo.

Tongana es recibido con agasajo, pero sin ninguna ceremonia de parte del jefe y sus compañeros. Preséntanle el licor de yuca; pero rechazándolo suavemente, dice a Yahuarmaqui:

—Hermano y amigo, no me exijas que beba antes de haberme oído.

—Nunca me opongo —contesta el jefe—, al querer de mis hermanos, los que me enviaron mensajeros con *tendemas* amarillos: ¿qué me quieres Tongana?, háblame con libertad.

—Tú eres gran *curaca*, gran jefe de la fiesta de las canoas y querido del Dios bueno y de los benéficos genios: los amigos te respetan y los enemigos te temen. Entre tus amigos me cuento también yo, que te envié mi hijo ceñido del *tendema* de la paz y la fraternidad; le recibiste con bondad, y desde entonces me llamas tu hermano, y yo te doy el mismo título, y mi familia te llama su padre. ¡Oh, hermano Yahuarmaqui!, ha llegado el momento en que necesito de tu protección; tú eres la palma grande y yo la palma chica, como te dijo muy bien el mancebo del *tendema* de plumas doradas, cuando te habló a nombre de la familia Tongana. Escúchame, pues, benigno. Cumandá es hija mía; tú has visto brillar hoy su hermosura, y has admirado la destreza con que bate el remo y juega con la canoa y las olas. Mas la pobre joven, aconsejada tal vez por el malvado *mungía*, se ha hecho hoy digna de castigo, y sólo por tu bondad ha podido salvarse y vive todavía. Un blanco, un extranjero aborrecible, de esos que allá tras los montes han esclavizado a nuestros hermanos, y que, so pretexto de religión, pretenden hacer otro tanto con los libres hijos del desierto, ha hechizado el corazón de mi hija, y ha sembrado en él la semilla de un loco amor; y este mal, este oprobio de mi familia y de todas las tribus del Oriente, ha de evitarse con el castigo de entrambos...

—Hermano, el de la cabeza de nieve y el corazón valeroso —interrumpe Yahuarmaqui a Tongana—, los días de la gran fiesta no son días de castigo, ya lo sabes; ¿queréis, por ventura, que los genios benéficos se enojen con nosotros? Cumandá obró mal, si bien es de los jóvenes amar y ser amados, y el amor no es malo en ningún corazón; pero nosotros, castigando de muerte a una virgen consagrada a las ceremonias del lago, y a un extranjero, cualquiera que sea, que nos ha acompañado como amigo, nos haríamos mucho más criminales.

—¡Oh, hermano Yahuarmaqui, jefe de los jefes!, tus palabras son las de un sabio hechicero, y tus razones vencen como tu maza y tu pica. No castigues, pues, ni a mi hija ni al extranjero, mas sepáralos. Soy dueño de la suerte de Cumandá, y quiero ponerla en tus manos. Tú, padre de los bravos paloras, me dijiste que nada tema y que lo espere todo...

—¡*Mungía* me mate si he olvidado mi promesa! ¿Qué deseas, Tongana, hermano mío?

—Que te dignes ceñir a Cumandá los brazaletes de la culebra verde y el cinto de esposa, y sea la última de las tuyas.

—¡Tongana! ¡Tongana amigo! —exclama el anciano curaca rebosando de gozo—; ahora sí es tiempo de que bebas hasta las últimas gotas del licor de yuca que te ofrecí cuando viniste a mi presencia. ¡Apúrale, apúrale!

El viejo Tongana bebe, y luego dice:

—El gran jefe me ha escuchado, y yo he obedecido.

—*Curaca* de la cabeza de nieve, hermano y amigo —añade Yahuarmaqui—: sabe que, sin embargo, de haber perdido con los años bastantes fuerzas, y de que no puedo andar por los montes a caza de la culebra verde y del precioso *tayo*, para labrar los brazaletes y collares de una novia, en mi pensamiento estaba ya hacer de Cumandá mi séptima esposa. Sólo aguardaba que trascurriesen los días sagrados para hablarte de ello y presentarla las prendas de la unión; mas parece que has metido la mano en mi pecho y me has sacado cuanto en él tenía oculto. O, ¿acaso te ha descubierto mi secreto la insigne hechicera de tu esposa? Sea como fuere, tu pensamiento me es grato: respetaré a la virgen de las flores hasta que la noche se trague el último pedacillo de la madre luna; mas al día siguiente de esto, Cumandá será mi mujer, y el buen Dios y los buenos genios no se enojarán, ni el *mungía* triunfará.

—¡Oh, grande hermano!, ¿quién podrá agradecer bastante el beneficio que nos ofreces? Pero que mi hija viva desde hoy a tu sombra, y que el extranjero no vuelva a tentarla: los odiosos blancos emplean con las jóvenes inexpertas la miel de la lisonja y las engañan fácilmente.

—Nada temas en adelante, Tongana hermano mío: al oír el nombre del guerrero de las manos sangrientas, el blanco temblará.

—Venga Cumandá —dice entonces Tongana— y conozca a su dueño y protector.

La joven se hallaba cabizbaja y silenciosa tras su padre, escuchando indignada cómo se disponía de su futura suerte. El viejo de la cabeza de nieve la toma de la mano y la obliga a ponerse delante diciéndole:

—Hija, el gran jefe de todas las tribus, Yahuarmaqui, se ha dignado acoger mis palabras y guardarlas en su pecho; vas, pues, a ser su esposa; y desde hoy, aun antes que te ciña la faja del matrimonio y los brazaletes de la culebra verde, vivirás a su sombra y formarás parte de su familia, y junto con sus otras mujeres le prepararás la bebida de yuca, asarás la carne para su alimento y tenderás las pieles de su lecho.

El licor ha hecho locuaz al anciano jefe, y por esto y porque es irresistible el atractivo de la joven, deja escapar de sus labios, quizás por la primera vez en su vida, una frase de cariño, y dice:

—Linda virgen de las flores, ¡oh, Cumandá!, tu padre me ha dicho palabras tan dulces acerca de ti, que las he guardado en mi corazón, y vas a ser, el primer día después de muerta la madre luna, la séptima esposa del jefe de los jefes y *curaca* de los paloras. Aunque ya no soy joven, me esforzaré en agradarte, y te daré un bello adorno de huesos de *tayo*. Si no puedo presentarte uno nuevo, te daré dos arrancándolos de mis enemigos; pues si es difícil cazar el *tayo* de los huesos preciosos, es muy fácil para mí derribar un par de enemigos y arrebatarles con la vida sus pendientes y sus armas. Te daré también, a más de los adornos dichos, muchas y lindas sartas de *jaboncillos* partidos, simientes de copal y dientes de micos;

180

dos cintos de paja con labores de alas de moscardones, dos vestidos hechos a mano, dos de la segunda corteza de *llanchama*. Serás feliz, ¡oh Cumandá! Yahuarmaqui el poderoso te lo asegura.

Todos los circunstantes, admirados de la generosidad del jefe, esperan que la joven desprenda uno de sus adornos y se lo entregue en señal de aceptación y gratitud; pero ella, aunque algo trémula por la impresión de un suceso que no había temido, y pálida más de enojo que de susto, contesta sin vacilar:

—Noble anciano, jefe de los paloras y guerrero temido en todos los ríos y en todas las selvas, abre, si quieres, mi pecho, y verás en él cuanta gratitud me has infundido con tus dulces palabras y ricas promesas; pero verás también que en mi corazón no cabe sino un amor, y que, antes que tú, un joven ha encendido en él la lumbre de la pasión. ¡Oh bondadoso Yahuarmaqui! No me des las riquezas que me ofreces, y déjame sólo la libertad de seguir amando a ese joven hermoso y bueno como un genio, y de unirme a él.

Tongana muge como un toro herido y aprieta un brazo de Cumandá murmurando:

—¡Acepta o morirás!

La joven, a quien, según parece, la excitación moral ha hecho insensible al dolor físico, prosigue:

—Ya no me pertenezco ni a mí misma: he jurado ante el Dios bueno y ante los genios de las selvas, que mi carne y mis huesos, mi corazón y mi alma, mi pensamiento y todo mi amor, nunca jamás pertenecerán a otro que al blanco extranjero que me ha recibido por su esposa. ¡Gran curaca! No quiero engañarte: he dicho la verdad en tu presencia, y espero que tendrás lástima de mí. ¿Ni para qué ha de querer el jefe más poderoso del Oriente una mujer que tiene el corazón enajenado, cuando puede hallar muchas mujeres libres?

Bufa de nuevo el viejo de la cabeza de nieve, y estrujando frenético otra vez el brazo de su hija, dice a Yahuarmaqui:

—Amigo y grande hermano, sabe que en mi familia nadie hace sino mi voluntad, y Cumandá no ha obtenido mi consentimiento para que pueda ser esposa de aquel extranjero. No, no lo es, ni lo será nunca, y antes que consentirlo, mis flechas rasgarán las entrañas de entrambos.

—Esto —replica la joven dirigiéndose siempre al jefe—, esto podrá suceder más bien, que no el dejar de amarnos ni faltar a nuestras promesas de unirnos para siempre. ¡Oh, Yahuarmaqui!, cúmplase el deseo de mi padre: que sus flechas me atraviesen; o bien, ordena tú que me saquen los paloras los huesos y los quemen, que mi carne sea dada a los peces del lago, y de mi cabellera haz tejer un cinto para ti. Pero advierte, ¡oh, jefe!, que si la punta de la flecha toca sólo el corazón del blanco y no el mío, o si una gota de ponzoña cae en sus entrañas, yo, que sin él no quiero estar en la tierra ni puedo acostarme en otro lecho que en el suyo, me iré voluntariamente a la región de los espíritus, y tú sólo poseerás mi cuerpo sin vida, que presto se pudrirá y acabará. ¡*Curaca* poderoso! sabes muy bien lo que es el corazón de una salvaje: impetuoso como el torrente de la montaña, no hay quien pueda contenerle. No temo la muerte; mas sí temo la separación del amado extranjero, y que a esta causa se me obligue a morir.

Todos aguardaban que estallase la ira del anciano guerrero, cuyo orgullo tentaba Cumandá con su franco lenguaje; pero él, bien porque no quiere mostrarse áspero con la belleza cuyo corazón le conviene ablandar, bien porque le parece conveniente aparentar generosidad y grandeza de ánimo en presencia de los demás jefes, pues su larga experiencia le ha enseñado algunos toques de política, echa un velo al enojo y con cierta dulce gravedad, exclama:

—Doncella incauta, veo que tienes el corazón embriagado de amor del extranjero, cuando así te opones a la voluntad del jefe de los jefes y a la de tu padre. Piensas por demás en ese blanco, a quien me pospones, y no ves el peligro a que le arrastras. Trae tu corazón a su lugar y arregla tu juicio. ¡Hija Cumandá! Cuando se echa una hoja a la hoguera, es imposible que no se abrase: yo soy una hoguera, tu amante una hoja. ¡Imprudente! ¿Quieres que el blanco se haga ceniza?

Estrepitosos aplausos arrancan estas palabras a los concurrentes. Las mujeres tan sólo guardan silencio, porque simpatizan con la bella y tierna Cumandá, la cual sin inmutarse, toma del suelo una rama, y arrancando dos hojas unidas por los pedículos, dice:

182

—*Curaca* de los paloras, con respeto escucho tus palabras; pero, mira, el extranjero y yo somos estas dos hojas: al caer la una en las brasas, no podrá escapar la otra y ambas se harán ceniza.

—No sucederá esto a ninguna —replica el anciano tomando las hojas—. Sólo las separaré; la más fina y delicada quedará presa en mis manos, y a la otra la entregaré al viento de su destino.

La acción acompaña a las palabras: divide Yahuarmaquí las hojas, encierra la una en la mano, y tira la otra con desprecio al suelo. Cumandá se apresura a levantarla, la lleva a los labios con ademán apasionado, la ajusta con ambas manos al corazón, y alza sus negros ojos anegados en lágrimas, hacia el cielo.

—Veo —dice el anciano guerrero, dirigiéndose con calma al viejo de la cabeza de nieve—, veo que tu hija no está en este momento para promesas ni para convencerse de lo que la conviene: el genio malo ha soplado sobre ella y le ha extraviado el juicio y el corazón. Pero tu voluntad y la mía están conformes. ¿Importa algo que Cumandá no quiera pertenecerme? Ya es mía, resista o no resista. En cuanto al extranjero, que mañana, antes que cante ave ninguna, se ponga en camino para Andoas, y no vuelva a interrumpir nuestras ceremonias. Hoy el temido jefe de los jefes le perdona y deja ir en paz, porque los záparos andoanos son sus amigos y el blanco vive con ellos; mas continúe profanando nuestra fiesta, y su carne será sin remedio manjar de los peces del Chimano. Tú, hermano Tongana, cuida de la virgen de las flores: que ningún aliento ni contacto la manchen; en la próxima luna nueva le pondré con mis manos los brazaletes de piel de culebra y el cinto de la esposa, y ella misma preparará nuestro lecho de pieles.

Cumandá no replicó, pues era del todo inútil replicar; las lágrimas suspendidas en sus largas pestañas rodaron y cayeron en las manos que ocultaban la hoja simbólica, la prenda del mudo juramento que acababa de hacer a presencia del terrible *curaca*.

Entre airado y satisfecho quedó Tongana, apurando uno tras otro los cocos rebosantes de chicha en compañía de su futuro yerno. Cumandá, confiada a su madre y hermanos, fue llevada a la cabaña de su familia, donde todos se encerraron para darse al sueño.

Pero no, no todos dormían; la joven velaba y lloraba en silencio, y sus dos hermanos, que se quedaron junto a la puerta, conversaban en voz baja; preparando uno de ellos al disimulo un arco y una flecha.

Cumandá contuvo el lloro por atender y observar.

XII

La fuga

Era media noche. La hoguera presentaba un gran conjunto de brasas ceñido de un marco de cenizas y ramas a medio quemar, y sólo tal cual llamarada, presta a desaparecer al menor soplo del viento, se movía trémula, asida al tronco que la produjo, como el último aliento de la vida en cuerpo agonizante.

El fervor de la fiesta había ido apagándose a par del fuego de la hoguera. Casi todas las hachas de viento se habían extinguido, consumida la resina, y sólo arrojaban revueltas columnillas de humo hediondo, que cuando las tendía el viento penetraban en las cabañas. La luna derramaba sin rival su luz sobre el campo silencioso y triste que dos horas antes animaban las danzas, los cantares y las exclamaciones de gozo de veinte alegres tribus. Unos pocos salvajes vagan, tambaleándose y buscando sus chozas, como el ciervo herido y moribundo que quiere abrigarse en su guarida de musgo; o bien se diría que son los manes de los que yacían en ese campo misterioso y fúnebre, donde al parecer había cesado la vida agotada por el abuso de los groseros placeres. Las fuerzas que éstos consumen, aun en la sociedad civilizada, son más difícilmente restauradas por el sueño, que las gastadas por el trabajo. El sueño que más se parece a la muerte es el de la embriaguez, y poco faltaba a esos salvajes para estar verdaderamente muertos. Pero es necesario hacer una excepción: los andoanos, bien por no olvidar las advertencias del padre Domingo, bien porque en razón de sus creencias cristianas no tomaban parte activa en la fiesta, habían bebido muy poco licor y dormían tranquilos en sus ranchos alejados de los demás.

Uno de los hijos de Tongana salió de la choza con mucho tiento, dio una vuelta por las inmediaciones y volvió, y en voz muy baja dijo a su hermano que le aguardaba:

—No se ha movido del pie del tronco: ahí está como un fantasma blanco; se le distingue bastante bien para que la flecha vaya segura. Caerá, y no se podrá saber mañana quién le ha muerto.

—No, no podrá saberse: he puesto algunas plumas en la flecha que se parecen a las que usan los záparos de Andoas.

—Bien, hermano: la astucia es excelente; ahora vete a la obra. Para ello tienes que dar la vuelta a la izquierda, ocultándote entre las matas; cuando estés en el punto conveniente, tiende el arco y dispara, invocando tres veces al *mungía*, a fin de que dirija tu mano y luego cargue con el alma del extranjero. Pero, dime, hermano, ¿duerme Cumandá?

El interrogado se metió en la cabaña, y volvió a salir a poco.

—Duerme profundamente —dijo—, y yo me voy. Tú acecha aquí cuanto pasa.

Carlos, combatido por el insomnio, hijo de la tristeza y del dolor, había salido de su cabaña por refrescar con las brisas del Chimano su pecho y cabeza abrasados por la fiebre de la pasión y los pensamientos. Vagó una hora por las inmediaciones de las chozas, por si pudiera divisar siquiera la sombra de su adorada Cumandá. Un záparo le comunicó la orden de partir dada por Yahuarmaqui, y aumentado con esto el malestar de su espíritu, y cansado al fin, más por el enorme peso de la angustia que a causa del largo andar, se había arrimado al tronco de un árbol, algo distante de la cabaña de los andoanos, y cuyas tendidas ramas le impedían ser iluminado por la luna. Allí le vio el hijo de Tongana...

Cumandá lo había escuchado todo y el corazón le temblaba de terror como el ala de un ave herida y agonizante. Pero sabía que con acobardarse y permanecer quieta en esos momentos, exponía la vida de su amante. Mientras la creyeron

186

dormida, se ocupó en abrir un horado al frágil tabique de la cabaña, ocultándole con su propio cuerpo cuando convenía a fin de que no la traicionara la claridad de la luna.

Después que su hermano le palpó la cabeza y el pecho, y dijo: duerme profundamente, ella se escurrió por la abertura como una culebra.

Ya está fuera: pero ¿y Carlos? ¿dónde está el tronco en que se halla apoyado y contra el cual va a ser clavado por la aguda flecha?... Se pone en pie un instante y dirige por todas partes rápidas e inquietas miradas. Eso es peligrosísimo; puede ser descubierta; mas no hay remedio, porque es preciso saber dónde está el joven y cuál es la dirección que debe seguir para llegar a él y salvarle del golpe traidor. Látele a la infeliz el corazón con rara violencia, y quiere romperle el pecho; apriétale con ambas manos; le falta la respiración, y abre los labios para absorber la mayor cantidad posible del aura de la selva. Pero allá, bajo un árbol copado, alcanza a divisar entre la sombra un bulto blanco. ¿Quién puede ser sino Carlos? Hacia la izquierda ve un indio que, formando un ancho semicírculo, camina en traza de cazador que acecha y se acerca a la descuidada presa. ¡Ay! ¡es la muerte que va en busca del extranjero!

Lo que siente Cumandá en ese instante no es decible: cree que la flecha le ha roto las entrañas y que la caliente sangre le baña los convulsos miembros; el frío soplo de la muerte la envuelve como una ráfaga de viento escapada de las breñas del Chimborazo; flaquean sus piernas; va a caer; va a exhalar un quejido. Pero ilumínale de nuevo la idea de que su pusilanimidad es para Carlos infalible sentencia de muerte; su ánimo se rehace; torna a su corazón la audacia del amor y a su cuerpo la rigidez del salvaje; encórvase y corre a gatas por entre grupos de enea y otros matorrales que la ocultan.

La muerte corre por un lado, la vida por otro, y Carlos lo ignora. He ahí la eterna suerte del hombre en la tierra. El hombre es la meta; la vida y la muerte las que corren a él; y al cabo, tarde o temprano, al repetirse la prueba, llega la hora en que vence la segunda, y derriba al hombre, y le barre del suelo, y queda en su lugar sólo un poco de polvo, donde otros y otros infelices van sucediéndose, y cayendo y desapareciendo.

Cumandá —la vida— vuela, lleva camino recto y llega primero. Orozco da un grito de sorpresa.

—¡Calla! —dice la joven ahogándose de fatiga; tírale violentamente de un brazo y le dobla a tierra, ocultándose ambos entre unas matas que rodean el tronco. Y al punto Cumandá arrebata un blanco paño que cubre su pecho, lo cuelga del bastón de Carlos, pone su sombrero en un extremo, y lo alza todo al mismo lugar que ocupaba su amante. No se pasan dos segundos cuando silba, rasgando el aire, una como negra sierpe que atraviesa el paño y queda vibrando clavada al tronco.

—¡¡Ay!! —gritó la joven y dejó caer la improvisada fantasma; ella misma cayó en brazos de Carlos, presa de un síncope que, gracias a su robusta naturaleza, fue corto.

Volvió, pues, en sí y abrazó trémula y sin poder articular palabra a su amante, que, confuso y casi aterrado, tampoco podía hablar ni comprender bien lo que pasaba.

La constitución vigorosa de la virgen del desierto se restituyó luego a su ser, y su carácter se levantó como convenía en aquellas apuradas circunstancias; se desprendió de los brazos de Carlos, le llevó tras el árbol de manera que no pudiesen ser descubiertos por el lado del campamento, y le dijo:

—¡Oh amado blanco! La muerte nos persigue, y a ti especialmente por causa mía... Todavía tiemblo... El corazón espantado no se me aquieta...

—¿Qué pasa, Cumandá? ¡Explícate, explícate, por Dios! Yo sólo sé que acabas de salvarme por tercera vez, pues una flecha se ha clavado en el tronco en que me apoyaba. Sin duda tu hermano...

—Sí, mis hermanos, mandados por mi padre, quieren tu muerte; y ahora a estos enemigos se agrega otro más formidable, que es el viejo *curaca* de los paloras.

—Lo sé —dijo Carlos con tristeza y despecho—, y has venido en los momentos en que yo meditaba el partido que debería tomar. El viejo cruel quiere separarnos.

—Lo sabes, hermano blanco; y meditabas... ¿Qué has resuelto, pues?

—Nada.

—¿Nada has resuelto? Luego vacilas y flaqueas.

188

—Sí, acertaste, hermana: no sé qué hacer.

—Esa irresolución indica que también flaquea tu amor.

—¡Cumandá!

—Yo, sábelo, extranjero, yo que sé amar, no medito ni vacilo: me resuelvo y obro.

—¿A qué estás resuelta?

—A fugar contigo.

—¡Ah, Cumandá, Cumandá!

—Óyeme, hermano blanco: una voz que sólo yo escucho, que no sé de quién es, pero que tal vez viene del mundo de Dios y de los ángeles amigos de los cristianos, me dice continuamente que nuestras almas son una, que nuestros corazones son hermanos, que nuestra sangre es la misma, y que no debemos separarnos jamás. Tú sin mí vivirías vida de tormentos; yo sin ti, no viviría. Es preciso obedecer a esa voz, y para obedecerla es indispensable alejarnos de la gente que nos aborrece y persigue. Extranjero, llama todo tu valor e hinche de él tu pecho. Todavía no seré tu esposa: al fin, temo el castigo de los genios del lago; pero ya no me separaré más de ti... ¿No piensas como yo? ¿todavía vacilas?

—No, amada mía, no vacilo ya: eso fuera rechazar bárbaramente la ventura que me ofreces y que yo he soñado tanto tiempo. Fuguemos.

—Bien, amado blanco; ya piensas como yo. Dime, ¿no sientes que es el amor mismo quien pone este pensamiento en tu cabeza y da bríos poderosos a tu corazón? Yo sí lo siento. ¡Ah! ¡De otro modo sería imposible que la virgen de las flores se expusiera a enojar a los genios dueños de la fiesta!

Cumandá inclinó la frente que envolvió en ese acto una nube de tristeza, como envuelve la faz de la luna el humo que el Cotopaxi arroja repentinamente a los espacios celestes.

Pero luego sacudió la cabeza cual si quisiese despedir de ella un peso importuno, reprimió un suspiro que quiso escapársele, y dijo en tono enérgico:

—No perdamos tiempo: ¡vamos!

—Vamos —repitió Carlos; y como para él no pasó desadvertido el nublado de tristeza que empañó un instante la faz de su amada, añadió—: Te has afligido, hermana mía: tu frente y tus ojos me lo acaban de decir. Temes enojar a los genios de las aguas. Pero, ¿te acuerdas que una vez me dijiste que eres cristiana y que habías ahuyentado al *mungía* con sólo hacer la cruz? Pues bien, esos genios no existen: son vanos hijos de la fantasía de los indios. Si existieran, la cruz los espantara así como al *mungía*, y tú saldrías siempre triunfante de ellos; porque, instrumento bendito del buen Dios para que los cristianos hagan prodigios con él, torna poderoso a quien lo emplea. ¡Oh, hija de Tongana! sólo es de temer el castigo del buen Dios, que es el Dios de la cruz; pero él no castiga nunca el amor casto ni la inocencia ni las buenas intenciones; es el Dios amigo de los desgraciados, y por tanto tenemos derecho de esperar su protección: jamás abandona al que pena y llora, ni cierra los oídos a las súplicas de los menesterosos de consuelo. Fiemos en sus manos nuestra suerte, y vamos, vamos, Cumandá.

—Sí, vamos. Por mi amor te juro, extranjero, ser en adelante toda cristiana; tú me enseñarás cómo he de serlo. Comience nuestra fuga y nuestra nueva vida. El asesino ha invocado tres veces al *mungía*, y ha errado el tiro; nosotros invocaremos al buen Dios, al Dios de los cristianos, y acertaremos el camino. Espero que no nos perseguirán hasta adelantar buen trecho. Los hijos de Tongana te tienen por muerto y tendido al pie del árbol; para evitar toda sospecha, no buscarán tu cadáver, ni aun se aproximarán a estos lugares, aguardando que venga la luz del día a descubrirlo todo. Entretanto, nos queda tiempo de fugar y ponernos muy lejos de nuestros enemigos.

Ambos amantes, ocultos primero entre los matorrales, y después en el alto bosque, caminaban con dirección al canal que une al Chimano con el Pastaza. Los indios poseen un conocimiento instintivo de todas las vueltas, encrucijadas y enredos de esas desiertas y misteriosas ciudades de troncos y hojas que se llaman selvas, y jamás se pierden en ellas, aunque las recorran en medio de las sombras de la noche, y caen, de seguro, guiados por no sé qué brújula mágica, en el punto a donde dirigen sus pasos. Cumandá tenía confianza absoluta en sí misma y se puso delante de Carlos, andando con paso firme y resuelto. Parecíales que los árboles se movían hacia atrás mientras ellos avanzaban adelante, o que se inclinaban a su paso, que daban vueltas, que se estremecían haciendo crujir sus ramas, y que murmuraban palabras que los fugitivos no entendían. Unas veces se aproximaban al canal, que brillaba tranquilo como un prolongado trozo del cielo caído en medio del bosque con su luna, estrellas y nubecillas; otras veces se internaban en la espesura, y los cercaba sombra tan densa, que la india servía de lazarillo a su amante y le guiaba de la mano para que no cayese o no se extraviase. De rato en rato daban con ráfagas de luz viva que, atravesando por entre la red de ramas, bajaban hasta el suelo y dibujaban mil extrañas figuras sobre el pavimento de hojas secas de aquellas lúgubres galerías; o bien les parecía que se adelantaba a su encuentro, en ademán altivo y majestuoso, un colosal fantasma. Cumandá sentía un breve estremecimiento, se paraba e inadvertidamente oprimía la mano de Carlos: pero fijaba con detención la vista en el objeto que le había asustado, conocía que era un añoso tronco envuelto en su pesado manto de parásitas y musgos, y continuaba andando. Una vez se le enredó a los pies una culebra negra e inofensiva, y otra dio con un raposo nocturno que se le atravesó en el camino, dando un chillido sordo, semejante al sonido que da una hoja de papel soplado sobre los dientes de un peine. Ambos incidentes son de mal agüero para los crédulos orientales; mas el joven Orozco despreocupó a la hija de Tongana, la animó y siguieron adelante.

Más de una hora hacía que caminaban, el sudor les empapaba frentes y cuerpos, pero las fuerzas físicas permanecían en su ser y el vigor moral crecía. Ya lanzados en la ardua empresa de la fuga, de este elemento del alma necesitaban para coronarla, antes que de la constante agilidad de los pies y de la resistencia de los pulmones. Mil veces el cuerpo sostenido por la energía del espíritu obra prodigios estupendos.

Hablaban poco y en voz muy baja. Cumandá concertaba el plan de la continuación de la fuga; Carlos a todo asentía: quería pensar con la cabeza de su amante y obrar con su voluntad, reservándose únicamente el derecho de amarla hasta el delirio, y de forjar proyectos para hacerla feliz lejos de esas tierras bárbaras y llenas de peligros. Además, cuanto ella proponía era juicioso y no admitía contradicción razonable.

191

—Corremos mayor riesgo del Pastaza arriba —observaba—; allá se volverán Yahuarmaqui y su tribu con todos sus aliados; mientras bajándole, ni ellos nos seguirán por miedo de las tribus que están en guerra, ni éstas nos odiarán ni tendrán interés en hacernos mal. Luego quizás en las orillas del mismo Pastaza o del gran río donde muere, y en el cual tocaremos al fin, daremos con alguna población cristiana que nos acoja. De allí, cuando ya no tengamos qué temer, comunicaremos nuestro paradero a tu padre, el buen jefe de los záparos de Andoas, por quien con justicia te inquietas.

—¡Ay! esto será difícil, a lo menos por largo tiempo, observó con tristeza Carlos; mi padre, mi infeliz padre, va a sentir, con mi separación, ahondársele la terrible llaga que conserva en su alma! Por lo demás, hermana mía, tus juicios son rectos y tus planes excelentes. Dilatada y no escasa de inconvenientes es la navegación del Pastaza; pero una vez en el Amazonas, o bajaremos hasta la misión de *Urarinas*, o subiremos a la de *Barrancas*; en ambas hay muchos cristianos, y aun no pocos blancos, y seremos acogidos por ellos con bondad.

—Sí, blanco, por ti hasta los de tu raza me recibirán con amor, y entonces agradeceremos al buen Dios y a los genios del río... ¡Ah! ya recuerdo: tú me harás dar gracias como cristiana...

Cumandá se interrumpió a sí misma, con aquel modo inocente y salvaje que le era peculiar; enmudeció por algunos minutos y acortó los pasos, inclinando la cabeza y poniendo el dedo índice en los labios, en actitud pensativa. En ese momento se verificaba una revolución rápida en sus ideas, cosa en ella, asimismo, bastante común. Luego se volvió con presteza a Carlos, parándose de súbito, y le dijo:

—Extranjero, ¿qué hicieras tú en caso que nos separaran?

No sorpendió al joven la pregunta, pues estaba acostumbrado a tales inesperados arranques de Cumandá; mas no halló qué contestar por el pronto, y titubeando dijo:

—Las circunstancias me aconsejarían sin duda lo que fuese más conveniente.

—¡Ah, blanco —repuso la joven en tono de reconvención—, bien he creído siempre que tu amor es menos valiente y generoso que el mío! ¡no sabes lo que harías!... Pues yo sí sé desde ahora cómo procedería: primero, astuta y diligente, me ingeniara el modo de huir de manos de mis enemigos, y te buscara día y noche en todos los rincones de las selvas y en todas las vueltas de los ríos; después, si Yahuarmaqui, o cualquier otro jíbaro o záparo, quisiera ponerme los brazaletes de la culebra verde y llevarme a su lecho; ¡oh! entonces...

—¿Entonces?...

—¿No sabes, hermano blanco, que llevo siempre conmigo el polvo del sueño eterno?

—Y ¿lo tomarás?

—De seguro, y el bárbaro tuviera por mujer una fría difunta.

—Y ¿no sabes, Cumandá, que yo no te agradecería ese sacrificio?

—¡Ah, extranjero cruel!...

—Oye, amada mía: el buen Dios, el Dios de los cristianos que veda a sus hijos, los hombres, quitarse a sí propios la vida, te castigaría, y nuestras almas que no habrían podido juntarse en la tierra, tampoco se juntarían en la eternidad. ¡Oh, Cumandá! eso sí sería muy cruel. Y después de saber esto que te anuncian mis labios, mis labios que sólo saben dirigirte palabras de amor verdadero, ¿tomarías los polvos del sueño eterno?

La joven desprendió de una de sus gargantillas un cañuto de mimbre y lo arrojó al canal; luego, volviéndose a Carlos le dijo:

—Hermano, ya no tengo polvo ninguno. Pero dime ahora, ¿qué haría yo si me viese en aquellos apuros? ¿Es también malo dejarse matar?

Cada palabra, cada interrogante, cada acción de Cumandá revelaban más y más a Orozco la vehemencia de un amor heroico, y lo heroico de un corazón de mujer verdaderamente apasionada. Vencido por ella se sentía el joven, no obstante que tenía conciencia de que también la amaba con amor profundísimo, con amor antes desconocido por su corazon.

—Ser mártir no es malo, hermana mía —contestó en voz trémula—; pero, por Dios, ¿merezco tanto?...

Cumandá respondió a esta pregunta con sonrisa melancólica y mirada tiernísima, y al punto hubo otro cambio de ideas; mas éste fue sin duda intencional.

—Atiende, blanco —dijo—: suena sordo y vago rumor que viene de la derecha, y se siente el aire un poco frío; son señales de que el Pastaza está cerca. El viento de la noche habla con las ondas del río y forma ese rumor, y las ondas le comunican la frescura con que viene a dar alivio a nuestros cuerpos.

En efecto, el Pastaza estaba muy cerca, y a poco se presentaron sus mansas aguas bajando con movimiento uniforme y mesurado, como los siglos que en incontrastable sucesión descienden a la eternidad; en tanto que los astros reflejados en ellas parecían ascender por el fondo del cauce, como la inteligencia humana que, luchando con el poder de los siglos, viene elevándose de generación en generación, y así continuará, si es ésta acaso su ley o su destino, si no es vano sueño de orgullo el decir de la moderna filosofía.

Las canoas que los indios dejaron amarradas a la boca del canal se mecían silenciosas como grandes hojas caídas de los árboles de la orilla, los cuales, por el contraste del claror de la luna con las sombras de la selva y con su propia imagen hundida en los cristales del río, aparecían doblemente gigantescos.

Sabían muy bien Carlos y Cumandá que ningún indio cuidaba de esas embarcaciones, seguras en el desierto, y se acercaron a ellas sin recelo. Sin embargo, la joven se detuvo y dijo a su amante:

—Hermano blanco, si no estuviera yo contigo, no me atrevería a venir a estas canoas por la noche, como ahora vengo.

—¿Tuvieras miedo?

—Pues, ¿no sabes que las almas de los guerreros que han muerto en sus camas, vagan tristemente por los bosques y se meten en las canoas y chozas abandonadas?

—Una cristiana no cree en tales cosas —observó Carlos.

—Hoy por ti —replicó la india—, ni creo en eso ni temo nada.

Temían que las canoas, descubierta la fuga, sirvieran para que los persiguiesen, y tomaron la precaución de desamarrarlas y dejarlas a merced de la corriente. Embarcáronse los dos en la más ligera, después de haberse provisto de algunas armas y otros objetos que por innecesarios para la fiesta, no habían sido llevados al Chimano, y se dejaron también guiar por el movimiento de las olas, suave y compasado.

La canoa de los amantes iba al principio confundida entre las demás, las cuales, faltas de lastre y de quienes las gobernasen, se deslizaban a la ventura chocando entre sí, cruzándose y dando viradas y giros violentos que las ponían a punto de zozobrar. Carlos, en el anormal estado de su ánimo, puesta la abierta mano en la mejilla, la ardiente mirada en ellas, pero la consideración sólo en su suerte actual, no sacaba de ese espectáculo ningún pensamiento moral o filosófico. En otras circunstancias tal vez lo habría tenido por viva imagen de los pueblos que, mal avenidos con el benéfico peso de la autoridad y delirando por una libertad fantástica y sin límites, corren desbocados entre las olas de los errores de la inteligencia y de los vicios del corazón, hasta perecer miserablemente en brazos de la tiranía, o devorados por sus propios crímenes.

La turba de canoas y balsas sin dueño se adelantó al fin en desordenado remolino, y la barquilla de los prófugos la seguía de cerca, ligera también, buscando siempre la sombra de la orilla, porque ambos, no conceptuándose todavía seguros, recelaban y temían hasta de las miradas de la luna.

XIII

Combate inesperado

Faltaba una hora para que rayase el alba. Uno de los záparos de Andoas, que la víspera había tratado de convencer a
Carlos de la necesidad de volver a su Reducción, obedeciendo al mandato de Yahuarmaqui, se levantó y se fue a ver al
joven, de quien esperaba que la reflexión le hubiese resuelto
a obrar con prudencia y emprender la marcha; la cual debía
hacerla en compañía de aquellos buenos salvajes, sus amigos,
que iban a partir esa madrugada. Pero al salir de la ramada
creyó percibir hacia el lado del canal y en el fondo de la selva un brevísimo rumor. Los sentidos de los salvajes son de
una perfección maravillosa; con todo, aquel záparo juzgó
que el ruido provenía sólo de algunos saínos que vagaban a
lo lejos, buscando las frutas de los árboles derribadas por el
viento de la noche, y quiso cerciorarse por medio de una observación muy común entre los habitantes de las soledades
de Oriente: hizo un hoyo en la tierra, metió en él la cabeza,
poniendo las manos abiertas tras las orejas, y permaneció inmóvil un par de minutos. Luego se alzó lleno de sobresalto
y dijo a media voz:

—¡Gente viene!

En el acto comunicó a sus compañeros tan alarmante noticia, y todos se apresuraron a ponerse en pie y armarse. Buscaron enseguida a Carlos, y no hallándole se inquietaron sobremanera. Pero no había que perder tiempo en indagar por
él, que acaso asomaría al notar la agitación en que iban a po-

196

nerse todas las tribus. Los záparos ni siquiera tenían sospecha de la fuga de los dos amantes.

La guerra se hace entre los indios frecuentemente por medio de sorpresas, y sus ataques nocturnos son terribles. Caminan largas leguas por tierra o por agua con tales precauciones que no se los siente, y muchas veces se arrastran como culebras considerables trechos, o van sepultados en las ondas hasta el cuello para aproximarse, sin ser vistos, a la población que se proponen asaltar. La muerte y el exterminio que llevan consigo son infalibles; el silencio profundo de que van rodeados, es el espantoso precursor del que reinará después en el lugar que talarán y cubrirán de cenizas. Una invasión de aquellas fieras en traza de hombres es más temida en el Oriente que la inundación de sus ríos, que el huracán y el terremoto. Familias y aun tribus enteras han desaparecido al furor de esas nocturnas tempestades de bárbaros que hallan su deleite en el incendio, la sangre y las contorsiones de los moribundos.

Cuando todos los andoanos estuvieron armados y listos, uno de ellos voló al *tunduli* suspendido de un gran poste en medio del campamento, e hizo resonar con ímpetu el toque de alarma, en tanto que el descubridor de la aproximación del desconocido enemigo fue a despertar personalmente a Yahuarmaqui, e indicarle por qué punto venía la amenaza para que acudiese a prevenir el peligro.

La selva se estremeció con el ronco y retumbante son del bélico instrumento; despertaron sobresaltadas las tribus, y un sordo rumor salido de todas las cabañas, semejante al de un río que, roto el dique, se despeña raudo y terrible, respondió al inesperado llamamiento de la guerra. Muchos guerreros tomaron al instante sus armas y se apercibieron para la defensa; pero no pocos, cuya beodez subsistía en su ser, con los párpados caídos, revuelta la áspera melena, las piernas combadas y trémulas, tendían las crispadas manos en busca de la lanza o el arco que tenían junto a sí, y no podían dar con ellos; ni faltaban quienes, alzándose trabajosamente apoyados en los codos, y murmurando blasfemias, tornaban a caer de espaldas, vencidos por el peso de torpe sueño. Mujeres animosas había que ayudaban a ponerse en pie a esposos e hijos, y les daban a la mano las armas, animándolos al combate; otras lloraban asustadas y eran reprendidas por los que no querían que el invasor notase entre ellos ninguna muestra de pusilanimidad; y las más, buscaban la manera de poner en salvo a sus niños o de acallar a los que, espantados del aparato de guerra, lloraban desesperadamente. Horrible era la confusión a causa de lo inopinado del suceso y de la desprevención de todos: hombres y mujeres, viejos y niños, guerreros ajuiciados y desatentados ebrios, chocaban entre sí, se enredaban, caían, rodaban, se alzaban, tiraba el uno, empellaba el otro; éste pedía orden, y sus voces eran inútiles; aquél reclamaba su rodela, y hallaba un *tendema*; esotro requería una raja de leña juzgándola su maza; y los trastos se rompían a puntillazos, y se volcaban los cántaros, y corría en arroyos el licor preparado para la continuación de la fiesta... Si en estos momentos hubiese cargado el invasor, de seguro que su triunfo habría sido sangriento y completo, y acaso sin ejemplar entre aquellos salvajes.

Pero tardó. El toque del *tunduli* le advirtió que estaba descubierto, y se detuvo. Era ya de todo punto imposible llevar a término el plan de sorpresa meditado. Lanzó un alarido feroz, uno como conjunto de bramidos de tigres, penetrante y prolongado, y se puso de pies. Asomaron entonces, sobresaliendo de los matorrales o confudidos entre los grupos de hojas y los troncos de la selva, infinidad de cabezas e infinidad de picas de chontas y remates de arcos. Era aquello semejante a un bosque de troncos y ramas yertas, ennegrecidos por un incendio, y que descuellan en medio de la verdura que se ha reproducido en su torno; pero en los extremos de muchos de esos fantásticos bultos alcanzaba a verse brillar chispas de fuego: eran los ojos iracundos de los salvajes.

Al cabo, cual inmensa piara de saínos que, azuzada por el hambre, corre a disputarse las bellotas que el viento ha regado al pie del roble, así se lanza la desordenada tropa de los jíbaros sobre las tribus aliadas a quienes desea exterminar. Al romper la sábana de enea y los espesos matorrales que resguardan el campamento, suena como un torrente de llamas que fuera devorándolos. Ya está muy cerca de las cabañas; ya escucha las voces de los agredidos que se preparan a repelerla. De entre éstos sale súbitamente un grito que dice: «¡Son moronas y logroños! ¡Ahí está Mayariaga!»

Éste es el famoso y temido *curaca* que se mostró enojado con Yahuarmaqui, porque se negó a tomar parte con él en la guerra en que se hallaba empeñado con varias tribus de las riberas del Morona y del Amazonas. Llegó a saber que iba a celebrarse la fiesta de las canoas en el lago Chimano, y que el viejo de las manos sangrientas la había promovido. Bebió entonces la infusión del *ayahuasca*, se enloqueció por tres días, y cuando volvió a su juicio, aseguró que los genios, sus protectores, le habían revelado la necesidad y justicia de buscar al jefe de los paloras para vengarse de él, por no haberle ayudado en sus combates. Reunió en seguida los más aguerridos salvajes de su propia tribu, llamó en su auxilio a varios aliados, que le obedecieron sin replicar juzgándole inspirado, y se puso en camino hacia el Nordeste con el fin de caer en las márgenes del Chimano la noche de la luna llena de diciembre. Anduvo unos cuantos días, unas veces abatiendo las malezas de los bosques, otras rompiendo las ondas del Pastaza, y siempre huyendo con suma cautela del encuentro con las tribus desparramadas en el tránsito, para no ser descubierto ni errar el golpe. Es imposible que un guerrero salvaje pueda equivocarse en el cómputo a que sujeta sus movimientos estratégicos, y así Mayariaga estuvo la noche prefijada en el campamento del enemigo a quien buscaba.

Lo desprevenido de éste no estorbó para que el invasor diese con multitud de combatientes que le recibieran y rechazaran con valor. El primer choque fue recio y terrible. Los agredidos se defendían y ofendían resguardados por sus propias cabañas, desde las cuales hacían salidas rápidas y diestras que dejaban mal parado al enemigo. Silbaban las flechas y venablos; crujían las rodelas golpeadas por las fuertes mazas; traqueaba el frágil maderamen de las chozas que los moronas quisieran derribar, cual batidas por las olas de un aluvión; y el *tunduli* no dejaba de sonar ni un instante; y había gritos de rabia infernal, denuestos y blasfemias, y quejidos de los que caían, crujidos de dientes, palabras inconexas de moribundos, ayes angustiosos, suspiros postrimeros... La luna, que parecía huir al ocaso por no presenciar tan espantoso cuadro, reflejaba su luz en arroyos de sangre, en lágrimas de despecho y en ojos que se torcían de ira y dolor antes de cerrarse para siempre.

Yahuarmaqui, a la voz del fiel záparo y al son del *tunduli*, se despertó con trabajo, e hizo esfuerzos para sacudir el entorpecimiento de sus miembros y recuperar su conocido valor.

—Hermano —dijo al de Andoas—, sabes muy bien ser amigo y aliado del viejo de las manos sangrientas, y éste no te olvidará nunca. El miserable que nos ataca, quien quiera que sea, perecerá a mis golpes, y tú tendrás el merecido premio. ¿Qué deseas? Pídeme ya lo que te plazca. ¿Quieres cuatro cabezas de los principales enemigos? ¿Quieres todas sus armas? ¿quieres dos de las doncellas más guapas de mi tribu?

—Yo no quiero —contestó el záparo—, sino pelear junto a ti y probarte que soy digno de tu amistad.

Y ambos están ya en la pelea. La presencia del anciano anima a los suyos y amilana al enemigo. Yahuarmaqui es un genio silvestre, bronco y rudo, de aspecto y de mirar espantosos delante de su adversario; su voz, aunque balbuciente, supera a la del *tunduli*, y se hace oír en todo el campo; cada una de sus frases es sentencia de muerte: a nadie se perdonará la vida; el que tuviere piedad de un invasor será reo digno de pena capital, y sobre él caerá la maza vengadora de un fiel aliado de Yahuarmaqui. Las órdenes de éste llevan la sanción del ejemplo: hele allí al anciano jíbaro que, semejante al témpano desprendido de la cresta del monte, abate y aniquila cuanto halla al paso. Su maza es un rayo que voltea sin cesar sobre las cabezas enemigas, y a cuyo golpe nada resiste: las rodelas más fuertes saltan en astillas, las pesadas lanzas vuelan desprendidas de las manos que las empuñan, cual si fuesen ligeros bastoncillos de mimbre, y los calientes sesos mezclados con fragmentos del cráneo y del *tendema* son esparcidos a distancia, sin que el guerrero que se desploma sin cabeza hubiese tenido tiempo de exhalar ni una queja. Nunca fue más terrible el jefe de las manos sangrientas; su corazón rebosa en ira; su rostro pintarrajeado, en el cual saltan dos granos de candela en vez de ojos, es el del *mungía*, terror de los salvajes; la áspera y enmarañada melena, mojada en sudor y sangre, le azota las espaldas y los hombros, como para excitarle más y más al furor; su agitado aliento es el de un corcel herido en la batalla; sus brazos llueven muerte y exterminio en cada movimiento.

Los mismos aliados de Yahuarmaqui, que no habían tenido cabal idea de él, ni del motivo al cual debía su nombre y fama, estaban pasmados de verle. Y los invasores comenzaban a flaquear y retroceder; pero su retaguardia, si tal puede llamarse en ese pelear sin orden un grueso pelotón de bárbaros que esperaba el momento oportuno para lanzarse al socorro de sus amigos, disparó una nube de flechas con colas de fuego que se clavaron en las cabañas. A poco las llamas y el humo que se alzaban de la mayor parte del campamento y los gritos de las mujeres y niños que huían del incendio, causando gran desorden entre los aliados, avivó el coraje de la gente de Mayariaga. La lucha se volvió más espantosa: era una brega a muerte de cuadrillas de demonios a la siniestra luz de las hogueras del infierno. A veces se veían saltar, chocar y enredarse entre las llamas los desnudos cuerpos, o caer en las brasas los heridos, donde chirriaban sus carnes acompañando los últimos gemidos o las blasfemias con que se despedían de la vida.

Yahuarmaqui, en tanto, busca y llama a grandes voces a Mayariaga: éste busca asimismo al viejo curaca: la furia llama a la furia, la muerte a la muerte. El joven jefe de los moronas es un hermoso salvaje, de atlética y gallarda talla, fornidos miembros y abundante cabellera. La ferocidad de sus instintos compite con la de su adversario. Hállanse al fin. Ambos se detienen un momento y se lanzan miradas abrasadoras como las llamas que los rodean. Parecen dos tigres que, erizados los lomos, alzadas las esponjosas colas y abiertas las bocas que chorrean sanguinosa baba, se disponen a despedazarse.

Yahuarmaqui habla primero:

—*Curaca* ruin —dice a Mayariaga—, me alejé de las orillas del Morona por ser justo y leal contigo y mis demás aliados; pero tú has buscado las sombras de la noche y has venido en los días sagrados a sorprenderme y matarme, juzgándome desprevenido. Está bien: no hay duda que tu cabeza me hacía falta, y vienes a dármela.

—Viejo indigno —contesta Mayariaga—, te has vuelto cobarde como un raposo y charlas como una mujer, en vez de combatir. No te acuerdes de lo pasado; piensa que vas a morir a mis manos, y si te queda algún puntillo de valor, mueve las armas y no la lengua, porque no me gusta matar a quien no se defiende y sólo derrama inútiles palabras.

—Salvaje de la lengua fácil y las manos torpes —replica el anciano tirando a un lado la maza y empuñando una poderosa pica—, voy a mostrarte cómo sé castigar la insolencia. Y en tono irónico añade—: Esa maza magullaría tu cabeza, y yo la quiero intacta: ¡es tan bella!

—Pica o maza —responde el otro—, allá se va a dar, porque ninguna arma ha de librarte de caer hoy tendido a mis pies como una pobre liebre. Acércate y tira, viejo; si yerras el golpe...

Yahuarmaqui le interrumpe lanzándose como un relámpago al combate singular, al cual con tan rudas provocaciones se le incita. Ligereza y maestría como las suyas apenas son para imaginadas: naturaleza no menoscabada por los años se muestra con todo el vigor y pujanza de la juventud; sus movimientos son una serie de exhalaciones que compiten con el pensamiento; su pica gira rápida sobre la cabeza del enemigo, o se mueve en instantáneas espiras a la derecha, a la izquierda, por el rostro, por el pecho, por el vientre, por las piernas; o hace triángulos y zetas, o cae de filo, o hiere de punta... Mayariaga, con no menos sorprendente destreza, se defiende y ataca alternativamente; pero está fatigado y la rapidez del arma contraria le fascina, y se le turba la vista. Las rodelas de entrambos, destrozadas ya, no bastan a cubrirlos. El sudor chorrea de sus cuerpos. Yahuarmaqui estrecha sin cesar a su adversario, quien no se deja herir, pero retrocede. Al cabo se le traba en las piernas un jíbaro herido que batalla revolcándose en las últimas angustias, y cae. Los paloras arrojan un grito de triunfo; los moronas un ¡ay! lastimero. Mas el anciano jefe se detiene y dice:

—Álzate, Mayariaga; yo no sé herir al caído.

Reina un instante de silencio. Levántase el *curaca* de los moronas con la vergüenza y la cólera pintadas en el semblante, que ha medio ocultado la negra y desordenada melena, y el duelo se restablece con el mismo furor con que empezó. Pero el viejo de las manos sangrientas es herido en un muslo, con lo cual, doblada su furia, se dobla asimismo la violencia del ataque, y su enemigo apenas puede contrarrestar los golpes que le asesta con inaudita rapidez. Alcánzale uno, aunque leve, al costado derecho, y el fragmento de rodela que aún embraza acude tarde a este lado, dejando visible el izquierdo; Yahuarmaqui lo advierte, y mirada y golpe dan a un tiempo en el indefenso pecho. Mayariaga, atravesado el corazón, cae a plomo y espira como herido por un rayo. El anciano le pone la planta casi sobre la abertura que mana un arroyo de hirviente sangre; le desata los collares y adornos de huesos de *tayo*; arranca del cinto un ancho cuchillo, y separa del tronco la cabeza que, suspendida por los cabellos, la alza y enseña a los combatientes gritando en voz espantosa:

—¡Ea, éste fue Mayariaga, mi enemigo!

Aterrados los invasores al verse sin jefe, y al contemplar la sangrienta cabeza de éste, retrocedieron hasta la selva vecina, tras cuyos árboles y matas hallaron abrigo. Pudieron ser perseguidos; mas pudieron también defenderse disparando millares de flechas enherboladas desde los naturales parapetos que los ocultaban. Esto y la necesidad de los otros de acudir a salvar sus familias del incendio que continuaba, hicieron que cesase del todo la pelea.

XIV
El canje *exchange*

Hacía una hora que brillaban las suaves luces de la mañana contrastando con las del incendio. Las llamas habían devorado la mayor parte de las cabañas e invadido los matorrales y las masas de enea de las inmediaciones. Todos los salvajes aliados se ocuparon en matar el fuego y reparar en lo posible sus estragos.

¡Qué contraste tan espantoso! ¡El campo de la fiesta de ayer es hoy campo de desolación; pocas horas antes donde hoy se llora, se reía; donde hoy se retuercen los agonizantes, se danzaba; los cantares se han trocado en gritos de dolor, las alabanzas en maldiciones, la expansión del júbilo en votos de venganza, y el licor en sangre!

Más de cien cadáveres yacían tendidos, y de entre los escombros se sacaban otros de mujeres y niños, y de guerreros, a quienes el sueño de la beodez impidió salvarse del de la muerte. Esposas y madres lloraban a grito herido junto a sus hijos y esposos difuntos, los niños daban alaridos de terror, y los demás salvajes bufaban de ira.

Los hermanos de Cumandá sucumbieron en la lucha, y el viejo Tongana fue hallado entre las ruinas de la cabaña de Yahuarmaqui, medio quemado, pero vivo. Pona y las viudas de sus hijos lloraban con angustia y esperaban que el amuleto de la primera hiciese resucitar a los muertos queridos, a cuyos yertos miembros los aplicaban, y que curase instantáneamente al anciano de la cabeza de nieve, ya cabeza de tizón

204

apagado. Luego se ocuparon en buscar el cadáver de la virgen de las flores, a quien suponían quemada, y examinaban los cuerpos carbonizados de unas cuantas infelices jóvenes.

Los andoas, que se distinguieron por su calmado valor en la pelea, y que por lo mismo de ser calmado fue más funesto al enemigo, buscaban también a Carlos, cuya desaparición los confundía y llenaba de pena.

Yahuarmaqui, sentado en un tronco de matapalo y rodeado de los principales jefes, se hacía curar la herida y al mismo tiempo daba órdenes para las ceremonias del enterramiento de los difuntos, según la costumbre de cada tribu, y para emprender inmediatamente después la vuelta a sus moradas, ya que no era dable continuar la fiesta, cuyo remate en el primer día mostraba que no había sido aceptada por los genios del Chimano.

—Sí, hermanos —continuó—, no cabe duda que ellos han visto con ojos de disgusto y rechazado con airadas manos nuestras ofrendas, pues nos han enviado tribus enemigas que nos exterminasen. Contra ellas, sin embargo, hemos peleado y las hemos vencido; mas como no podemos combatir igualmente con el buen Dios y los genios invisibles, debemos retirarnos. Hermanos y amigos, que cada uno de vosotros se apresure a llorar por sus muertos, y los ponga sobre la tierra o bajo la tierra, con armas o sin armas, solos o acompañados.

A poco, un mensajero de los moronas con *tendema* de plumas amarillas y adornos del mismo color en rodela y pica, cruzó el campamento y vino a la presencia de Yahuarmaqui. Dio dos golpes con la pica en el rústico escudo, llevó luego la mano abierta al corazón y la frente y dijo:

—Óyeme: traigo paz, *Curaca* del brazo vencedor y el pecho generoso, dueño de veinte cabezas enemigas y aliado de las más aguerridas tribus del desierto, ¡oh Yahuarmaqui!, abre tus oídos a mis palabras, y tu alma reciba mis razones. Las tribus del gran río y del gran lago te han buscado para matarte, y tú las has vencido: has caído sobre ellas como el matapalo de mil años sobre los arbustos, y las has destrozado; en adelante nadie dirá que en nuestras selvas hay otro guerrero comparable a ti: has quitado la vida al famoso Mayariaga, y quedas sin rival. Tu corazón debe estar satisfecho, y nosotros, aunque lloramos la pérdida de nuestro jefe, veneramos la mano que ha enviado su alma al país de los espíritus. La suerte de la guerra está, pues, contigo: tuya es la victoria y el luto es nuestro. Pero, grande y temido curaca, sabemos que eres tan generoso, que nunca añades al vencimiento el vilipendio del enemigo: ahí tienes a tus pies el cuerpo del infeliz guerrero que has derribado con tu destreza y pujanza, y su cabeza, suspendida de los cabellos en tu propia lanza, gotea negra sangre. Para ti este espectáculo es agradable; para nosotros es vergonzoso y horrible: ¡los despojos de nuestro jefe en tal estado!... ¡Oh! devuélvenos, Yahuarmaqui, el cuerpo y la cabeza de Mayariaga; no destines a que te sirvan de nuevos trofeos la piel y los cabellos del que un tiempo fue tu amigo; consiente que honremos sus despojos llevándolos a nuestra tierra, y enterrándolos en su cabaña fúnebre junto con sus mejores armas y la más querida de sus mujeres.

El *curaca* de los paloras plegó el entrecejo más de lo que solía, y tardó en contestar: diestro y astuto en el trato con los demás salvajes, nunca soltaba la palabra, sino cuando estaba persuadido de la conveniencia del pensamiento.

—Mensajero de las plumas de color de oro —dijo al fin—, el imprudente jefe de los moronas buscó la cólera del jefe de las manos sangrientas, y ha perecido, como era seguro que sucediese. Ahí está para escarmiento de los demás salvajes que quieran provocarle. El ciervo que cae en las garras del tigre es imposible que escape de ellas con vida.

El anciano volvió a enmudecer por unos instantes; todas las miradas, llenas de miedo y curiosidad a un tiempo, estaban fijas en él. Luego señalando el cadáver de Mayariaga y dirigiéndose con frialdad al mensajero añadió:

—Puedes llevártele.

—Noble y generoso anciano —replicó el solicitante—, el cuerpo y la cabeza te pido, porque nuestro *curaca* debe ser enterrado entero en su última morada; de lo contrario, tú lo sabes, su nombre viviría deshonrado, y su alma vagaría sin descanso alarmando y haciendo mal a todas nuestras tribus.

—Jíbaro, el de las palabras de paz —repuso Yahuarmaqui—, a la cabaña del vencedor no va jamás el alma del vencido: así, pues, yo no tengo nada que temer, y debo cumplir mi ambición de multiplicar las cabezas disecadas que dan testimonio de mi valor y honra. La de Mayariaga me hacía falta.

—Si no te mueve la generosidad para con tu desgraciado enemigo —insistió el mensajero—, muévate el interés...

—¡El interés! ¿Puede haberlo para mí superior al de poseer esa hermosa cabeza?

—Sin duda: te propongo un canje precioso y digno del vencedor de los moronas.

—¡Un canje!

—Hemos tomado una prisionera y...

—¡Una prisionera!

—Y un prisionero con ella. Mayariaga había destinado para sí la joven, y es justo que sirva a lo menos para rescatar su cabeza.

Una idea súbita chispeó en todas las frentes: comprendieron que la prisionera podía ser Cumandá. Yahuarmaqui ordenó que se la presentasen, jurando que si el canje era con ella, sería aceptado y concluido al punto.

Y con ella era, en efecto, y Carlos la acompañaba...

Poco había caminado en las aguas del Pastaza, cuando al voltear un pequeño recodo de la orilla a la cual iban arrimados, se tiraron a nado diez jíbaros y rodearon la canoa. Resistir era inútil, inútil rogar, inútil argüir: estaban en manos de Mayariaga. Todos los planes de la fuga fueron trastornados en un instante, todas las esperanzas fueron desvanecidas como el perfume del incienso por una ráfaga de viento, y los dos amantes... ¡ay! ¡Helos allí de nuevo en el teatro de las amarguras y los peligros, del cual se juzgaban alejados para siempre!

Cabizbajos, enrojecida la frente por la vergüenza, trémulos de ansiedad, destrozado el pecho por el dolor actual y el presentimiento de mayores desgracias que sobrevendrán enseguida, Cumandá y Carlos, rodeados de multitud de salvajes que se agolpaban a verlos, fueron traídos a la presencia de Yahuarmaqui. Forjábanse mil diversos comentarios; mil opiniones volaban de boca en boca acerca del destino que cabría a los dos prisioneros; mil votos en contra de ellos, mil en favor, especialmente de parte de las mujeres, siempre inclinadas a la misericordia, se elevaban a un tiempo, y todas las miradas convergían hacia el anciano *curaca*, quien, como la víspera en la escena del lago, debía fallar, y su fallo ser inapelable y ejecutarse incontinenti. Pero ¡qué diversas son las circunstancias! ayer había gozo en el corazón del anciano, hoy dominan en él la indignación y la ira; ayer se hallaba rodeado de las galas de la fiesta, hoy tiene delante un campo sembrado de cadáveres y escombros; ayer escuchaba cantos y exclamaciones de alegría, hoy hieren sus oídos quejas y ayes dolorosos. Todo ayer contribuía a inclinar su ánimo a la bondad y la beneficencia, hoy todo conspira a encruelecerle.

El jefe de los jefes indaga cómo y dónde han sido apresados la virgen india y el joven blanco, y el mensajero que propuso y arregló el canje le impone de lo que sabe.

—¡Luego fugaban! —exclama Yahuarmaqui—: ¡luego no han sido tomados durante el asalto! Mensajero, el de los colores de paz, el cambio está aceptado: llévate el cuerpo y la cabeza de tu *curaca*; que su alma no vague por las orillas de los ríos y las sombras de los bosques. Los moronas están satisfechos, y puedes retirarte; ahora reclaman mi atención los que han profanado los días sagrados. Su castigo desagraviará a los genios benéficos del lago y de las selvas.

Uno como tronco negro, deforme y medroso, que arrastrándose como un caimán por entre las piernas de los concurrentes había conseguido introducirse al centro del lugar en que pasaba la escena, dijo entonces en voz lánguida y cavernosa:

—Sí, sí, hermano ¡justicia! que el malvado *mungía* no triunfe, y que la sangre de esos dos criminales odiosos vengue el ultraje de los genios del lago, enojados por causa de ellos contra nosotros.

Era Tongana quien hablaba, era el viejo cruel e inexorable que, con tal de saciar su odio contra un blanco, no reparaba en pedir el sacrificio de su propia hija. Pona que le acompañaba tristísima de ver que su amuleto había sido ineficaz contra el hado que le arrebató sus hijos, decía a Tongana juntando las manos en actitud suplicante:

—¡Esposo mío! ¡Esposo mío! ¿Qué atrocidad pretendes?

208

Si muere Cumandá, ¿quién nos queda? ¡Ah esposo mío! ¡Pide gracia para ella!

El viejo por toda respuesta volvió a su mujer los ojos de fuego, inquietos en sus órbitas desguarnecidas de pestañas.

Cumandá, entretanto, reunía toda su fuerza moral y explicaba con la franqueza de la inocencia al anciano jefe el motivo de su fuga, abogando con vehemencia por el extranjero.

—Los culpados —añadía—, los únicos culpados son los que han perseguido de muerte al blanco, al blanco que no por serlo deja de ser hermano nuestro. Noble jefe de los jefes, acuérdate, pues tú lo viste, cómo se le echó al fondo del Chimano. Después se trató de hacerle beber licor emponzoñado; y por último, mira este paño rasgado por la flecha que se disparó contra el extranjero; el arma debe estar todavía clavada en el tronco. De todas tres muertes le he salvado; ¿habré hecho mal? ¡No, *curaca*! por mí no ha habido un cadáver durante las más brillantes ceremonias de la fiesta; he evitado una profanación, he evitado un crimen. Al cabo, para salvarle del todo y salvarme, huí con el blanco; ya no nos quedaba otro arbitrio. Mi alma, ¡oh, Yahuarmaqui! está encariñada con su alma; las dos se han reconocido por hermanas: las une un lazo de amor superior a la muerte misma; aunque quisiéramos, no podríamos desatarlo. Es como la vieja liana agarrada al guayacán, como el brazo pegado al hombro, como la piel adherida a la carne y la carne a los huesos. Pero si tu voluntad es castigarnos, caiga tu justicia sólo sobre mí; sí, *curaca*, manda despedazarme; que mis miembros cortados en pedazos sean echados a los saínos del bosque y a los caimanes del Chimano. Pero al blanco... ¡ah no, no toques al blanco!... ¿No le ves, curaca? ¿No le ves? No se parece a ninguno de los hijos del desierto, y ¿quién nos asegura que no es hermano de nuestros genios benéficos? ¡Ah! Si ordenas su muerte... ¡quién sabe!... ¡Oh jefe! ¡no te expongas a hacer con él una injusticia!...

La fiebre del amor, excitada por el peligro del objeto amado, enardecía el lenguaje de la virgen, que casi deliraba. Pero Carlos, al oírla pedir la muerte para sí sola, se apresuraba a decir al *curaca* temblando de emoción:

—¡Anciano jefe! ¡Oh, noble anciano! ¡Óyeme! ¡No, no pro-

209

nuncies fallo ninguno antes de oírme! En tus manos está nuestra suerte, como la de la paloma presa en las garras del cóndor. Yo no defiendo mi vida: dispón de ella; ni aun creo que me hicieras daño ninguno con arrebatármela... ¡Qué! ¿Podría el cautivo tomar a mal el que le quebrantasen las pesadas cadenas?... Pero respeta a la virgen de las flores: es inocente, mi contacto no la ha mancillado, y está pura; sí, purísima como la luz de la mañana que nos alumbra, más que los genios de vuestro lago, más que el corazón de vuestros tiernos niños: lo está como un ángel, como uno de los espíritus que sirven al buen Dios. ¡*Curaca*! ¡jefes! ¡nobles tribus del desierto! ¡Respetadla! ¡no la toquéis! ¡No apaguéis este lucero de vuestras selvas! ¡no esparzáis al viento este perfume de vida y virtud que la Providencia ha puesto entre vosotros! ¿Qué queréis por la vida de Cumandá? Tengo mucho que daros: allá, al otro lado de las montañas, poseo riquezas; todas serán vuestras. ¿De qué os servirá la venganza? ¡Venganza estéril! ¡Venganza fatal para vosotros mismos! La sangre de la virgen clamaría contra sus vertedores, y la ira del cielo descendería sobre vuestras cabezas. Pero mi sangre no gritará pidiendo justicia: podéis regarla sin temor. ¡Guerreros, mirad el blanco donde debéis clavar vuestras flechas! ¡Ea, al punto: no vaciléis!

Carlos rasgaba, al decir esto, sus vestidos, mostrando descubierto el pecho, donde se notaba el violento latir del corazón. También para él en esos momentos la pasión rayaba en frenesí. Parecía que la vida material había cedido todo su lugar a la sola acción del sentimiento: a matarlo en ese acto, se habría matado la pasión, no al hombre porque ya no existía.

Yahuarmaqui fluctúa en la indecisión: su venganza pide entrambas víctimas; pero su corazón excluye a una: Cumandá le encanta: ¿será posible ordenar la muerte de esa belleza que está ahí temblando, pálida, atrayéndose todas las miradas y cautivándole a él mismo? Mas, por otra parte, un acto de debilidad en la presente ocasión puede exponer su autoridad para con las tribus aliadas, y para con los guerreros de su propia tribu. Recorre con inquietas miradas la multitud; fíjase en todos los semblantes: quiere descubrir en ellos la decisión de otros pechos, ya que el suyo está desnudo de ella, y en este rostro halla señales de ira, en aquél de compasión, en esotro de angustia; y su vacilación se aumenta. Va a decir algo, y cierra los labios de miedo que se le escape alguna palabra de la cual pueda luego arrepentirse. Desea pedir consejo a los *curacas* de las demás tribus; pero esto menguaría también su autoridad: ¿cuándo ha obrado sino conforme a su despótico albedrío? Su ánimo atraviesa un momento de alteración terrible: ese estado es completamente anormal: ¡Yahuarmaqui vacilante, cual si le hubiesen robado la voluntad! Yahuarmaqui, el inexorable jefe, suspenso entre los atractivos de la belleza y la necesidad de un castigo! ¿Desde cuándo el torrente no arrebata, la llama no abrasa, el rayo tarda en herir?... Suspensos le contemplan todos, y nadie habla ni chista durante muchos minutos: es un conjunto de estatuas del terror y del pasmo que rodean las imágenes de la venganza que se resuelve y reprime a un tiempo y de la angustia y la agonía que esperan el golpe final. Cumandá dirige a Carlos miradas rebosantes de dolorosa ternura; Carlos envía a Cumandá en las suyas toda su alma apasionada. Cada instante que transcurre es para los infelices un paso al fin trágico que tienen por inevitable: ambos sienten que la helada mano de la muerte les palpa el corazón, y que su convulso labio les susurra al oído frases que no comprenden; pero en vez de apagarse el inefable afecto que los domina, se aviva más y más: la muerte es para el verdadero amor un poderoso incentivo... Yahuarmaqui, con los ojos abiertos y sin ver, caídas sobre ellos las canas y esponjadas cejas, desplegados los labios, pálidos como hojas tostadas por el estío, y las manos en convulsión nerviosa sobre el mango de su temida maza, se abandona un breve espacio a sus desconcertados pensamientos. La lucha interior es más reñida. Sin embargo, parece al fin decidirse: el anciano alza la cabeza y la sacude como para desperezarla; su expresión es la del tigre al lanzarse sobre su presa; llama a dos diestros arqueros a su lado, señala con el dedo a la virgen de las flores y al extranjero, y con voz de mar agitado por la tormenta, grita.

—¡A entrambos!

Los arcos se tienden; nadie respira; las mujeres se cubren los rostros con las manos o los hunden en tierra. Todos los ojos se han vuelto a los dos jóvenes que semejan estatuas de cera. Pero en este acto el viejo *curaca* se pone en pie, y desvía las armas con su clava exclamando:

—¡Deteneos!

La respiración contenida de tantos pechos se escapa y suena como la repentina bocanada de viento que azota la pradera y hace inclinar las flores sobre los delgados tallos.

—¡Deteneos! —repite Yahuarmaqui—; no conviene que ambos mueran: he jurado poner a Cumandá en el número de mis mujeres; he jurado protegerla, y no se dirá nunca que una promesa hecha con juramento por el jefe de los jefes, ha sido como el polvo que un viento deposita en las hojas de los árboles, y otro viento lo barre. Muera sólo el blanco que ha maleado el corazón de la virgen: ¡arqueros, a él!

Los arcos se tienden con dirección a Carlos; vuelve el silencio de los espectadores, mas Cumandá da un rápido salto, se coloca delante de su amado, abriendo los brazos para cubrirle mejor, y exclama:

—¡Esas flechas no herirán al blanco, sin traspasar primero mis entrañas!

Vuelve la maza de Yahuarmaqui a desviar los arcos, y las saetas pasan silbando y como una exhalación, rasando la cabeza de la heroína y llevándose algunas hebras de cabello enredadas entre las plumas. El anciano tiembla de cólera, y ordena separar a los amantes para quitar todo estorbo a la ejecución. Dos esforzados jíbaros van a cumplir lo mandado por el jefe; pero la joven les dice en tono enérgico y amenazante:

—No me toquéis, porque invocaré contra vosotros a los genios del lago, y si ellos no acuden, al *mungía*.

Los dos guerreros se detienen y retroceden con supersticioso respeto, echando oblicuas miradas ora a Yahuarmaqui, ora a la virgen. Aquél insiste en su orden, y con ojos satánicos, y con el brazo tendido hacia los jóvenes, amenaza y repite:

—¡Separadlos! ¡Separadlos!...

Mas desde el principio de esta angustiosa y conmovedora escena, se notaba en el más retirado extremo del inmenso grupo apretado en torno de Yahuarmaqui y los dos prisione-

212

ros, que un záparo trataba de abrirse paso, y pugnaba con la multitud y daba voces —voces que nadie atendía, porque era otro el objeto que cautivaba la general atención. Al fin, se valió del arbitrio de hacer dar con un compañero unos golpes de *tunduli*, mientras él levantaba en la punta de una lanza un penacho de plumas amarillas. El toque del instrumento bélico que asordó el campo, y el signo de paz alzado al mismo tiempo, distrajeron un momento a la muchedumbre, que se apresuró a dar paso entre sus oleadas al guerrero záparo.

—Traigo paz —dijo según la costumbre, al presentarse al *curaca* y en voz entrecortada por la fatiga y la emoción—; traigo paz: escúchame, ¡oh grande hermano de los andoas! y dígnate no mover tus labios ni tus manos antes de atenderme, para que evites un acto de injusticia.

—Hable el hermano záparo —contestó Yahuarmaqui con visibles muestras de disgusto—: el jefe de los jefes presta oído a las palabras de paz.

—Yo fui —continuó el de Andoas—, quien esta madrugada metió la cabeza entre la tierra y descubrió la proximidad del enemigo; yo fui quien hizo tocar el *tunduli* y alarmar el campamento; yo quien voló a tu cabaña a espantar el sueño de tus ojos para que te apercibieses a la pelea; yo quien a tu lado combatió hasta que de cansancio se adormeció su brazo, y éste fue el único premio que escogió, rehusando los que le ofreciste generoso. He obrado, pues, como amigo tuyo, e igual porte han observado mis hermanos, los záparos cristianos, que han derribado gran número de enemigos; ahora reclamo de ti el respeto a nuestro pacto de amistad...

—¡Los genios del lago me preserven —interrumpió Yahuarmaqui con ardor—, de olvidar que cambié mi collar de dientes de mico con el collar del mensajero de los andoas, y que con él bebí el licor de la fraternidad! El *curaca* de las manos sangrientas no tiene ni tendrá nunca la mancha de la infidelidad.

—Bien creo —repuso el otro—, que no eres infiel a tu juramento, y que no haces beber a la tierra del olvido el licor de la fraternidad, ni echas al río el collar de la alianza; pero el enojo que ha derramado hoy su veneno en tu corazón, va llevándote, sin que lo notes, a un acto malo, por el cual, tú, jefe de los jefes, que alabas la firmeza de tus juramentos, vas a obligar a los andoas a echar al Pastaza el collar de dientes de mico, y a verter en la arena el licor de la amistad.

—Guerrero, has traído insignias de paz a mi presencia, ¡y me acusas! —dijo el anciano con extraordinaria gravedad—; ya penetro que quieres abogar por ese blanco que ha profanado los días sagrados y fugado robándose una virgen de la fiesta.

—Gran *curaca*, rompe mis entrañas y diseca mi cabeza, si he querido ofenderte con una acusación. Es cierto que reclamo la vida del hermano extranjero; no es seguro que sea culpado ni creo que de su parte haya habido profanación de la fiesta, y tú quitándole la vida, ultrajarías a los andoas, que le aman cual si fuese de su sangre. ¡Oh Yahuarmaqui! no quieras que la de un amigo derramada en la arena del Chimano, llame contra ti la venganza: si la derramares, fuerza es decirlo, yo mismo ceñiría mi cabeza con el *tendema* de plumas negras, de negro forraría mi rodela, negro penacho flotaría en mi lanza, y con el cabo de ésta tocaría las puertas de todas las tribus cristianas, y las levantaría contra ti y los tuyos... Mas no; no llegará nunca este caso; porque en tu pecho se asientan la generosidad y la justicia; los ojos de tu espíritu saben descubrir la razón, y te la presentan para que la acates. Si jamás se ha dicho que el jefe de los jefes, que acaba de tronchar la cabeza del bravo Mayariaga, es cobarde; menos podrá decirse que es capaz de faltar a la fe de la alianza ni de cometer una iniquidad. Además, ¿no soy acreedor al premio que me ofreciste? Yo no quiero cabezas de enemigos, ni armas, ni mujeres: quiero el extranjero; le quiero vivo; dámelo, que ése es mi premio.

Infinitas voces de aprobación suenan por lo bajo, pues nadie se atreve a mostrar su opinión favorable a Carlos y al záparo de un modo claro; porque ignoran a qué lado se inclinará la del terrible curaca; pero no pocos labios susurran palabras de enojo a causa de la solicitud del cristiano de Andoas, e interiormente hacen votos porque Yahuarmaqui no ceje y se lleve a término la sentencia contra el blanco. Una voz que parece de alguien que habla dentro de un tonel, repite: ¡Entrambos! ¡Entrambos! ¡Sus almas al *mungía* y sus carnes a los peces del lago!

Es Tongana quién así se expresa.

En tanto, el *curaca* de los paloras guarda silencio y reúne todas las fuerzas de su raciocinio para juzgar y resolver tan delicado asunto. Poderosa es la tribu de los paloras; mas perdida su alianza con las del Occidente y el Norte, y enemistada con ellas, su situación llegaría a ser de lo más tirante y peligroso. Y que esa enemistad sobrevendría al romper con los andoas, era indudable; porque estos cristianos podían atraer a su partido a unos por la comunidad de creencias, y a otros por la de los intereses materiales, y hacer la guerra a los que, en cierta manera, son advenedizos en las márgenes del Palora. Nada común es la penetración del jefe de las manos sangrientas, y grande su experiencia; así, pues, no tarda en resolverse por lo que juzga más prudente.

—Guerrero hermano, el de las palabras de paz —dice al cabo mostrando suma dignidad en el semblante y con voz pausada y grave—, el premio que has elegido no se te disputará: vete a tu pueblo con el extranjero, a quien los záparos de Andoas habéis adoptado por hermano. Yahuamarqui no derramará jamás el licor de la alianza y la paz con vosotros; no sembrará semillas de disgusto en vuestro pecho; no llegará día en que por su causa un aliado suyo se ciña el *tendema* negro. Vete, amigo y hermano.

Como rotos los bordes de un gran estanque, se derraman sonando sus ondas en todas direcciones, así se desparramó la muchedumbre que rodeaba al viejo *curaca*, diversamente impresionada y gritando y murmurando y hablando sin concierto. El bufido de ira de Tongana se distinguió entre aquel rudo concurso de ruidos y voces.

Los andoas arrebataron a Carlos de los brazos de Cumandá casi a viva fuerza. Ella, poco menos que difunta, fue llevada por la familia del jefe de los jefes, a quien pertenecía por el derecho de la fuerza, resumen de toda la legislación de los salvajes en todas partes.

XV

A orillas del Palora

El Chimano ha quedado desierto y silencioso como antes de la fiesta. Los peces, reptiles y aves, que se escondieron o huyeron asustados del concurso de las veinte tribus, han ido asomando poco a poco, recelosos todavía, a recuperar su imperio. La culebra ondula lentamente por entre la yerba hollada y marchita; se detiene de cuando en cuando, alza la cabeza y la vuelve inquieta a todas partes. La pesada y tarda tortuga se acerca a la orilla, y busca en vano la nidada que despedazaron los pies del salvaje o que sirvió en su festín. Los fragmentos de madera, las hojas, flores y frutas, reliquias de la pasada fiesta, que vagan mansamente en la superficie de las aguas, sobresaltan a veces a los peces y patos y los obligan a huir; pero al verlas inofensivas, les pierden al fin el miedo y terminan por familiarizarse con ellas: peces hay que persiguen las flores, jugueteando alegres, o que adentellan las frutas y las sumergen hasta el fondo, donde desaparecen en un instante devoradas por un enjambre de chicuelos. No faltan patillos que llegan a tanta audacia que se posan en los trozos de tablas y de ramas, y se mecen sobre ellas en acompasado vaivén sobre las olas que levanta la suave brisa de la selva. Hase retirado el hombre, y han vuelto a imperar en grata armonía las leyes de la naturaleza.

Sólo ha quedado en la ribera un corto pueblo de difuntos. Cada tribu ha dado a sus muertos el último descanso conforme a sus creencias y costumbres: los moronas han hecho

216

fuertes estacadas con cubiertas de ramas y de hojas de *chambira*, y han puesto los suyos dentro de ellas, rodeados de armas, vestidos y manjares; sólo el cadáver de Mayariaga se han llevado consigo, porque deben honrarle de una manera especial, allá en su tierra, y darle por compañero el de la más hermosa y querida de sus mujeres, sofocada en el conocimiento de ciertas yerbas y flores aromáticas, que tiene la virtud de no deteriorar la belleza. Algunas tribus han sepultado los despojos de sus guerreros y puesto encima enormes troncos. Los indios cristianos se han limitado a cubrir sus sepulturas con tierra y césped, y han clavado sobre ellas el signo de la redención humana, hecho de toscos palos amarrados con corteza de palma y coronados de amancayes. Algunas bestias carnívoras que husmearon aquella necrópolis del desierto, iban por la noche a dar vueltas por las estacadas y escarbar el suelo; sus lúgubres aullidos parecían los lamentos que consagraban al trágico fin de los guerreros salvajes, de cuyos restos ansiaban henchir sus hambreados vientres. Unas cuantas cruces fueron derribadas, y no pocos difuntos sirvieron de manjar a fieras y alimañas. ¿Qué hay de admirar en esta obra de las bestias feroces? Nada, porque también los hombres echan a tierra y despedazan la cruz, por devorar lo que a su sombra se resguarda... ¡Ah! ¡cuánta analogía se halla a veces entre las pasiones del ser racional y los instintos de las fieras!

Las tribus del Sudeste partieron primero, abrumadas por el dolor y la vergüenza, cuando esperaban volverse entonando cantos de victoria. Después, los paloras y sus aliados, parte por tierra, a falta de las canoas que los prófugos echaron en el Pastaza, y parte remando por éste con gran trabajo, se volvieron a sus respectivas moradas. Los andoas les llevaron una delantera de dos días, y vieron desde su playa desfilar tristemente las barquillas de sus compañeros y amigos, despojadas de todo adorno, como estaban los corazones de sus dueños despojados de toda alegría, que había barrido el despiadado soplo del infortunio. Con lento bogar ascendían todas, y unas allá en la margen opuesta se perdían al doblar el ángulo inferior de la boca del Bobonaza, y otras subían en derechura buscando las aguas del Palora, el Llucin y el Pindo.

217

Carlos, cadáver animado por la pasión, se había puesto en el punto más adecuado para verlas pasar, y en vano buscó en cada una de ellas a Cumandá. Unas cuantas iban arrimadas a la margen del frente, y tuvo tentaciones de tomar su canoa e ir a observarlas de cerca, y aun de echarse a nado; pero tales pensamientos le vinieron cuando casi todas las embarcaciones jíbaras se habían alejado mucho y era imposible alcanzarlas.

Hubo, pues, de no ver el joven a su amada, y tras largas horas de yacer cual estatua, mirando con ojos tristísimos el río que ya había quedado desierto, se retiró a su casa, sin querer escuchar las palabras de consuelo que le dirigía su bondadoso padre. Éste supo de boca de un záparo cuanto ocurriera en el Chimano, y aunque Carlos anduvo parquísimo en palabras, lo poco que habló y, sobre todo, su abatimiento y las señales del secreto lloro grabadas en sus mejillas, le delataron, confirmando lo referido por el indio.

—Hijo mío —le dijo el padre Domingo que no excusaba tentativa ninguna para reanimarle—, el amor de que estás penetrado es de aquellos que no se curan con razonamientos ni con vanas promesas: conozco el estado de tu corazón, y voy a obrar de acuerdo contigo: te casarás con la bella Cumandá, la poseerás, serás feliz. Personalmente iré a ver al *curaca* de los paloras y conseguiré que te ceda su novia. En los indios, dominados por los instintos materiales, no se arraiga la pasión del amor con la tenacidad que en los de nuestra raza, y las conveniencias tangibles y efectivas llegan a domarlos; así, pues, los agasajos, los ricos presentes, la esperanza de mayores regalos que le haré entrever...

Carlos interrumpió al misionero con una de aquellas sonrisas medrosas expresivas, que suben a los labios desde el fondo de los corazones gangrenados por una desgracia sin remedio, y que son una protesta inquebrantable contra toda idea de consuelo: sonrisas de duda y despecho, sonrisas de hiel, sonrisas ponzoñosas. El padre se estremeció y enmudeció, y miró con angustia al hijo: acababa de romperse entre sus dedos el vaso que contenía la pócima saludable, a un golpe dado por el mismo enfermo.

El joven comprendió el efecto que su terrible sonrisa había causado en el buen religioso, y como dando por explica-

218

da con ella la imposibilidad del buen éxito de las proyectadas tentativas, dijo tras un suspiro que parecía la voz del corazón que estallaba:

—Padre mío, en verdad que sólo el amor de Cumandá puede labrar mi dicha: ¡ah! ¿qué duda cabe? pero cuando me dices: «Te casarás con ella, la poseerás», veo que no comprendes mi pasión, que me confundes con el vulgo de los amantes, que haces descender mi pensamiento de la región de los ángeles al fango de la materia. No, yo no amo a Cumandá por arrastrarla a las inmundas aras de la concupiscencia, por beber en sus labios las últimas gotas de un deleite precursor de la desazón y el tedio, por reducir a cenizas en sus brazos las más queridas ilusiones del alma. No, no, padre mío, no amo por nada de eso a la purísima virgen del desierto. La amo... la amo... No puedo explicarlo. Tienes razón de no comprender a qué género de pasión pertenece este sentimiento misterioso que me domina, esta llama que devora todo mi ser, ni el dolor que me consume sin remedio. ¡Cumandá! ¿Qué es Cumandá para mí? ¿Qué es su sangre para mi sangre? ¿Qué su alma para mi alma, su vida para mi vida? No sé qué fuerza irresistible me impele a ella; no sé qué voz secreta me habla siempre de ella; no sé qué sentimiento extraño, pero vivo y dominante, me hace comprender que todo es común entre nosotros dos, y que debemos estar eternamente juntos, que debemos propender, a fuerza de amarnos y de identificar nuestros dos seres, a nuestra mutua felicidad... ¡Felicidad! ¡Ay! ¡Nos la arrebatan! ¡Nos la roban!

Carlos, después de este desahogo de su pasión y su dolor, cayó en profundo abatimiento.

Cumandá había pasado invisible delante de Andoas, como el sol que pasa invisible para la tierra en los nebulosos días de invierno. Llevábasela oculta bajo la ramada de la canoa de Yahuarmaqui, y junto con él y sus mujeres. Y Yahuarmaqui iba enfermo de resultas de la herida que recibió en el combate, y quería que la joven, con su encantadora presencia, le aliviase del malestar que le consumía las fuerzas del cuerpo y del alma.

Los demás de la familia Tongana se habían incorporado a los paloras, y el viejo de la cabeza de nieve iba tan enfermo como el de las manos sangrientas.

Cumandá se había enflaquecido y las mejillas se le pusieron pálidas como hojas de amancay; el dolor del alma estaba asomado día y noche a sus ojos, amortiguados como el lucero vespertino tras nube tormentosa, y su frente, inclinada al suelo, cual si a ello la obligase el enorme peso de sus tumultuosos pensamientos; sus mustios labios se deplegaban sólo para dar salida a los suspiros que ahogaban su corazón.

Habíala abandonado el sueño completamente y pasaba las lentas y pesadas horas de la noche contemplando con indecible congoja el menguar de la luna, vivo símil del desfallecimiento de su esperanza y de la agonía de su ventura. La imagen de su amante que hallaba en todos los objetos, en todas partes y a todas horas, iba concentrándose en sólo su alma, para llevársela consigo cuando partiese de la tierra al cielo.

La desaparición de aquel astro era la señal del día más terrible de su vida: ya entonces, el anciano jefe no tendría obstáculo en hacerla su esposa. Esto era algo peor que aguardar la muerte en el patíbulo: era como ser arrebatada por el *mungía*. Se habría resuelto a morir antes que pertenecer a Yahuarmaqui: nada era para ella más hacedero... pero no lo hará, no, porque su amado blanco la ha dicho que se guarde muy bien de tomar los polvos del sueño eterno, cosa reprobada por su Dios, que es el Dios bueno. Vale, pues, más morir en el sacrificio, pero amando y obedeciendo al extranjero, que morir disgustándole. ¡Disgustarle! ¡ah! eso sería comenzar a desamarle. Y luego ¿qué duda cabe que en el instante de la ceremonia dejará de latir para siempre el pecho de la cuitada, y se helarán su sangre y entrañas? Ninguna duda. Por seguro tiene ella que el matrimonio a que se la fuerza, será más eficaz que los terribles polvos: apenas se crucen las prendas y las frases del salvaje ritual, caerá muerta, porque sus fuerzas vitales, ya por extremo debilitadas, no podrán soportar esta última ruda prueba sin agotarse.

Al fin, una mañana la luna mostraba apenas un brevísimo hilo curvo luminoso: estaba en sus postreras agonías. El corazón de Cumandá agonizaba también; pero el astro resucitaría, mientras que el ocaso para la dicha de la virgen iba a ser eterno.

Yahuarmaqui amaneció ese día tan mal, que su vida se apagaba a par de la luna y del corazón de Cumandá. Con todo, hizo los mayores esfuerzos para disimular su estado de muerte, y ordenó a su familia que preparase lo necesario para sus nupcias por la tarde, hora en que la luna habrá desaparecido toda, y concluido, por tanto, el tiempo sagrado y la misteriosa inmunidad de las sacerdotisas de la fiesta.

El sol iba a ponerse y el reflejo de sus postreros lampos temblaba en las ondas del Palora como cintas de fuego tendidas a merced de su blanda corriente. La casa de Yahuarmaqui se hallaba llena de gente; los principales guerreros de la tribu estaban allí, y el anciano *curaca*, sentado en una tarima y medio apoyado en su hijo Sinchirigra, conversaba con ellos, sin acordarse de su grave dolencia: le parecía bien difícil morir el día de sus nuevas bodas, y, sobre todo, morir en su lecho como una mujer, lo cual era entonces asaz repugnante, y lo es todavía para un guerrero del desierto; pues según su creencia, el principio de la felicidad en el mundo de las almas está en haber sucumbido en el combate y con las armas en la mano; por eso a un salvaje no se le arrebata la pica o la maza antes de haberle arrebatado la vida.

Las mujeres se ocupaban diligentes en preparar las viandas y el licor de yuca y de palma para el festín; mas no faltó entre ellas quien hiciese la terrible, aunque verosímil observación, de que tal vez muy pronto tendrían que preparar, en vez del licor que alegra los ánimos, la infusión de yerbas aromáticas para ahogar a la más querida de las esposas del jefe. ¿Quién podría ser la víctima de tan cruel amor? ¡Ay! Nadie puede vacilar en la respuesta; pues, ¿quién puede ser más querida del anciano que la tierna, linda y desventurada Cumandá?

Ésta se dejó engalanar sin oponer ninguna resistencia, como niña a quien se obliga a todo, después de haberla atemorizado y héchola comprender que carece de voluntad propia delante de una fuerza superior a la suya. La joven no carecía de valor: no la habían atemorizado; pero no ignoraba que en sus circunstancias le era forzoso resignarse a todo sacrificio. Además ¿no era seguro, en su sentir, que iba a caer exánime al punto de verse unida por el matrimonio al viejo de las manos sangrientas?

El tocado de las mujeres del desierto es fácil y sencillo, y el de la hija de Tongana se termina muy pronto; es, con bien corta diferencia, el mismo que lució en la fiesta de las canoas.

Según la costumbre de la tribu, la madre de la novia la presentará al futuro esposo, y después del cambio de algunas prendas, que consisten en adornos para ella y en armas de lujo para él, única ceremonia nupcial de los jíbaros, se seguirá el festín, donde se servirán exquisitos pescados, lomos de ciervos y pechugas de pavas, y se vaciarán muchos cántaros de aromática chicha. Cuando se encierre a los recién casados en su cabaña, deber de aquella madre es también entornar la puerta y velar junto a ella hasta la aurora, a fin de evitar que el envidioso *mungía* vaya a causarles algún mal durante el sueño, y que esparza sobre ellos el veneno de la esterilidad.

Llega la hora de la ceremonia esperada. Yahuarmaqui ordena que Cumandá sea traída a su presencia. La madre, temblando y con la vista baja, conduce a la hija, que tiembla más, y cuya mano, que lleva asida suavemente, le parece un trozo de nieve.

—Ésta es, grande hermano y amigo —dice Pona—, la nueva mujer que has escogido para que te dé hijos robustos y valerosos, arregle todas las noches las pieles de tu lecho, cueza la carne para tu alimento y te sirva la chicha de yuca. Te trae un arco hermoso y una aljaba de mimbres, y espera que tú le des, en prenda de que la tomas por esposa, una faja bordada con que sujete la ropa a la cintura, un pendiente de *tayo* y tres *huimbiacas* de colores para adorno de su cuello y pecho. Enseguida puedes ceñirle los brazos con la piel de la culebra verde, y contarla por tuya.

Yahuarmaqui se pone en pie con bastante dificultad, y entregando a Cumandá las prendas que su madre le ha exigido, la dice:

—Toma, joven hermosa, la faja, el *tayo* y los *huimbiacas*, que son la prueba de que te admito entre mis esposas.

La hija de Tongana tiende en silencio las trémulas manos, cual si otro contra la voluntad de ella las moviese; toma esas prendas con la siniestra y las aplica al corazón, mientras con la derecha entrega al viejo el arco y la aljaba. Luego Yahuarmaqui rodea la parte superior de cada brazo de la esposa, con la simbólica piel de la culebra verde, y dice:

—Que el Dios bueno y los genios benéficos, nuestros protectores, soplen sobre ti, te den la virtud de la fecundidad, y seas madre de muchos guerreros.

Los concurrentes celebran con voces de aplauso el sencillo rito que acaba de unir al más valiente y benemérito de los jefes del desierto con la más linda de las vírgenes del Pastaza. Los tamboriles y pífanos asordan la selva, y Cumandá se asombra de cómo puede sobrevivir a un acto que debía traerle al punto el término de la vida. En medio de su sorpresa y dolor de verse viva y en pie después de haber faltado a las promesas de fidelidad hechas a Carlos, se acusa a sí misma por este crimen que arguye contra su amor, y se dice interiormente, bañándose en lágrimas:

—¡Ay! ¡no he amado bastante al joven extranjero! ¡no le he amado cual lo merece! ¡no le he amado de la manera que él me ama! ¡Qué ingratitud la mía! ¡qué infamia! ¡Jurarle fidelidad hasta la muerte, y no morir! ¿No era ésta la única prueba que yo podía darle de que mis palabras no eran mentiras y de que mi afecto era semejante al suyo? Vivo ¡ay de mí!... Pero ¿es verdad que este cuerpo que estoy palpando no es un cadáver?... Me siento helada, helada como un cuerpo sin alma... Sin embargo, respiro... ¿Cómo puede estar mi espíritu amarrado a esta carne que ya va a devorar la tierra?... ¡Ah! no hay duda, ¡vivo! y esta desgracia viene a coronar todas las que abruman mi desdichado corazón! ¡Oh blanco! ¡Oh Carlos! si tú no me hubieses prohibido en nombre del buen Dios... ¿No era el único remedio al mal de tu separación y de mi infidelidad el polvo del sueño eterno que llevaba conmigo?... Pero ¡buen Dios! tú hablaste por boca del extranjero... Ahora ¿qué debo hacer? Quisiera huir. Y ¿cómo huiré? ¡Si fuera posible buscar al blanco! ¡a ese genio hermoso, venido detrás de las montañas para arrebatarse mi voluntad como el aluvión la hoja en él caída! ¡oh! ¡cómo le abrazara las rodillas, postrándome ante él, y le pidiera perdón de mi delito!... Viva, de él sólo debo ser;

223

muerta, bien pudiera Yahuarmaqui disponer de mi carne y de mis huesos.

....

Avanzada estaba la noche. La lumbre de los hogares y la llama de las teas se apagaban; los tamboriles daban escasos sonidos; las voces de los indios se disminuían: la embriaguez y el sueño iban rindiendo todas las fuerzas y matando la alegría del festín. La embriaguez es la asesina del contento y el gozo, almas del festín, ¡y éste, sin embargo, la busca, la llama, la trae por fuerza a su seno! ¡Cosa de los hombres!

El viejo Tongana, derribado en un rincón, dormía inmóvil como una momia.

La mayor parte de los guerreros se habían retirado a sus cabañas, y Yahuarmaqui, casi sin sentidos fue puesto en su lecho. Muchos juzgaron que su estado de marasmo provenía del exceso de licor que había bebido, y que al amanecer se hallaría con sus facultades intelectuales cobradas y expeditas; pero no faltó quien se alarmase, en atención a lo enfermo y débil que estuvo los últimos días, y hasta en los momentos mismos del matrimonio.

Cumandá fue encerrada con él, y le pareció que la ponían en la huesa junto con el cadáver del *curaca*. Su madre se sentó a la puerta, hacia fuera, para velar por el sueño de los novios. El miedo al *mungía* hacía temblar a la anciana, que se puso a murmurar algunas truncadas frases de olvidadas oraciones cristianas. Si se duerme un solo momento, aquel genio malo en forma de lechuza agitará las alas sobre la cabaña, y el seno de la esposa no concebirá jamás, o si llega a tener un hijo, morirá niño tierno. Si, al contrario, la aurora la halla incontrastable en la vigilia, los felices cónyuges tendrán el primogénito varón, y tras él nacerán otros y otros hijos, altos, inteligentes, robustos y fuertes como el *ahuano*[78] y el *simbillo*.

La joven, arrimada a la tarima de su esposo y con la faz oculta entre las abiertas manos, se puso a meditar en los arbi-

---

[78] *Ahuano:* Caoba. Madera de Perú y Brasil.

trios de que pudiera valerse para librarse de la desgracia que pesaba sobre ella. No le quedaba otro que la fuga; mas ¿cómo verificarla? Éste era el punto para cuyo arreglo llamaba todas las fuerzas de la inteligencia y todo el vigor del ánimo. ¿A dónde iría? Aquí no había que vacilar; adonde clamaba por ella la voz del amor. El silencio y la oscuridad suelen ser a las veces los maestros de la prudencia y la astucia, y Cumandá, que de ellas tanto había menester, cavilaba y cavilaba.

De repente el anciano *curaca* se mueve y murmura palabras que la joven no comprende; luego se queja, suspira, anhela y le crujen los dientes. Cumandá se sorpende y endereza en actitud de huir; mas se reanima, se aproxima al viejo y le palpa el corazón y la frente; observa que el primero da pulsaciones lentas y desiguales, y que la faz está empapada de frío y meloso sudor. Los cabellos se le erizan cual si hubiese tocado un cadáver, retira la mano con presteza y retrocede. ¿Está, en verdad, encerrada en un sepulcro? ¿qué pasa con Yahuarmaqui? Éste se estremece de nuevo y con tanta fuerza, que hace traquear el rústico lecho, y comienza a hacer sonar alternativamente los remordidos dientes y un áspero y miedoso ronquido. Cumandá se acuerda que en un ángulo del aposento hay un fogón, halla entre las cenizas una brasa; la toma, sopla y aviva, acercándola a la faz del anciano, a quien halla en las agonías de la muerte, y ve sus últimas bascas, las últimas contorsiones de los ojos lacrimosos, los últimos convulsos movimientos de los labios que dejan escapar el angustioso aliento en que sale envuelta el alma.

Aterrada la joven, deja caer la brasa y contiene apenas el grito que iba a lanzar desde lo íntimo del pecho, herido por tan inesperado suceso. En el movimiento que hace al retroceder de la tarima, se golpea contra la puerta de *guadúas* partidas, que suena y asusta a Pona. Álzase ésta y llama a su hija en voz baja.

—¡Madre! —contesta Cumandá en acento congojoso.

—¡Hija! —replica la anciana—, te siento asustada; ¿qué sucede? ¿ha venido a perturbar tu sueño el malvado *mungía*, no obstante que no he pegado los ojos?

—¡No, madre!

—Pues, ¿qué hay, corazón mío?

—¡El jefe ha muerto!

—¡El jefe ha muerto! —repite pasmada la madre.

—Sí, y es preciso que me saques de este aposento, porque no quiero estar con un hombre sin alma y helado como la nieve.

—¡Ay! ¡Cumandá, Cumandá de mi vida! te amenaza un terrible mal y es preciso que te salves.

En medio de sus cuitas y angustias, no había pensado la joven que podían sacrificarla para que su cadáver acompañase al del *curaca* de los paloras, y las palabras de Pona la conturbaron a pesar de su ánimo valeroso que tantas veces se mostró sereno delante de la muerte, y que aun la había deseado. En cuanto vio finado al jíbaro, cuya unión la horripilaba, hubo en ella una como reacción a la vida. Desligada para siempre del bárbaro y no ignorando que Carlos vivía, se abrió su corazón a la esperanza, como se abre la rosa a recibir las perlas del alba y las primeras luces del cielo. La perfumada brisa del consuelo rodeó a la joven, y penetró en su organismo cierto elemento vital, que la hizo juzgarse con vigor para cualquier tentativa audaz que la restituyese a los brazos del amado extranjero.

—Quiero vivir —se decía—, ¡oh!, ahora sí quiero vivir, para buscar al blanco y juntarme con él y amarle más, si es posible, de cuanto hoy le amo; sí, doblaré el ardor de mi pasión, y repararé el delito de no haber caído sin vida en el momento en que estreché a mi corazón las prendas de Yahuarmaqui y éste me ceñía los brazaletes del matrimonio. No quiero que me ahoguen en el agua olorosa ni que me pongan junto a los huesos del viejo *curaca*, a quien siempre temí y nunca amé. Moriré, cuando sea preciso, por el amado extranjero: ¡oh! ¡entonces no temeré ni vacilaré! Viva, muerta, de cualquier manera junto al blanco: a su contacto se rebullirían de gozo hasta mis cenizas. ¡Extranjero! ¡hermoso extranjero, amado y hermano mío! ¿dónde estás? ¿dónde podré hallarte, para vivir o morir dichosa a tus pies?

Estos tiernos y apasionados pensamientos de la hija de Tongana fueron expresados en dos palabras:

—¡Madre, sálvame!

Lo que sintió la pobre anciana al oírlas, no es decible.

—Hija de mi alma —contestó—, ¡ojalá pudiera convertirme en un ave grande y tu fueras un avecilla, para llevarte sobre mis alas adonde los paloras no supiesen de ti! Pero ahora tú misma, con mis consejos y mi ayuda, tienes que hacer lo posible para evitar la terrible agua de las flores olorosas, que mañana prepararán las mujeres de la tribu. Es preciso que fugues; pero si sales por esta puerta, ¡ay de tu infeliz madre, que tampoco quisiera morir! Oye, pues: horada la tierra hacia la parte de atrás de la cabaña, y vete por ahí. Camina toda la noche; haz de modo que tus huellas no se puedan seguir fácilmente: ¡ojalá pudieras pisar como los genios o los ángeles, que ni hacen ruidos ni ajan la yerba! Mañana no malogres la luz del sol, y sigue andando; acércate unas veces a la orilla del Palora, otras aléjate de ella, otras pasa a nado a la opuesta margen; y andando sin descansar puedes caer en Andoas en cuatro soles y cuatro noches, o quizás antes. Una vez allí, los cristianos de ese pueblo te sabrán defender, y especialmente el joven blanco mirará por ti.

Los consejos de Pona eran prudentes; Cumandá los escuchó con atención y luego hizo sin ninguna dificultad un horado y salió fuera. Su madre, que la esperaba, la dijo:

—Hija mía, un momento malogrado te traería grave riesgo de perecer; todos duermen; la madre luna está por ahora muerta; pero hay numerosas estrellas, y su luz te es favorable: vete y no olvides mis advertencias.

En seguida le quitó entrambos brazaletes de piel de culebra y los tiró lejos de sí, y sacándose del cuello la bolsita de piel de ardilla en que tenía encerrado el misterioso amuleto, añadió:

—Llévate esto, y nada temas; tú sabes que aquí hay oculta una prenda de virtud maravillosa: por ella ni aun el malvado *mungía* se atreverá a llegarse a ti.

La joven la tomó con veneración, la besó y se la suspendió al cuello.

—Los cristianos —agregó la madre—, usan también el signo de la cruz: sabes, hija mía, que no he olvidado esta práctica que aprendí, en otros tiempos. ¡Que nada te falte para que lleves camino acertado y salves tu preciosa vida!

Y bendijo a Cumandá, que dobló la frente sobre el materno pecho, como la tierna rama azotada por el viento se dobla sobre el viejo tronco; abrazáronse estrechamente, y derramando abundantes lágrimas se separaron.

La una se internó en la selva y las sombras la envolvieron y absorbieron al punto. La otra fue a sentarse a la puerta de la cabaña, a esperar, temblando, lo que acontecería a la mañana siguiente, cuando se descubriese por los paloras la muerte del *curaca* y la desaparición de su joven esposa.

Sola y fugitiva en la selva

En nuestra zona, cuando el cielo está limpio de nubes, las estrellas despiden tanta luz que reemplaza a la de la luna; merced a ella Cumandá pudo guiarse fácilmente en su fuga. Caminó largo trecho formando ángulos entre las márgenes del río y el fondo del bosque. Halló un arroyo, y le pareció buen expediente, para hacer que desaparezcan del todo sus huellas, el caminar otro largo espacio por dentro de él. Luego tomó la ribera del Palora y descendió por ella rectamente; y volvió a dejarla cuatro veces, y otras cuatro tornó asimismo a caminar por sus arenas. Esta manera de caminar alargaba el trayecto; pero con ella pretendía la joven desorientar a los jíbaros que luego se lanzarían en su persecución; y que tienen el instinto del galgo para seguir una pista.

Las monótonas voces de los grillos y ranas turbaban el silencio del desierto; de cuando en cuando cantaba la lechuza, o el viento azotaba gimiendo las copas de las palmeras, o se escuchaba el lejano ruido de algún árbol que, vencido por el peso de los siglos y ahogado por las lianas, venía a tierra, estremeciendo el bosque y destrozando cuanto hallaba al alcance de su gigantesca mole. Los micos, los saínos, las aves al sentir ese terremoto de sus moradas, huían golpeándose entre las ramas y dando chillidos de espanto. Mas a poco se restituía la calma, y sólo quedaba la desapacible música de los reptiles y bichos, hijos del agua y del cieno, que no cesan de zumbar y dar voces en diversos términos durante el imperio de las nocturnas sombras. Los fuegos fatuos se enredaban entre los matorrales y desaparecían, o vagaban un instante sobre las aguas estancadas e inmóviles. Millares de luciérnagas recorrían lentas el seno tenebroso de la selva, como pequeñas estrellas volantes; a veces se prendían en la suelta cabellera de la joven fugitiva o se pegaban a su vestido como diamantes con que la misteriosa mano de la noche la engalanaba. Otras veces no eran los luminosos insectos los que brillaban, sino los ojos de algún gato montés que andaba a caza de las avecillas dormidas en las ramas inferiores o en los nidos ocultos en la espesura. Cumandá se asustaba y huía de ellos, apretando contra el pecho el amuleto o haciendo una cruz. El cansancio la obligaba en ocasiones a detenerse, y arrimada al tronco de un árbol dejaba reposar algunos minutos los miembros que empezaban a flaquear con el violento ejercicio: pero una fruta pasada de sazón cedía al breve impulso del céfiro nocturno, y descendía desde la alta copa del árbol golpeándose de rama en rama hasta dar en el hombro de la joven, la cual no miraba este sencillo suceso como obra de la naturaleza que hacía caer esa castaña o esa uva silvestre para el alimento de los animales que rastrean el suelo todas las mañanas, y aun del hombre perdido en las selvas, sino como el aviso de algún genio benéfico para que siguiese caminando y huyese más aprisa de la tribu de los paloras. Dejaba entonces el grato arrimo y se echaba a andar con nuevo vigor, pues le parecía escuchar las pisadas de sus perseguidores que se acercaban. No sabía, entretanto, dónde estaba ni cuánto se había alejado del punto de donde partió; sin embargo, iba siempre por la margen del río y no podía dudar que había caminado mucho.

En una de las veces que la fatiga la obligó a sentarse en las *bambas*[79] de un matapalo, observó que el tronco recibía una luz pálida e indecisa, diferente de la luz de las estrellas; alzó los ojos a verlas y las halló un tanto descoloridas y el manto de la noche no poco cambiado de tinte, y las copas de los árboles menos confusas. Advirtió que rayaba la aurora y sintió

---

[79] *Bamba:* Protuberancia que nace en el tronco de un árbol.

que con ella recibía su alma algún alivio. Cuando la claridad fue mayor, se limpió el sudor con las tibias aguas de una fuentecilla, y viéndose en sus cristales arregló el cabello de manera que no se le enredase en las ramas, recogió mejor los vestidos con las espinas de *chonta* y el cinto de *jauchama*, y emprendió la continuación de la fuga. El recuerdo de que a esa hora probablemente advertirían los jíbaros la muerte de Yahuarmaqui y la desaparición de ella, aligeró sus pasos.

Quince días antes amaneció junto a Carlos, presa por los moronas, después de haber andado, prófuga también, gran parte de la noche. Entonces la animaba la presencia del amado extranjero; ahora, además del temor de dar en manos de los bárbaros, la anima asimismo la esperanza de volver a verle, de volver a juntársele quizás para siempre. Con la imagen de Carlos en el corazón salió de la cabaña, con ella vagó en la oscuridad de la noche, con ella le ha sorprendido la luz de la mañana. Su pensamiento es Carlos, su afecto Carlos, Carlos su esperanza, Carlos su vida. Cada paso que da la acerca a él; cada hora que transcurre la aleja de la muerte y aproxima a la salvación. Crece la diurna luz, y crece juntamente la expansión del ánimo; a medida que el sol sube a los cielos, se levanta el espíritu a las regiones de una dulce consolación. Si no fuese imprudencia y la fatiga no lo impidiese, la inocente joven cantaría como en otras mañanas más felices al acercarse al arroyo de las palmas; pero mentalmente recorre las sencillas notas de sus predilectos *yaravíes*[80]. Toda la naturaleza la convida a acompañarla en sus magníficas armonías matinales: hay gratísima frescura en el ambiente, dulces susurros en las hojas, suave fragancia en las flores; y una infinidad de aves gorjean, pían o cantan, y otra infinidad de mariposas de alas de raso y oro dan vueltas incesantes, cual si en aérea danza siguiesen los caprichosos compases de aquella maravillosa orquesta de la selva.

En esos momentos Cumandá se olvida de todo peligro y dolor; no es posible conservarlos en medio de esa fiesta de la naturaleza; su corazón está en concordancia con la frescura

---

[80] *Yaraví*: Canción popular de origen quichua, que los criollos imitan en español.

del ambiente, y el susurro de las hojas, y la fragancia de las flores; lo está con las aves que trinan, con las mariposas que danzan, con toda la belleza de la mañana en la soledad del bosque tropical, con todo el esplendor del cielo en las regiones por donde el astro, padre de la luz, transita todos los días.

Un pabellón de lianas en flor intercepta el paso a la doncella prófuga; es preciso abrir esas cortinas para facilitarse el camino; ábrelas con grave sorpresa de un enjambre de alados bellos insectos que se desbandan y huyen; pero en el fondo de tan rica morada duerme encogida en numerosos anillos una enorme serpiente, que al ruido se despierta, levanta la cabeza y la vuelve por todas partes en busca del atrevido viviente que se ha aproximado a su palacio. Asústase Cumandá, retrocede y procura salir de aquel punto dando un rodeo considerable.

Tras las lianas halla un reducido estanque de aguas cristalinas; su marco está formado de una especie de madreselva, cuyas flores son pequeñas campanillas de color de plata bruñida con badajos de oro, y de rosales sin espinas cuajados de botones de fuego a medio abrir. Por encima del marco ha doblado la cabeza sobre el cristal de la preciosa fuente una palmera de pocos años que, cual si fuese el Narciso de la vegetación, parece encantada de contemplar en él su belleza. La joven embelesada con tan hechicero cuadro, se detiene un instante. Siente sed, se aproxima a la orilla, toma agua en la cavidad de las manos juntas, la acerca a los labios, y halla que es amarga y fétida.

Deja a la izquierda la linda e ingrata fuente, y continúa siguiendo el rumbo de la fuga con ligero paso. El sol se ha encumbrado gran espacio y la hora del desayuno está muy avanzada.

Cumandá siente hambre; busca con ávidos ojos algún árbol frutal, y no tarda en descubrir uno de uva *camairona* a corta distancia; se dirige a él, y aún alcanza a divisar por el suelo algunos racimos de la exquisita fruta; mas cuando va a tomarlos, advierte al pie del tronco y medio escondido entre unas ramas un tigre, cuyo lomo ondea con cierto movimiento fascinador. La uva atrae al saíno, al tejón y otros animales, y éstos atraen a su vez al tigre que los acecha, especialmente en las primeras horas de la mañana. La joven, que felizmente no ha sido vista por la fiera, se aleja de puntillas y luego se escapa en rápida carrera.

¡Cuántos desengaños en menos de medio día! ¡Serpientes entre las flores, amargura insoportable en los cristales de una fuente, fieras al pie de los árboles que derraman sabrosos y nutritivos frutos! La naturaleza presenta imágenes de la sociedad hasta en los desiertos, donde por maravilla respira algún ser humano. La inocente Cumandá no puede hacer esta aplicación moral de las contrariedades que halla en su camino; pero se entristece en sumo grado tomándolas por augurios de su futura suerte. Al fin unos hongos dulces y el blando cogollo de una tierna palma sacian el hambre de la prófuga. Pero hásele aumentado la sed, y no halla arroyo donde apagarla; en vano busca algunas gotas de agua en los cálices de ciertas flores que suelen conservar largas horas el rocío: el sol es abrasador y los pétalos más frescos van marchitándose como los sedientos labios de la joven; en vano prueba repetidas veces las aguas del Palora; este río no es querido de las aves a causa de lo sulfúreo y acre de sus linfas, y los indios creen que el beberlas emponzoña y mata.

Es más de medio día y el calor ha subido de punto. Parece que la naturaleza, sofocada por los rayos del sol, ha caído en profundo letargo: ni el más leve soplo del aura, ni el más breve movimiento en las hojas, ni un ave que atraviese el espacio, ni un insecto que se arrastre por las yerbas, ni el más imperceptible rumor... Es la calma chicha del océano de las selvas; es una inmovilidad indescriptible; es la ausencia de toda señal de vida; es la misteriosa sublimidad del silencio en el desierto. Creeríase que se ha dormido en su seno alguna divinidad, y que el cielo y la tierra han enmudecido de respeto. No obstante, de cuando en cuando atraviesa el bosque un gemido, o una voz sorda y vaga, o un grito agudo de dolor, o un sonido metálico y percutiente. Tras cada una de esas rápidas y raras voces de la soledad se aumenta el silencio y el misterio, y el espíritu se siente sobrecogido de invencible terror.

Cumandá desfallece; sus pasos comienzan a ser vacilantes e inseguros, y los ojos se le anublan. Casi involuntariamente se recuesta sobre el musgo que cobija las raíces de un árbol, y busca en el fondo de su alma la virtud de la resignación al triste fin que juzga inevitable; pero le es difícil hallarla, porque su corazón clama como nunca por la vida, ahora que camina huyendo de la muerte hacia donde espera abrazar al objeto de su pasión y de todas sus aspiraciones. ¡Cómo!, ¡ah!, ¡cómo perecer lejos de Carlos, cuando quizás dos días después halle en sus brazos la plenitud de la dicha tantas veces soñada y por la cual delira! Este pensamiento rehace las fuerzas morales de la hija de Tongana, y ese rehacimiento la vigoriza algún tanto el cuerpo. Acuérdase al mismo tiempo de haber oído a un salvaje cómo una vez descubrió una fuente para apagar la sed: cava la tierra, mete la cabeza en el hueco y atiende largo espacio.

—Por ahí... ¡ah! si no me engaño —murmura.

Y en el acto se dirige a un punto algo distante del amargo río. Repite la observación por dos veces en cada una de las cuales se detiene menos. Al fin llega a un lugar donde se levantan del suelo húmedo unas matas bastante parecidas a la menta. En medio de ellas hay una charca y en ésta habitan unas ranas cuyo grito, aunque leve, alcanzó a percibir Cumandá. Bebe de esas aguas hasta saciarse, y siente singular alivio. ¡Oh cuánto más benéfico es ese humilde depósito del refrigerante líquido, que el gran caudal del Palora, donde no pueden humedecer el pico las sedientas avecillas!...

Mas al Palora se dirige otra vez la joven tomando un camino oblicuo de aquellos anchos y limpios que, con admirable industria, abren las hormigas por espacio de largas leguas, y logra adelantar bastante en su fuga. Descansa un momento en la orilla, mientras mide con la vista la anchura del cauce en que se mueven las ondas pausadas y serenas, y reflexiona sobre el punto más a propósito donde conviene arribar al frente. Échase a nado enseguida y en pocos minutos está en la margen opuesta, por la cual sigue andando más de una hora. Los pies se le han hinchado y lastimado con tan larga y forzada marcha; los envuelve en hojas de *matapalo*, buenas para calmar la inflamación y los dolores, en el decir de los indios; cambia las sandalias, que se le han despedazado, con otras que improvisa de la corteza de *sapán*, y torna a caminar.

234

Viene la noche acompañada de brillantes estrellas, como la anterior, y la virgen de las selvas, con breves intervalos, en los que se ve obligada a descansar, no obstante el anhelo de adelantar más y más en la fuga, marcha entre las sombras, cuidando siempre de no llevar vía recta, sino de zetear como lo había hecho en la otra margen del río. Luce el alba, brilla un nuevo día, y se repiten algunas escenas de la víspera; pero Cumandá no pasa por tantos peligros, si bien el cansancio la abruma y crece el dolor de los lastimados pies. Con todo, conoce que ha adelantado mucho, y que se avecina al antiguo hogar de sus padres, abandonado a la sazón, desde donde piensa cruzar la selva por la derecha en busca de Andoas, o a lo menos de alguna de las *chacras* que sus habitantes poseen en la orilla del Pastaza.

Faltan casi dos horas para la noche, y ha habido en el cielo un cambio súbito, de ésos tan frecuentes en la zona tórrida; está cubierto de negras nubes, y acaso sobrevendrá la tempestad, y al fin llegarán las sombras nocturnas sin ninguna estrella. En efecto, óyese a lo lejos un trueno sordo y prolongado; a poco otro y luego un tercero más cercano. Violentas ráfagas de viento que vienen del Este sacuden las copas de los árboles, que lanzan rumor bronco y desapacible, semejante al del primer golpe del aluvión que arrebata las hojas secas de la selva, o al de las olas del mar que ruedan tumultuosas sobre la arena de la orilla y se estrellan en las rocas; o bien se cruzan en la espesura y dan agudos y prolongados silbos chocando y rasgándose en los troncos y ramas. Una lluvia de hojas desciende de las bóvedas del bosque; pero el viento las toma en sus alas y las levanta otra vez en raudo remolino por encima de todos los árboles, para dejarlas caer en otro punto distante. Cumandá se compara a sí misma a una de esas hojas y suspira tristemente...

El estado de la atmósfera y el temor de una noche tenebrosa alarman a la virgen del desierto; mas por dicha advierte que la parte de la selva por donde camina está bastante desembarazada de rastreras malezas y le es algo conocida, y aunque el trayecto que debe andar es muy largo todavía, cree que no le será difícil seguirle, no obstante la oscuridad, hasta las cabañas de su familia. Además, puede decirse que la oscu-

235

ridad es menos oscura siempre para los ojos de un salvaje. Multitud de aves se acogen piando al abrigo de sus nidos o de sus pabellones de musgos y lianas, y una partida de micos mete una espantosa bulla al saltar de rama en rama en la precipitada fuga en que la pone la tempestad. Las nubes han bajado hasta tenderse sobre la superficie de la selva como un inmenso manto fúnebre; las sombras se aumentan y comienza la lluvia. La primera descarga suena estrepitosa en los artesones de verdura, y sólo desciende hasta el suelo tal cual gota acompañada de la hoja que se desprendió con ella. Pero enseguida el cielo del bosque arroja el agua que recibió de las nubes, y la tempestad de abajo es más recia que la desencadenada encima. Hojas, ramas, festones enteros vienen a tierra; luego son árboles los que se desploman, y aun animales y aves que han perecido aplastados por ellos o despedazados por el rayo que no cesa de estallar por todas partes. Por todas partes, asimismo, corren torrentes que barren los despojos de las selvas, y los llevan arrollados y revueltos a botarlos a los ríos principales. Cumandá se ha guarecido bajo un tronco, único asilo para estos casos en aquellas desiertas regiones; de pie, pero medio encogida en su estrecho escondite, el espanto grabado en el semblante, temblando como una azucena cuyo tallo bate la onda del arroyo, y puestas ambas pálidas manos sobre la reliquia que pende del cuello, siente crujir la tierra y los árboles a su espalda y a sus costados, y gemir uno tras otro los rayos que se hunden y mueren en las ondas que pasan azotando la orilla en que descansan sus plantas. Nunca había visto espectáculo más terrible e imponente, ni nunca se halló, como ahora, por completo sola en esas inmensas regiones deshabitadas, cercada de sombras densas y amenazada por las iras del cielo, cuyo favor invocaba con toda el alma.

Una hora larga duró la tempestad. Cuando cesó del todo, la noche había comenzado, y era tan oscura que aun la vista de una salvaje apenas podía distinguir los objetos en medio del bosque. A los relámpagos siguieron las exhalaciones que, rápidas y silenciosas, iluminaban los senos de aquellas encantadas soledades. Al sublime estruendo de los rayos y torrentes sucedió el rumor de la selva, que sacudía su manto mojado y recibía las caricias del céfiro, que venía a consolarla después del espanto que acababa de estremecerla. Las plantas, como incitadas por una oculta mano, erguían sus penachos de tiernas hojas, y los insectos que habían podido salvarse de la catástrofe levantaban la voz saludando la calma que se resistía a la naturaleza. Algunas aves piaban llamando al compañero que había desaparecido, y que ya no volverían a ver ni con la luz del día; el bramido del tigre sonaba allá distante, como los últimos tronidos de la tormenta. ¡Qué rumores, qué ruidos, qué voces! ¡Quejas, frases misteriosas, plegarias elocuentes de la creación elevadas a Dios, que ha querido conmoverla con un tremendo fenómeno que ni la lengua ni el pincel podrán nunca bosquejar!...

El cielo comenzó a despejarse, y algunas estrellas brillaban entre las aberturas que dejaban las negras nubes al agruparse al Oeste, como magníficos diamantes en el terso pecho de joven viuda, cuando levanta algún tanto el crespón que la cubre. Con esta escasa luz que apenas penetraba la espesura, resolvió Cumandá seguir su camino. Hizo bastón de una rama y empezó a dar pasos como una ceguezuela. Conocía la dirección que debía llevar y fiaba en su admirable vista, que luego acomodada a las sombras la permitiría andar más libremente; pero, con todo, jamás se había visto rodeada de mayores obstáculos ni abrumada de más grave angustia. Aquí se atollaba en el fango que dejaron las aguas detenidas; allá daba con los restos de una zarza espinosa que le desgarraban los pies; luego un ceiba gigante caído pocos momentos antes la obligaba a dar un gran rodeo; y, por último, tuvo que vadear con inminente peligro un río que ella conoció pobre arroyuelo, y que las aguas de la tempestad le habían ensoberbecido y puesto temible. Pero este encuentro le fue al mismo tiempo consolador, porque conoció que sus cabañas estaban ya a corta distancia: ¡cuántas veces vino a este arroyo a llevar agua en la calabaza suspendida de una correa de *jauchama!*

En adelante anduvo con mayor desembarazo; a quinientos pasos del arroyo halló la sementera de yucas, después la hermosa hilera de plátanos, tras ella las cabañas, cabañas pocos días antes tan animadas, alegres y llenas de dulce paz, ahora abandonadas, tristes, silenciosas como la muerte, y dominadas por una paz que infundía dolor. Al verse delante de ellas Cumandá no pudo contenerse: el más agudo pesar le rasgó las entrañas; se arrimó a una de las puertas, ocultó el rostro con ambas manos y soltó el llanto, exhalando quejas lastimeras que turbaron el silencio de la soledad y fueron repetidas por los ecos del río y de la selva: no llora con más ternura ni se queja en voz más lúgubre la tórtola junto a su nido vacío. No quiso penetrar en el aposento de sus padres, y se sentó en el umbral, dándose luego a multitud de recuerdos dulcemente dolorosos, como la tumba de un ser amado rodeada de flores y bañada por la blanda luz de la luna. Todo estaba allí en armonía con el estado del ánimo de la infeliz Cumandá: las casas sin sus dueños, la selva maltratada por la tormenta, las sombras, la soledad, el silencio. Un incidente inesperado viene a dar un toque más al doloroso cuadro: ve la joven que se le acerca un bulto arrastrándose y dando leves quejidos; es el perro de la familia que agoniza de hambre; pero que no ha querido dejar su puesto de guardián de la casa de sus amos. Sintió que se acercaba Cumandá, y haciendo los últimos esfuerzos viene a sus pies a perecer en los transportes del cariño que todavía puede consagrarla. Este encuentro la conmueve de nuevo y aviva su llanto; el buen animal le lame los pies lastimados; ella le devuelve caricia por caricia, y le habla con ternura, cual si pudiese entenderla, apesarada de no poderle dar cosa alguna que coma.

—¡Pobrecito! —le dice—, ¡pobrecito! ¡a ti también te ha sobrevenido el tiempo de la desgracia, y te estás muriendo de hambre sólo por ser leal y bueno! ¡Cuánto me duele no poder hacer nada por ti, no poder darte ni un bocado!

Transcurrió buen rato; Cumandá dejó de llorar, y meditaba sobre la manera de terminar su fuga. No estaba aún cerca de Andoas, y tenía que vencer algunas dificultades, atravesando el bosque tendido al Oeste de la población por espacio de bastantes leguas. Por agua el camino es corto y fácil, y cuando el río está crecido, como en la actualidad, la navegación es, aunque asaz peligrosa, rapidísima; pero, ¿dónde hallar una canoa para emprenderla? No obstante, tiene esperanzas de dar con la de algún pescador del Pastaza, o de algún labrador que hubiese subido a la *chacra*. Si cerca ya de la Reducción se ve en peligro de caer en manos de sus perseguidores, se echará a nado. ¿Qué es para ella sino cosa de lo más hacedero fiarse de las olas del Pastaza, cuando tantas veces ha pasado y repasado el Palora en una misma mañana? Pero Cumandá no contaba con que éstas eran pruebas de la robustez y agilidad que a la presente no poseía.

Así dando y cavando, Cumandá, maltratada de alma y cuerpo, se dejó rendir por el sueño. Este grato beneficio de la naturaleza, que mitiga a veces el dolor y restaura las fuerzas del ánimo, fue cortísimo para la cuitada joven: un ruido extraño la recordó sobresaltada; advirtió que una luz roja, aunque no viva, la rodeaba; dirigió las miradas hacia donde sonaba el ruido, y vio levantarse por el lado en que muere el sol una espesa columna de humo salpicada de innumerables centellas que morían en el espacio.

Era un incendio a no mucha distancia. No podía ser efecto de algún rayo, pues la tempestad había pasado ya completamente, y era verosímil fuese una hoguera encendida por los salvajes. ¿Quiénes podían ser éstos? ¡Los paloras lanzados, sin duda, en todas direcciones en persecución de la fugitiva! Comprende la desdichada la urgente necesidad de proseguir la marcha y ponerse en salvo. Álzase al punto, y al hacerlo resbala y cae de sus pies la cabeza del perro: está muerto: las caricias que hizo a su ama le habían agotado las últimas fuerzas vitales. Ella vierte algunas lágrimas por la pérdida del único amigo hallado en su fuga por el desierto, y echa a andar apresuradamente. Sigue como guiada por secreto impulso una vereda, en tiempos felices por ella transitadísima, y da pronto con otro recuerdo grato y triste a la par: allí está el arroyo de las palmeras. ¡El arroyo! ¡las palmeras! ¡Ah, carísimos testigos del más casto y puro de los amores, de las más sencillas, tiernas y apasionadas confidencias, de los más fervientes y sinceros juramentos! ¡también vosotros os habéis cambiado! El arroyo es un río, y está turbio, y brama y parece que amenaza de muerte a su amiga de ayer; las palmeras están destrozadas; la una ha doblado tristemente la cabeza y apenas se sostiene en pie: es la de Carlos; la otra, ¡ah! la otra, ¡qué ruina!... ¡es la de Cumandá y está como su corazón!... ¡Dios santo! ¡qué cuadro! ¡y qué recuerdos!... Allí le faltan a

239

la joven voces y lágrimas y le sobra dolor: el dolor intenso nunca grita ni llora, y como que se resiste a esas manifestaciones externas, por no ser profanado por la indiferencia del mundo; ese dolor necesita de lo más recóndito del santuario del corazón, o de las sombras de un sepulcro donde junto con el corazón deba ocultarse para siempre. La desolada virgen se llega a la palma medio viva, la habla en voz trémula y secreta, palpa la inscripción, abraza el tronco ennegrecido por el fuego y apoya un momento la cabeza en él, repitiendo casi delirante:

—¡Carlos! ¡Carlos! ¡amado extranjero mío! ¿dónde estás?

Al fin se aleja unos pasos, y se sorprende de divisar una canoa que balancea en el río, atada a la raíz donde solían sentarse los dos amantes. Detiénese; no sabe qué pensar; se acerca a la orilla; vuelve a pararse. ¿Acaso los pescadores de Andoas han subido hasta aquí?... ¡O tal vez es la canoa del extranjero!... ¡Ah, si así fuese!... Este pensamiento le hace estremecer de gozo. Pero en esto escucha un breve rumor hacia la parte superior del río, entre la espesura. Se sobresalta, pues cree que sus perseguidores se aproximan. Atiende de nuevo; ¿es una voz humana? Sí, sí: alguien habla por lo bajo.

«Son ellos —piensa—, ¡los paloras!», y al punto se echa de un salto a la canoa; hace un esfuerzo violento con ambas manos y arranca la atadura que la sujeta a la raíz. El río, a causa de las avenidas, baja lodoso, negro y rápido, y la barquilla es arrebatada como una hoja.

¡Espantosa navegación! Negro el cielo, pues hay todavía nubes tempestuosas que se cruzan veloces robando a cada instante la escasa luz de las estrellas; negras las aguas; negras las selvas que las coronan, y recio el viento que las hace gemir y azota la desigual superficie de las olas; el cuadro que la naturaleza presenta por todos lados es funesto y medroso. El remo es inútil; la canoa se alza, se hunde, choca contra la orilla y retrocede; o encontrada con los troncos que arrebatan las ondas, da giros violentos, y ora la popa se adelanta levantando montones de espuma en la anormal carrera, ora va saltando de costado el frágil leño como caballo brioso que, impaciente del freno que le contiene, no toma en derechura la vía que debe seguir. Cumandá tiembla de terror: ya no es la dominadora de las olas, porque la cercan tinieblas y apenas divisa el enfurecido elemento que brama y se agita bajo ella. Llevada por la corriente en medio de los despojos del bosque, semeja uno de ellos.

Las sombras que parecen agruparse y condensarse más en un punto, y el viento que sopla más directamente opuesto al curso de la avenida, hacen comprender a Cumandá que no sólo ha salido del Palora, sino que se halla ya descendiendo por el Estrecho del Tayo. Todo se mueve a su vista en vertiginoso desorden: el cielo cuyas nubes y estrellas parece que se vuelcan sobre el mundo; las masas informes y confusas de las selvas que parecen desplomarse unas tras otras en los abismos de las sombras; las ondas que mugen sordas y amenazantes, se baten y atropellan entre sí mismas, y como que se devoran a sí propias para reproducirse luego y luego volver a devorarse.

La joven prófuga ha invocado mil veces al buen Dios y a la Santa Madre, ha besado la reliquia que lleva al cuello, ha hecho cruces para ahuyentar al *mungía*, a quien atribuye la alteración de las aguas, las tinieblas y el viento. Al cabo no le queda más arbitrio que abandonar del todo el remo, asirse fuertemente del borde de la canoa y cerrar los ojos, porque el aparente trastorno del cielo y la tierra va ya desvaneciéndola.

¡Recurso vano! La infeliz está helada, siente angustia que le oprime el pecho, respira con dificultad, los oídos le zumban y la inanición y el síncope van apoderándose de todo su ser. Las manos se le abren y caen, inclina la cabeza y todos los sentidos se le apagan...

La canoa, juguete de la crecida violenta y de los iracundos vientos, ya no lleva sino un cuerpo inanimado, del cual puede desembarazarse en una de las rápidas viradas o en la más breve inclinación a que la obliguen las ondas.

XVII

Angustias y heroísmo

La campana de Andoas, como era de costumbre, convocó a los fieles a la oración antes del alba. Todo el pueblo se puso en pie no bien escuchó esa trémula y melancólica voz que las selvas repercutían, y que sonaba con más solemnidad y misterio en el desierto que pudiera en una ciudad.

Las puertas del templo estaban abiertas ya, y el padre Domingo oraba al pie del altar. Amanecía un día tristísimo para él: era el aniversario del sacrificio de su familia a manos de los indios sublevados en Guamote y Columbe. Ese cuadro desolador se hallaba grabado en su corazón con caracteres profundos, y todos los años las brisas de un día de diciembre barrían hasta las más leves sombras del olvido, haciendo que el cuadro se mostrase a los ojos del alma del desdichado fraile mucho más claro y cual si no hubiese pasado el tiempo sobre él.

Además, había otro motivo a la sazón para traer inquieto y angustiado al buen misionero: Carlos, cuyo malestar moral en vano se había propuesto combatir, partió en su canoa en la madrugada del día trasanterior, acompañado de un záparo, afamado remero, que le amaba entrañablemente y le seguía con frecuencia en sus paseos y excursiones. Iba a buscar, según dijo, algún esparcimiento en la caza por las orillas del Pastaza, y prometió volver a la caída del sol de ese mismo día.

Antes de los sucesos que le habían enfermado del ánimo y del corazón, hacía con frecuencia tales pacíficas correrías, y no causaba gran extrañeza el que se quedara a pasar una o más noches lejos del pueblo; mas después corría peligro de una asechanza de parte de los jíbaros paloras, y el no haber vuelto a la hora fijada inquietaba con justicia a su padre. Por otra parte, los peligros se habían aumentado entonces con ocasión de la tempestad y la crecida de los ríos.

Los recuerdos, tristes en extremo, el temor y la congoja ahuyentaron el sueño de los ojos del dominico, y por esto se adelantó a los fieles en ir a orar en el templo.

Encendiéronse muchas luces. Grupos de doncellas con el cabello destrenzado y mal ceñida la abierta túnica, y de niños casi desnudos en cuyos ojos brillaba la alegría de la inocencia, iban asomando sucesivamente, y depositaban en el altar manojos de lindas flores, cogidas la víspera y conservadas con el fresco de la noche. Un joven záparo cuidaba de ponerlos en orden en cañutos de *guadúa*, que hacían el oficio de floreros. El humo de la corteza de *chaquino* y de las lágrimas de *yuru*[81] llenó de suave perfume el ambiente, y al pausado toque de la campanilla se descorrió el velo de seda de un nicho, y apareció la hermosa imagen de la Virgen Santísima, a la cual saludaron todos con ternura y fervor, llamándola Madre de misericordia y esperanza del pecador arrepentido. El misionero en este momento se inclinó hasta el suelo y escondió la faz entre las manos; a una anciana viuda se le escaparon dos hilos de lágrimas; un guerrero exhaló de lo íntimo del corazón un suspiro; una joven que se hallaba en vísperas de casarse, bajó la vista y se apretó el pecho con ambas manos, como para impedir la violencia de las palpitaciones, y todos los niños dirigieron miradas candorosas a la santa imagen. ¿Qué pasaba en esas almas? Lo que pasa en todas las que aman a María, cuando a ella se dirigen: una dulce emoción, una inefable ternura, una confianza sin límites, un no sé qué propio sólo de la sencilla fe cristiana y de la esperanza en la Reina del cielo, que habla en divino lenguaje al espíritu del niño, de la joven, del guerrero, de la viuda, conforme lo han menester sus sentimientos y necesidades, sus recuerdos y aspiraciones.

---

[81] *Lágrimas de yuru:* Planta gramínea de caña elevada.

Enseguida el sacerdote y los fieles rezaron el rosario, alternando las oraciones entre éstos y aquél; y al son de dos flautas melodiosas como la armonía matinal del arroyo, el céfiro y las aves de la selva en cuyo seno se tañían, las doncellas y los niños cantaron el himno de la aurora, que les había enseñado el joven Orozco, y era por él compuesto:

¡Salve, Virgen María,
Reina del Santo amor!
¡Salve! ¡y que el nuevo día
Brille con tu favor!

Antes del alba el sueño
Se alzó de nuestra frente,
Y el labio reverente
Tu nombre pronunció;
Que al despertar es grato
Con voz filial llamarte,
Y a ruegos empeñarte
De todo el mundo en pro.

¡Salve, Virgen María,
Reina del santo amor!
¡Salve, y que el nuevo día
Brille con tu favor!

Tú eres, piadosa Madre,
Quien a esta selva triste
Al pobre infiel trajiste
La luz del Salvador.
Y cual en este instante
La sombra huye siniestra,
Así del alma nuestra
Huyó el funesto error.

¡Salve, Virgen María,
Reina del santo amor!
¡Salve! ¡Y que el nuevo día
Brille con tu favor!

244

¡Y aún almas en sombras
De muerte hállanse hundidas!..
¿Cuándo, cuándo traídas
Serán por ti a la luz?
¡María! su infortunio
Remedia al fin piadosa,
¡Y nueva grey dichosa
Cerque por ti la Cruz!

¡Salve, Virgen María,
Reina del santo amor!
¡Salve y que el nuevo día
Brille con tu favor!

El padre Domingo celebró luego la misa durante la cual siguieron las flautas que con sus melancólicas notas avivaron la devoción del auditorio; pero antes de comenzarla, el misionero dijo en voz conmovida, volviéndose a los fieles:

—Hijos míos, la larga ausencia de vuestro hermano Carlos me tiene sumamente inquieto: rogad todos a Dios por él y por mí.

Cerca de media hora duró el incruento y divino sacrificio, y las lágrimas del sacerdote corrieron más de una vez. Las arrancaban a una los dolorosos recuerdos del pasado y los vivos cuidados del presente.

La aurora había terminado y la mañana despedía sus primeros resplandores; pero se hallaban amortiguados a causa de lo opaco y triste del cielo. Grupos de nieblas, ora densas, ora ralas, vagaban perezosos y lentos sobre el río y cubrían la mayor parte de la selva.

El misionero, según su costumbre, se sentó antes del desayuno en un tronco derribado a la puerta del templo. Otros días aguardaba allí la salida del sol, y aunque dominado siempre de invencible melancolía, gozaba con harta frecuencia el consuelo de tener a Carlos a su lado, y cuando estaba ausente, no había, a lo menos, los motivos de inquietud que a la sazón le atormentaban. Sin embargo, habló con su habitual cariño con algunos de sus feligreses, oyó sus quejas, dio consejos oportunos, resolvió consultas, bendijo a los niños que se le postraron abrazándole las rodillas, consoló a una madre que acababa de perder a su único hijo en el esplendor de la edad, reprendió con bondad a un mozo que había disgustado a su padre, y todos se retiraban de él contentos y besándole la mano. Quiso después que dos záparos saliesen en busca de Carlos; pero uno de los designados había partido con dirección al Remolino de la Peña, suponiendo, con razón, que la tempestad de la víspera habría hecho crecer el Palora y otros ríos, y que sus aguas podían haber traído a aquel punto, como solía acontecer, cuadrúpedos, aves y peces muertos por los rayos y las avenidas.

De esto hablaba un viejo al padre Domingo, cuando divisaron por entre la niebla que el indio ausente volvía apresurado y atracaba su canoa. Curiosos e inquietos, juzgando que tal vez traía alguna noticia del joven Orozco, le salieron al encuentro; pero, bastante turbado, solamente les dijo a los que le interrogaron, que en el Remolino de la Peña nadaba una canoa con una mujer difunta dentro, y que venía a llevar un compañero para que le ayudase a traerla al pueblo.

No se perdió ni un instante, y en vez de dos, partieron muchos záparos llevados de la curiosidad de ver cosa tan extraña. En efecto, una ligera canoa da vueltas ya lentas, ya rápidas, y balancea rodeada de grupos de espuma, fragmentos de árboles y algunos animales muertos, que no pueden salir de los eternos círculos que forman las olas del Pastaza revueltas sobre sí mismas al chocar contra el peñasco. Un golpe de agua impele la navecilla, otro la rechaza, aquél la azota por un costado, esotro la detiene y hace girar en suave movimiento, hasta dar con ella en un caracol vertiginoso que parece va a tragarla. Dentro de la canoa yace exánime una bellísima joven, fría como un trozo de mármol y cubierta de espuma. Algunos indios que estuvieron en la fiesta del Chimano la reconocen al punto: ¡es Cumandá! Duélense de verla muerta, y muchos advierten que la canoa en que se halla es la de Carlos, creciendo con esto su sorpresa. ¿Cómo está en ella esa joven sin su amante? ¿por qué está muerta? ¿qué es del querido extranjero? Varios comentos y muy contradictorios se hacen; mas entretanto ásense de los cabos que penden de la canoa y flotan en el agua, en los cuales hallan señales de haber sido rotos con violencia, y la llevan a remolque hasta Andoas.

La noticia del suceso había cundido entre los moradores de la Reducción, y el puerto estaba lleno de curiosos. Rodeada de la multitud la linda joven exánime fue llevada a la presencia del misionero, cuyo pasmo al verla fue tal, que todos los concurrentes lo notaron y detuvieron en él sus miradas. El padre justifica para sí la pasión que Carlos ha concebido por esa belleza del desierto; se inclina hacia ella, le limpia el rostro de la espuma de que todavía está salpicado, le alza la cabeza tomándola suavemente con ambas manos, le mira con más fijeza, su asombro crece y se mezcla con una vivísima expresión de ternura, y algunas lágrimas surcan sus demacradas mejillas. Sin embargo, nadie es capaz de adivinar lo que pasa en ese acto en el corazón del buen sacerdote, y él se guarda muy bien de comunicarlo. Las cicatrices de antiguos y terribles padecimientos, avivados ya por razón de la nefasta fecha, se abrieron hasta brotar sangre; el soplo de una súbita fatalidad levantó del todo el empolvado velo que cubría ciertos recuerdos, y los vio el alma cual nunca desgarradores. Una palidez mortal se extiende sobre el religioso, que tiembla como un terciario. No obstante, toma el pulso a la joven, pálpale el corazón y:

—¡No está muerta! —exclama.

Ordena enseguida que la lleven a la casa de la misión, y, una vez en ella, emplea toda diligencia en hacerla recuperar los sentidos. Consíguelo poco a poco, y unas gotas de vino generoso que puede hacerla tragar, completan el buen éxito. Cumandá se incorpora y se sienta en el lecho en que la habían puesto. Sus miradas, extraviadas al principio, se serenan luego, aunque sin perder la vivacidad que le es propia. No se sorprende de verse rodeada de záparos: entre ellos hay fisonomías que ha conocido en el Chimano; pero cuando repara en el misionero que la ve con tamaños ojos llenos de sorpresa y de indecible dulzura al mismo tiempo, se estremece y se encoge sin saber por qué, como tímida paloma que quisiera ocultarse bajo sus propias alas. Sin embargo, recupera pronto su habitual desembarazo, y dice con inimitable lisura:

—¿Y el blanco?, ¿dónde está el hermano blanco?

—Hija mía —le pregunta el padre con amabilidad—, ¿por qué hermano averiguas? Si es por el extranjero...

—Sí, por él —le interrumpe la joven—; averiguo por el blanco extranjero que se llama Carlos.

—Carlos no está aquí. ¡Yo supuse, al verte, que tú podrías darme noticias de él!

—¡Qué! ¡si yo vengo buscándole! He caminado tres noches y dos días completamente sola y venciendo mil peligros, movida por el amor que tengo al hermano blanco, y para unirme por siempre a él. ¿No estoy en Andoas? ¿no eres tú el *curaca* bendito de los záparos?

—Sí, hija mía, en Andoas estás, y yo soy su misionero por la misericordia divina.

—Pues aquí he debido hallar al extranjero; ¿cómo no está contigo?

—Carlos está ausente en este acto; pero yo soy su padre, y te protegeré, si protección necesitas.

—¡Ah! jefe de los cristianos, eres sin duda bueno como tu hijo, pero nada me importa tu protección, si no veo al extranjero y no estoy junto a él: ¿no sabes que él es mi vida?

—Ya penetro muy bien quién eres, hija mía.

—¿Comprendes que soy Cumandá? Sí, soy Cumandá, la hija de Tongana, el viejo de la cabeza de nieve; mi madre es la hechicera Pona. Soy la amada de Carlos, tu hermoso y amable hijo, quien me ha ofrecido que tú nos echarías la bendición del matrimonio, conforme al uso de los cristianos. Pero dime, jefe bendito, ¿a dónde se fue el extranjero? ¿volverá pronto? Hazle decir que su Cumandá, escapada de la muerte, ha venido a buscarle; o bien, dime el lugar en que puede hallarse, y yo misma iré en pos de él.

—Hija, deseo saber, ante todo, ¿de dónde has venido? ¿dónde hallaste esa canoa de ceiba blanco en que se te ha encontrado como difunta?

—Oyeme, *curaca* de los cristianos: después que Carlos se separó de mí, como el árbol de la raíz cortada por el hacha, y volvimos del lago sagrado dejando nuestros muertos en la arena de la orilla, se me obligó a recibir del anciano Yahuarmaqui el cinto, el collar y los *huimbiacas*, prendas del matri-

248

monio; mas la misma noche que me encerraron por primera vez con el *curaca*, que llevaba días de estar enfermo, se retorció en el lecho hasta hacerlo crujir, y su alma se fue. Tuve miedo; llamé a mi madre que velaba a la puerta y le dije: «El jefe ha muerto.» «Hija del corazón», me contestó, «¡ponte en salvo! Vete a la tierra de Andoas, habitada por cristianos, donde el extranjero Carlos te defienda; porque aquí es indudable que mañana preparen tu muerte en el agua de flores olorosas, a fin de colocar tu cadáver junto al de tu esposo.» Escuché a mi madre, me escapé de la cabaña del muerto, y he caminado sola en tres noches y dos soles, el espacio que se camina en cuatro o cinco. Junto al arroyo de las palmas oí la voz de los que me perseguían; mas por casualidad encontré la canoa de ceiba blanco, salté a ella, rompí las amarras, y la violencia de las aguas que la arrebataron me asustó tanto, que caí como muerta. Después, los záparos cristianos me han traído probablemente, y estoy donde quise, pero mi alma se siente angustiada, porque no he hallado al hermano extranjero. ¿A dónde se habrá ido? Mira, *curaca* de los záparos, sin el blanco no me hallo bien aquí. ¡Ah! ¡de no vivir con él, mejor me estaría yacer cadáver junto al de Yahuarmaqui!

dramatic

—Carlos —contesta el misionero temblando—, partió hace tres días por el río arriba, y no ha vuelto; la canoa en que has venido es la del extranjero.

—¡Ay! ¿qué dices, *curaca*? —exclama Cumandá—; ¿esa canoa es la del blanco?

—Sin duda, hija mía, Carlos saltó a tierra para guarecerse de la tempestad; y tú, que no lo supiste, porque era imposible saberlo, tomaste su canoa, y le dejaste sin tener cómo tornar a la misión; ¡pobre hijo mío!...

—Sin duda... sí, *curaca*... eso es: ¡he causado un terrible mal a Carlos! ¡Desdichada de Cumandá!... Pero vuelvo en el acto a buscarle.

—No irás tú, hija...

—¡Oh!, déjame, déjame partir. Pronto volveré con él. En el bogar y el caminar soy ligera como el viento.

—¡No, no irás tú! No lo consentiré; no te expondrás a nuevos peligros, ¡pobrecita!; irán, y al punto, muchos remeros záparos, y quizás antes de dos días cabales estará Carlos con nosotros. ¡Ea, hijos míos! Cuatro, seis, diez al agua hasta el Palora; en sus orillas o en alguna de vuestras *chacras* hallaréis a vuestro hermano.

Fue muy difícil contener a la ardorosa joven, y sólo pudo conseguirlo la persuasiva dulzura del padre Domingo, quien, a medida que más la contemplaba, más conmovido se sentía y su corazón era llevado a ella por secreto y poderoso impulso. Preguntóla muchas cosas y descubrió muy poco: según la joven, la familia Tongana era la única reliquia que había podido salvarse de la tribu Cherapa, destruida en un desastre que padeció cosa de dieciocho años antes; pero cuanto decía a este respecto era confuso e incoherente, y daba a conocer que no había recibido noticias muy exactas de boca de sus padres, ni ella se había curado de indagarlas. Añadía que las orillas del Palora no eran su patria nativa; que su familia conservaba tal cual vislumbre de creencias cristianas, porque acaso (observaba para sí el religioso), según era colegible, los cherapas fueron catequizados por los jesuitas.

—Mi padre —concluyó la india—, el viejo de la cabeza de nieve, odia de muerte a los blancos, sin que nunca haya podido descubrir yo el motivo que para ello tenga, y este odio implacable nos ha causado grande mal al hermano extranjero y a mí.

El misionero reparó en la bolsita de piel de ardilla que llevaba la joven; mas no hizo alto en ello, porque era muy común que la llevasen también las mujeres de Andoas, con chaquiras[82], huesecillos y simientes de varias clases para labrar collares y otros adornos.

Entretanto, diez canoas habían partido en busca del joven Orozco, y el padre Domingo y Cumandá, con la vista en las ondas y el corazón desasosegado, aguardaban la vuelta del amado ausente. Pronto perdieron de vista las rústicas navecillas que se confundieron entre los vellones de las nieblas y el crespo oleaje de las aguas, que semejaba un conjunto prodigioso de culebras moviéndose a un tiempo en una misma dirección.

---

[82] *Chaquira:* Cuentecilla de vidrio.

250

Pasadas algunas horas y cuando el sol se avecinaba al ocaso, columbraron las mismas canoas que tornaban con inaudita rapidez, y parecían, entre las oleadas de la neblina que de nuevo se levantaba entre el bosque y cobijaba el río, aves acuáticas que espantadas por el águila venían rompiendo el aire, que no las ondas, a buscar amparo en el puerto. No tardaron en mostrarse más claramente: la velocidad provenía, además de la corriente de las aguas, del impulso de los remos manejados con desesperada actividad. Algunos de los circunstantes presumían que los indios volvían contentos de haber hallado a Carlos, y que habían apostado a cuál, en alegre regata, llegaría primero al puerto con la noticia; mas el juego era demasiado peligroso, a causa de lo crecido de las aguas y de la inaudita velocidad que se daba a las frágiles navecillas. Otros más reflexivos sospechaban que había sucedido algo extraordinario. El padre Domingo temblaba; Cumandá se estremecía y el hielo de un secreto terror se derramaba en su corazón y circulaba en su sangre.

Al primero que arribó a la playa le preguntaron unas cuantas voces:

—¿Y Carlos? ¿y el blanco? ¿dónde está el hermano blanco?

El misionero no se atrevía a dirigir pregunta ninguna, y sólo buscaba en las canoas, con miradas llenas de zozobra y pena, a su querido Carlos. Cumandá tampoco hablaba: tenía los labios secos y pálidos y los ojos nadando en lágrimas y preguntaba por su amante más con el alma asomada a todas sus facciones que con la lengua que no acertaba a mover: la incertidumbre y la congoja se le habían embargado.

—¿Y el blanco? ¿Dónde está el blanco? —repetían las voces.

—El blanco no parece.

—¡No parece!

—No: pero la ribera, sobre el Remolino de la Peña, está llena de gente que tiene trazas de ser de la tribu Patora, y hay también algunas canoas en el mismo punto. No hemos creído prudente acercarnos, y como pudimos divisar una embarcación que se desprendía de entre las demás con dirección acá, nos apresuramos en venir a dar la noticia para prepararnos, por si esos jíbaros vengan con malos intentos.

—¡Carlos no parece! —repitieron también al cabo el padre Domingo y Cumandá con indecible expresión de angustia—; sin duda está entre los bárbaros que le habrán tomado indefenso. Y yo —añadió la joven—, yo tengo la culpa, pues le quité la canoa en que pudo salvarse; ¡ay!, ¡le he puesto en manos de esa gente cruel!

Y se echó a llorar con tal sentimiento y ternura, que conmovió a cuantos la oían.

—Ahí viene el jíbaro —dijo de repente una voz, y todas las miradas se volvieron a un punto negro que se movía entre el velo de neblina y señalaba el brazo tendido del záparo que primero lo divisó. El punto fue creciendo gradualmente; su balanceado movimiento es más notable, y al cabo se convierte en una canoa. En ella vienen dos indios, uno de ellos con *tendema* color de oro, y un penacho, amarillo también, flota en la punta de su larga lanza hincada en la proa.

Cumandá se retira de orden del misionero, quien da a toda su persona el aire grave y respetable que conviene.

Algún tiempo hacía que la Reducción no contaba con autoridad civil ninguna, y el padre Domingo, hasta que se llenase esta falta, era todo para los andoanos. Así, pues, tocábale recibir el mensaje de los jíbaros del Palora, si mensaje, como juzgaba por las insignias, traía el bárbaro.

Saltó en tierra el peregrino diplomático del desierto, y se le acercó al padre con el salvaje desenfado de su raza. La muchedumbre le contemplaba en silencio y con viva curiosidad; pero en ningún semblante había muestra, ni aun leve, de indigno encogimiento.

—Amigo y hermano —dijo el recién venido al sacerdote—, la tribu Palora, tu aliada, te envía paz y salud, y buenos deseos. Ha perdido a su jefe, el valiente anciano de las manos sangrientas. Las mujeres, los mozos y hasta los guerreros le lloran; pero la última de sus esposas, llamada Cumandá, hija de Tongana, blanca como la médula del corozo[83] y bella como el sueño del guerrero después de su primera victoria, ha cometido la acción indigna de fugarse, siendo deber suyo,

---

[83] *Corozo:* Árbol de la familia de las palmas, de cuyo fruto se saca una sustancia grasa.

como la más querida del difunto *curaca*, acompañarle con su cuerpo en la morada de tierra, donde dormirá por siempre, y con su alma en la mansión de las almas. Hemos seguido las huellas, unos por tierra, otros por agua y por distintos puntos. Las señales que ha dejado aquí y allí por la selva, a lo largo de las márgenes del Palora, y, sobre todo el amor que tiene a un extranjero que vive en este pueblo, nos dicen que ella está aquí. En nombre de Sinchirigra, hijo y sucesor de Yahuarmaqui, vengo, pues, a pedirte que nos la devuelvas para obligarla a cumplir su deber.

Si el suelo sacudido en ese instante se hubiera roto en cien partes hasta lo más profundo, y hubiesen caído los montes y despedazádose las selvas, no se hubiera impresionado de espanto tal el religioso, cual se impresionó de oír al indio palora. No pudo contestar prontamente; perdió toda su serena gravedad; su frente reveló la agitación del ánimo y la indecisión de la voluntad. El mensajero lo penetró muy bien y añadió al punto:

—Ya lo ves, *curaca* de los cristianos: he venido de paz, porque mi tribu no ha olvidado el pacto de amistad que celebró con la tuya. La palabra que empeñó el jefe de las manos sangrientas es nuestra y es sagrada, y si no nos dais motivo los záparos de Andoas, jamás quemaremos las prendas de la alianza, ni echaremos al río el licor de la fraternidad que debemos beber en nuestras fiestas comunes. Dime, pues, ¿se halla en tu pueblo la mujer que buscamos, o a lo menos sabes de su paradero? De la respuesta que des depende la continuación o el rompimiento de nuestra alianza.

¡Terrible interrogación! ¡terrible conflicto! El padre Domingo no sabe mentir; pero ahora con la verdad sacrificaría a Cumandá, por quien sentía tan extraordinario afecto; o por no sacrificarla expondría su pueblo al bárbaro furor de los jíbaros del Palora. Al cabo, no le queda otro medio que eludir la respuesta, y en tono bondadoso dice al mensajero:

—Hermano querido, el del tendema de paz y la lengua de amistad, que has venido a nombre del valiente Sinchirigra y de su noble tribu, sabe que la muerte del gran *curaca* es motivo de dolor para todos los amigos de los paloras, y que nosotros la sentimos hondamente; pero nuestra alianza continuará inalterable con su nuevo jefe y con toda la tribu. Llévale estos propósitos junto con nuestro sentimiento y nuestras lágrimas.

—Hermano y amigo, el jefe blanco de los cristianos, todo eso que dices es muy propio de los buenos aliados, y te agradezco en nombre de mi tribu; tus palabras son más gratas que el murmurio del arroyo hallado de improviso por el sediento caminante del desierto. Pero no has dado contestación a mis preguntas.

—Hermano, el mensajero, es lástima que una tribu tan valiente y noble como la de los paloras, tenga costumbres crueles; debería honrar la memoria de sus jefes de otra manera, que no sacrificando a sus mujeres más hermosas y queridas. ¡Oh bravo palora! sin duda esto se hace entre los tuyos por sugestión del *mungía*, y así se desagrada al buen Dios y a los genios benéficos, en quienes vosotros creéis. Si gustáis, yo os enseñaré otro modo excelente de honrar a los muertos.

—No he venido para aprender nada de ti —replicó el jíbaro con rudeza—, sino para exigir de tu tribu la devolución de la mujer que debe morir según el uso de nuestros abuelos. ¿Está aquí? ¿nos la entregaréis?

—Mensajero, el del tendema de paz, escúchame: cuando se exige una acción injusta...

—Yo, por ventura, ¿exijo algo injusto? Sólo pido que entreguéis a los paloras lo que les pertenece. Los injustos sois vosotros, y si os obstináis...

—La vida de la viuda de Yahuarmaqui no es cosa de que habéis de disponer los paloras.

—Hermano, el *curaca* blanco, entra en razón, y mira que si no consientes que dispongamos de esa mujer...

—¿Qué, si tal no consiento?

—Perecerá el joven blanco, a quien hemos prendido anoche allá en la orilla del Palora.

—¡Mi hijo! —exclamó aterrado el padre.

—Será tu hijo; pero no hay duda que es el extranjero que vive aquí con tus andoas.

El compañero del jíbaro que había saltado también a tierra, y que es el záparo que partió con Carlos, acaba de presentarse y dice:

254

—Sí, padre Domingo, él es; nos robaron nuestra canoa, la buscábamos en la margen del Palora, y repentinamente asomaron Sinchirigra y los suyos y nos tomaron. El hermano blanco queda amarrado a un árbol, y yo he venido con este hermano del tendema amarillo para afirmar cuanto te diga. El extranjero corre peligro. Con Sinchirigra viene una anciana hechicera, y ella tal vez ha descubierto que Cumandá está en Andoas.

Las palabras del záparo causan más viva impresión, y el religioso, como fuera de sí, repite:

—¡Mi hijo!, ¡mi hijo en poder de los jíbaros! ¡mi hijo amarrado! ¡Mis temores se confirman!... ¡Dios mío!... ¡Dios mío!... Hermano palora, vete y di a los de tu tribu que fijen el precio del rescate de Carlos: les daré cuanto me pidan.

—No te pedirán otra cosa que a Cumandá.

—¡Oh, no, por Dios! ¡ofréceles antes mi vida! Mira, hermano, llévame, vamos: hablaré con tu jefe; con él arreglaré lo que convenga y quedará satisfecho; le daré bellas armas, vestidos magníficos, abundantes herramientas; me constituiré su esclavo, y, por último, me resignaré a que se me asaetee; correrá mi sangre sobre el sepulcro de Yahuarmaqui; sobre él suspenderéis mi cabeza y mis huesos; ¡pero Carlos!... ¡pero Cumandá!... ¡Pobre hijo mío! ¡pobre tierna joven! ¡Ah, no, no consentiré que ninguno de ellos muera!...

El indio contesta las desesperadas frases del padre Domingo con sonrisa asaz irónica, diciendo:

—¡*Curaca* de los cristianos! hablas cosas inadmisibles: ni tu cadáver puede sustituir al de Cumandá, pues que nunca fuiste mujer de nuestro jefe, ni Cumandá tiene precio, ni el extranjero blanco podrá salvarse, sino en cambio de ella. Además, sabe que si te obstinas en negarme lo que solicito, como la muerte del joven no alcanzará a vengar el ultraje que nos haces con tu sinrazón, yo volveré a los míos con tendema y penacho negros, y Andoas desaparecerá bajo las flechas y lanzas de los jíbaros del Palora. ¿Por qué quieres que nos enojemos, después que hemos sido hermanos y amigos, y estamos dispuestos a continuar siéndolo siempre? ¿por qué te empeñas en que haya guerra entre nosotros? ¿no te dolerá que caigan las cabezas de tus záparos y corra su sangre hasta mezclarse con las aguas del Pastaza?

—Hermano jíbaro —contesta el misionero, haciendo esfuerzos para dominarse y manifestar serenidad—, yo no quiero el enojo de los paloras ni guerrear con ellos; sólo les pido en nombre del buen Dios y de la razón, hija de ese Dios, que no cometan un acto bárbaro y atroz. Él blanco y la joven, a quienes amenazáis de muerte, son amados del cielo y hermanos vuestros; si regáis su sangre, Él os pedirá cuenta de ella, vendrá sobre vosotros su justicia y el castigo que recibiréis será terrible: seréis sorprendidos por vuestros enemigos y desapareceréis de la tierra como esa espuma que pasa sobre las ondas, como esa niebla que va arrollando el viento. Esto que te digo, ¡oh mensajero! acontecerá irremisiblemente. Vete y di a los tuyos cuanto acabas de oír al sacerdote del buen Dios.

—Jefe blanco —responde el jíbaro con salvaje gravedad que raya en amago—, pierdes tiempo en querer intimidar a los paloras, y yo lo pierdo también con escuchar tus vanas amenazas; pero vamos a terminar: voy a dejarte dos prendas, una de paz y otra de guerra, para que elijas la que te plazca. Para decidirte tienes de plazo la mitad de la noche. El sol, según se ve a pesar de la niebla, va a esconderse ya tras las cumbres del Upano, y después que la noche haya mediado esperaré tu resolución en mi canoa. Paz con Cumandá; sin ella, guerra a muerte.

Y el soberbio palora clava en tierra dos picas de chonta, y suspendiendo de ellas un tendema negro y otro amarillo, se retira a su barca sin añadir palabra ni esperar la respuesta del religioso.

Cabizbajo, silencioso, angustiado, el padre se deja caer en su banco de madera y se cubre el rostro con ambas manos. Los salvajes han ido retirándose; todos cavilosos y disgustados, buscan alguna solución al inesperado incidente: quién se inclina a la guerra, quién al sacrificio de Cumandá, pero los más fluctúan en la misma dolorosa irresolución del misionero.

Éste convoca al fin a los záparos más notables, y entra en deliberación con ellos. Una hoguera alumbra la sencilla asamblea a las puertas del templo. Algunas mujeres forman grupos tras la hilera de los hombres. Los viejos hablan con

256

moderación y prudencia; los jóvenes, llevados del ardor del ánimo, se expresan en conceptos belicosos, y la ira hace temblar en sus manos la pica y el arco. El compañero de Carlos, indio adusto y recién convertido, vuelve a presentarse, da un paso adelante, hinca su lanza en tierra, cruza los brazos sobre el pecho, se inclina, y en tono respetuoso dice al misionero:

—Padre y hermano, atiéndeme: habla mi corazón, no mi lengua, y mis palabras son de justicia; si no lo son, ordena que me aten de pies y manos y me echen al río. Los paloras están en lo justo cuando piden la devolución de aquella joven; devolvámosla. La costumbre es ley sagrada para los jíbaros, y quieren cumplirla; que la cumplan. ¿Con qué derecho lo impediremos? ¿somos acaso dueños de sus costumbres y leyes?...

—¡Oh hijo! —le interrumpe el fraile con vehemencia—, ¡lo impediremos con el derecho de la humanidad, con el derecho de racionales, con el derecho de cristianos! Somos dueños de impedir la injusticia y la iniquidad. ¿Tendremos valor de entregar esa infeliz joven a la muerte?, ¿no clamaría su sangre contra nosotros? Y yo... ¡ah! ¡si supieras lo que siento al verla! ¡si supieras que en ella me parece contemplar algo que en otro tiempo me pertenecía, que formaba mis delicias y mi vida, y que lo perdí para siempre!... ¡Ah! ¡Si penetraras en mi pecho y leyeras en mi corazón ciertos recuerdos!...

—Padre —replica el indio—, ¿te es menos doloroso sacrificar a tu hijo Carlos y consentir en que corra la sangre de tus cristianos de Andoas? Comprendo que ames mucho a Cumandá, a quien, sin embargo, acabas de conocer, pero no comprendo que ames tan poco a tu Carlos y a tus andoanos, que son también hijos tuyos, hasta consentir en su exterminio. Yo amo al extranjero, y al verlo atado como un prisionero que va a ser atravesado por las flechas, he sentido que mi corazón temblaba y gemía. ¿Amas menos que yo a tu hijo?... ¡Oh! ¡jefe de nuestras almas y nuestras vidas! ¡piensa en lo que vas a hacer! ¡piensa, piénsalo mucho!

El záparo se inclina de nuevo, toma su lanza y vuelve a confundirse entre la multitud; sus palabras labran como antes hondamente en el ánimo de los demás, y se levanta sordo murmullo de voces ininteligibles de aprobación, de desa-

257

probación, de duda, de temor. El padre Domingo se pone en pie y comienza a dar idas y venidas con desasosiego. El sudor le empapa la frente; un tropel de ideas voltea en su cabeza, y las punzadas de mil dolores le atormentan el corazón. Fluctúa entre dos abismos, y es preciso resolverse a hundirse en uno de ellos. ¡Oh!, si pudiese cercarlos o salvarlos a costa de su vida! Pero a veces para nada vale este holocausto: las hondas simas no desaparecen ni aunque se eche en ellas lo más precioso de la tierra: los Curcios[84] perecen y los abismos quedan. Vuelve a sentarse el desdichado religioso, y los záparos aguardan en vano la última resolución, para entregar la víctima o apercibirse a la guerra.

Cumandá, mientras se trataba con el mensajero y deliberaba la asamblea, había permanecido oculta en una cabaña inmediata; pero una mujer le impuso menudamente de todo lo acaecido; y entonces, arrebatada de dolor la desdichada joven, se escapa de los brazos de los que la acompañan y quieren contenerla, y, desgreñada, cadavérica, aunque siempre bella en medio de su desolación, se presenta al misionero y, postrándosele y abrazándole las rodillas le dice:

—¡Oh buen *curaca* de los cristianos! ¡anciano querido del buen Dios! no vaciles: entrégame a los jíbaros del Palora, salva a Carlos y libra de la guerra a tu pueblo. Si quise huir de la muerte y me vine hasta aquí, sólo fue por amor al hermano blanco, ¿y he de consentir que se le sacrifique porque yo viva? ¡No! ¡jamás, jamás!

Álzase enseguida, yergue la despejada frente, los ojos le brillan encendidos por un heroico pensamiento, y con noble arrogancia añade:

—Záparos de Andoas, no temáis por vosotros ni por el extranjero, que yo os salvaré. ¿Dónde está el jíbaro del tendema de paz? Llevadme al punto a él. Devoren mis entrañas los gusanos de la tierra triste; vaya mi alma a vivir junto a la del viejo guerrero, y canten con mi madre las mujeres del Palora, la canción de mi último sueño. ¿Dónde está el jíbaro mensajero? ¡Cumpla su encargo en paz y armonía con vosotros!

---

[84] *Curcios:* Conocida familia romana, uno de cuyos miembros se sacrificó para salvar la ciudad de Roma.

¡Vamos, záparos cristianos! entregadme al que ha venido a prenderme. La muerte, como el águila de la montaña, ha señalado su presa, y no se le escapará: yo soy esa presa. ¡Vamos, oh hijos del desierto! no tenéis por qué exponeros a morir por mí, pobre tórtola destinada al festín de un *curaca* difunto. ¡Vamos! llevadme a los paloras y traed sano y salvo al querido hermano blanco, y ponedle en brazos del buen sacerdote, su padre. ¿Qué mayor contento, qué mayor gloria para mí, que sacrificar mi vida por la de mi adorado extranjero?

El silencio, hijo de las hondas impresiones, rodeaba a Cumandá: los guerreros inclinaban la cabeza, casi avergonzados de ver que una tierna joven se resolvía a sacrificarse por no exponerlos a una guerra; las mujeres vertían mudas lágrimas; el misionero estaba petrificado, y la amante de Carlos, se abría paso por entre los concurrentes con dirección al puerto, repitiendo:

—¡Pues no me lleváis vosotros, iré sola a buscar al jíbaro del Palora!

El padre Domingo se rehace al fin, corre a ella, la abraza y exclama:

—¡Hija! ¡hija mía! ¡detente! ¡aguarda! ¡No irás, no irás a morir!

—¿Y qué! —responde Cumandá con entereza—, ¿morirá el extranjero, tu hijo?

El fraile, por un impulso maquinal, la impele de sí, cual si hubiese sentido en el pecho la mordedura de una víbora, y dice:

—¡No morirá! Pero ¿y tú? —añade en el acto—; ¿y tú, hija mía? ¡Ay, Dios mío, Dios mío! ¿por qué torturas así mi corazón?

—Jefe cristiano —agrega ella—, no te dé pena mi suerte y déjame cumplir mi deber: sí, morir es ya para la hija de Tongana un sagrado deber; y ha de cumplirlo sin vacilar.

Torna el misionero a tender los brazos a la joven; pero se contiene, y ordena sólo a los záparos que no la dejen partir y que velen junto a ella. Penetra en el templo, cae de rodillas ante el ara sagrada, se inclina y pega la frente al suelo y exclama:

—¡Señor! ¡Señor! he aquí a tu siervo anonadado al golpe de tu brazo; pero ¿hasta cuándo?... ¡Ay! mis entrañas están

259

despedazadas por el dolor. ¡Me has arrojado al abismo de la tribulación, y me niegas un rayo de tu luz para salvarme de él! ¡Piedad, Dios mío! ¡Quede ya satisfecha tu justicia y brille para este infeliz tu misericordia! ¡Gracia, Padre mío, gracia y salvación para Carlos y Cumandá, cuya inocencia está patente a tus ojos!...

Mas el Señor, que ha querido someter a su ministro a una terrible prueba, sin duda para purificarle del todo en el mundo, y recompensarle después infinitamente en su seno, parece decirle en misteriosa voz que resuena en el fondo del alma:

—Exijo el sacrificio, no escucho el ruego; quiero tu santificación por el dolor, no tu consuelo en la tierra. Todavía no has satisfecho toda tu deuda: tus antiguos delitos claman todavía al pie de mi trono y piden completa reparación: ¡pena y sufre!

Horas y horas se pasaron en la indecisión y el desasosiego. Nadie podía acordar cosa alguna; pero el partido de los que optaban el sacrificio de Cumandá para salvar a Carlos y a toda la Reducción del furor de los jíbaros, había crecido, aunque no se hallaba quien se atreviese a sostener nuevamente tan duro y cruel parecer en presencia del padre Domingo.

En tanto la tempestad, como es común en las regiones orientales, se repetía con el mismo horrendo y sublime aparato de la víspera, y sus sombras confundidas con la de la noche, envolvían en tinieblas el cielo, las selvas, el río y las casas de la Reducción. El rayo rasgaba de rato en rato con medrosa luz el velo tenebroso que cubría la naturaleza, y el trueno ronco y retumbante dilataba sus ecos por la inmensidad del desierto. Allí, sí, puede la poesía decir que ésa es la voz de Dios.

Todos los habitantes de Andoas se habían guarecido en sus cabañas. El padre Domingo, para aplacar la tempestad de su corazón, más desoladora que la de la naturaleza, estaba resuelto a continuar en oración encerrado en el templo, y Cumandá, acompañada de una familia zápara, en la cual se distinguían cuatro individuos especialmente encargados de custodiarla y que, cabizbajos y taciturnos, no hablaban palabra, revolvía sin cesar el heroico pensamiento de prestarse a ser la única víctima que inmolaran los bárbaros salvajes del Palora. La imaginación le representaba a su amante rodeado de jíbaros que le amenazaban y ultrajaban, y aguardando a cada instante ser atravesado de flechas o hendido el cráneo por la dentada maza; le veía caer y revolcarse en un lago de sangre; oía sus ayes postrimeros, y que con voz agonizante la acusaba de infiel, de ingrata, de infame, pues por salvarse ella le ha quitado su canoa, entregándole de esta manera en manos de los jíbaros que le inmolaban. Gemía la desventurada, temblaba, se torcía a veces con la fuerza de la tortura del alma.

—Záparos cristianos —dijo al fin en tono suplicante a los que la custodiaban—, sé que todos vosotros sois buenos y piadosos, y os ruego me dejéis ir a presentarme al mensajero de los paloras, para que me lleve y entregue a su tribu, y se salve a costa de mi vida, que nada os interesa, el hermano blanco a quien tanto queréis. No tengáis lástima de mí, pues no la merezco; tenedla de Carlos, de su infeliz padre y de vuestras familias: no ignoráis las atrocidades que los jíbaros cometen en la guerra; y si atacasen a Andoas... ¡Oh, pensad en lo que harían!... ¡Cristianos del desierto! ¡por el Buen Dios, dejadme ir! ¿Qué importa que desaparezca esta pobre mujercilla inútil, a trueque de evitar una calamidad a todo un pueblo? ¡Ah, dejadme, dejadme partir!...

—El curaca blanco dispondrá lo que convenga —contestó uno de los indios con sequedad.

Siguió rogando con instancia Cumandá; pero la contestación de sus guardianes era sólo un silencio desesperante. A la postre calló también la joven, y volvió a atender a la voz de su desolado corazón, y a contemplar las funestas imágenes de su excitada imaginación.

Avanzada estaba la noche; la tempestad iba cesando, pero todavía las nubes ennegrecían los cielos y arrojaban abundante lluvia; la tierra y el río eran apenas visibles para los ojos de los salvajes. Las mujeres de los custodios de Cumandá, dormían en un ángulo del aposento con sueño tranquilo y profundo; ninguna era madre; ninguna conocía la dulce inquietud que infunde en el corazón el cuidado del hijo tierno y ahuyenta el sueño o le hace ligerísimo. La hija de Pona no las envidiaba.

Unos dos golpes y una voz baja que sonaron en la puerta de la cabaña pusieron en pie a los cuatro záparos, que tomaron sus lanzas y salieron al punto afuera, entrando luego en sigilosa conversación con el que los había llamado. Sin embargo del ruido del aguacero y de lo bajo de las voces, alcanzó Cumandá a percibir algunas palabras, y comprendió que hablaban de ella.

—Conviene fingirse dormidos... buen plan... ida la joven... ¿Qué tenemos que temer?...

Esas palabras y frases truncadas parecían del recién llegado. No fue posible escuchar más; pero ellas decían bastante a la penetración de Cumandá.

Los záparos volvieron a sus puestos, arrimaron las armas al tabique de *guadúa*, y a poco dormían, al parecer, hondísimo sueño. La puerta se abrió de nuevo, y entró el indio que algunas horas antes habló en favor de Carlos, y pidió que fuese entregada a los paloras la tierna víctima que, por medio del jíbaro mensajero, reclamaban con amenazas de muerte. Záparo atlético, de áspera y luenga cabellera, de mirada fría y penetrante, cubierta la bronceada piel de mil figuras azules y rojas, y en la diestra una enorme lanza, se presentó a la amante de Carlos, como el fantasma de su inexorable destino. La contempló un instante en silencio, y al cabo la dijo en hueca voz:

—Vengo por ti.

—¿Qué me quieres, hermano? —pregunta Cumandá aterrada.

—Quiero llevarte de aquí.

—¡Llevarme!

—¿No te has prestado voluntariamente a ser entregada a los paloras?

—¡Ah!... ¡tengo... tengo miedo!...

—¿Miedo tú? ¡Cosa extraña! No te creo.

—¡Dejadme, por piedad!

Y la desdichada se encogía y pegaba al tabique, temblando como una tortolilla amenazada por el gavilán.

—¿Se ha cambiado tan presto —dice el záparo—, tu cora-

♡gold → clay

~~zón de oro en corazón de barro?~~ ¿has olvidado tu deber de salvar al joven blanco, expuesto a morir por causa tuya?

Todo el vigor del alma y del corazón acudió de súbito a la joven al oír estas palabras; púsose de pies ligera y gallarda como un arbolillo que han doblado por fuerza, rota de súbito la cuerda que le sujetaba; brilló en su faz cierto salvaje heroísmo, cierta luz de grandeza sublime, vivo reflejo de su espíritu, que por un momento se dejó abatir de la flaqueza de la carne; fijó en el záparo una mirada imperiosa y llena al mismo tiempo de melancolía y ternura, y le dijo:

—¡Guíame y vamos!

El indio la tomó de la mano y la llevó por entre las tinieblas. Pronto estuvieron en la orilla. El río mugía sordamente al choque del aguacero y al incesante soplo del viento, y ondulaba en majestuoso compás subiendo y bajando, sus arqueadas olas por el suave declivio de la playa.

El jíbaro, que dormía tranquilo bajo la ramada de su canoa, azotada por las ondas, se recordó a la voz del záparo que le llamaba.

—Hermano —dijo éste enseguida—, ya no hay motivo para que te vuelvas a los tuyos ceñido del tendema negro, ni para que el valiente Sinchirigra haga retumbar las selvas con el toque de guerra del *tunduli* contra sus aliados los cristianos de Andoas: Cumandá, la hija valerosa del viejo Tongana, quiere que la lleves contigo; va a cumplir su deber, y a evitar la muerte del joven extranjero, y un combate inútil a par de sangriento; hela aquí.

Cumandá, sin vacilar, salta a la canoa y dice al jíbaro:

—Desatraca y boga. Cuando te falten las fuerzas, avísame para que yo te ayude.

—¡Hija de Tongana y Pona! —exclama el ~~indio—, eres admirable por tu prudencia y tu valor.~~ Bogaré solo: a un jíbaro no le faltan fuerzas sino cuando está muerto. ¡Vamos! el alma del noble Yahuarmaqui debe estar en este momento llena de complacencia.

El viento soplaba de Sudeste; puso el indio una vela de *llauchama* a su ligera nave, la cual comenzó a subir el río rompiendo la corriente, envuelta en tinieblas y espuma, y rodeada de mil peligros.

Última entrevista en la tierra

El malísimo estado de la salud de Yahuarmaqui, no era un misterio para su tribu, y su suerte, aunque muy sentida, a nadie sorprendió.

Reunidos en el acto en torno del cadáver los más distinguidos guerreros, eligieron por sucesor en el cargo de *curaca* a Sinchirigra; si bien lo había designado ya la voluntad de su padre, que podía más que los votos de sus hermanos de armas. La ceremonia, poco más o menos, fue la misma que se había empleado en la elección del jefe de la fiesta de las canoas.

Pero en el acto también, dejando al cuidado de algunas mujeres la operación de momificar el difunto, varias partidas de indios salieron en diversas direcciones en persecución de Cumandá, destinada a morir para acompañar a su noble esposo. Habíanlo por seguro el hallarla, y así otras mujeres se encargaron de preparar el agua aromática para el sacrificio.

La partida más numerosa, guiada por el nuevo jefe, tomó el camino de Andoas, mitad por tierra, y mitad por agua, llevándose consigo a Tongana, enfermo y débil, y a Pona; a ésta, además de considerarla cómplice en la fuga, como a su esposo, con el interés de obligarla a emplear sus hechicerías en el descubrimiento de la ruta que siguiera la prófuga.

La destreza de los salvajes para buscar y hallar el rastro, así del hombre como de la bestia, en el laberinto de las selvas, es imponderable, y la cree sólo quien con ellos ha vivido y la ha observado. Las huellas de Cumandá, a pesar de todas sus precauciones y de haber sido borradas por la tempestad, fueron descubiertas y seguidas por los paloras que las buscaron por las orillas del río abajo.

Los hemos visto ya sobre la Peña del Remolino.

Habíase cumplido el plazo fatal que el mensajero señaló al padre Domingo: era poco más de media noche. Esperábase la vuelta del jíbaro por los suyos, con aquella inquietud mezclada de enojo y deseo de sangre, característica de los salvajes. El color del tendema con que volvería, sería la sentencia de salvación o muerte para Carlos, apresado por ellos junto al arroyo de las palmeras, y sería, además, la señal de paz o de guerra con los záparos cristianos. Sorprendióles mucho, por lo mismo, el prendimiento de Cumandá más pronto de lo que habían imaginado.

Un grito semejante al aullido de una fiera salido de entre las tinieblas que cobijaban el río, anunció la llegada del mensajero con la apetecible presa, y veinte bárbaros salieron a su encuentro con hachas de viento y grande algazara.

Cumandá se les presentó con sereno y noble continente, que contrastaba con las marcas de dolor estampadas en su altiva frente. Reconvínola Sinchirigra, afeándole su proceder, pues había rehusado cumplir una obligación sagrada, había rechazado la honra de ser reputada como la más querida de las esposas del famoso Yahuarmaqui, y, por último, había sembrado las semillas del mal ejemplo entre las mujeres de la tribu palora, enseñándolas a ser infieles y cobardes. Ella no desplegó los labios, que, después de la reconvención, sólo se animaron con un breve gesto de menosprecio; pero mientras de la orilla subía a las ramadas, llevada en procesión, buscaba con los ojos al idolatrado extranjero, por quien convenía gustosa en sacrificarse. En esos momentos no tenía otro deseo que verle por última vez, y dirigirle los postreros juramentos de su amor que se elevaba a mayor vehemencia a medida que se aproximaba a la muerte. ¿Veis cómo se ensancha el disco del sol en las vecindades del ocaso? Es la imagen de algunas grandes pasiones del corazón humano.

Ordenóse inmediatamente la partida de la salvaje tropa, no obstante que la lluvia continuaba sin probabilidades de escampar, antes bien, con las de arreciar más y más, a medida que transcurrían las horas. Todos se pusieron en movimiento; quién se calzaba las sandalias de piel de danta, quién se terciaba a la espalda la *halapa*[85] de delgada pita llena de provisiones de viaje, quién se cubría la cabeza con unas anchas hojas de figura de sombrero chinesco, muy comunes en esas selvas; y los remeros desatracaban sus canoas, y entre cantos desacordes y gritos destemplados comenzaban la difícil maniobra de dirigirlas rompiendo la corriente, sin más que la fuerza de sus brazos y del viento que les era favorable.

El bronco son del caracol dio la señal de emprender todos la marcha; pero Cumandá dijo a Sinchirigra:

—Jefe de los paloras, no se moverán de este suelo los pies de la viuda de Yahuarmaqui, hasta que la oigas y la concedas lo que va a pedirte.

—La hija de Tongana y esposa del noble *curaca* difunto —contestó el heredero de Yahuarmaqui—, tiene libre la lengua, antes de ir a acompañarle en el mundo de las almas, para pedir que se le concedan tres cosas; ésta es costumbre de los paloras y será respetada.

—Yo —replica la joven—, reduzco todas tres cosas a una, y no volveré a mover la lengua.

—En nombre de los genios de la montaña —repone el jefe—, la viuda del *curaca* de las manos sangrientas será complacida.

—Ellos te sean propicios, noble jefe, por el bien que me haces. Quiero, pues, que se me lleve a la presencia del joven blanco, y se me deje hablar con él.

Sinchirigra hizo un gesto de disgusto; pero su palabra estaba empeñada y hubo de cumplirla. Cuatro jíbaros guiaron a Cumandá por entre un laberinto de árboles, alumbrando el camino con hachas de esparto aceitoso que resisten a la lluvia.

Carlos había sido atado de espaldas a un tronco, y aunque oía las voces, no sabía que Cumandá estaba ya en poder de los bárbaros. Juzgue quien sea capaz de ello lo que pasó en el alma de los dos amantes cuando se vieron en este cruelísimo

---

[85] *Halapa:* Especie de red cerrada en forma de bolsa.

trance. Un ¡ay! simultáneo se cruzó entre ellos, expresión de aquel dolor que sentiría sin duda la víctima cuando el terrible druida[86] le torcía el corazón para arrancársele palpitante: expresión de dolor única, inimitable y hasta inimaginable.

Cumandá se arrojó a Carlos y se le colgó del cuello, derramando arroyos de lágrimas. Quiso desatarle, pero se lo impidieron los indios. Volvió a enlazarle en sus brazos y le besó la frente con una especie de delirio, acercando luego la suya, para que él también la besase. Carlos lloraba asimismo, y las lenguas de entrambos apenas acertaban a moverse para decir entre sollozos: «¡Amado blanco mío! ¡Carlos mío!», «¡Cumandá! ¡Cumandá de mi alma!»

Ella, al cabo, enderezándose y poniendo las manos en los hombros de su amante, le ve con indescriptible ternura, y en voz dulcísima y trémula le habla de esta manera:

—¡Oh, blanco! ¡Oh hermano mío! te llevaste mi corazón y me diste el tuyo; nuestra sangre se ha llamado mutuamente para mezclarse; nuestras almas se han buscado para unirse, pero la desgracia ha venido como la tempestad para romperlas y alejarlas, y no hemos sido bastante fuertes para resistir a su furor. ¡Ay, bello extranjero mío! tú te quedas como el árbol en la orilla, y yo me voy como la rama desgajada que cae en el torrente. ¡Adiós, ya no hay remedio! ¡Estoy como el cordero atado en manos del que va a degollarle! Estoy como la hoja seca derribada por el viento en la hoguera; ¡pronto seré ceniza! Pero voy al sacrificio por salvarte; ¡ah! ¡cuánto más cruel habría sido para mí que murieras por causa mía! ¡Blanco mío, adiós! No olvides jamás cómo correspondo al noble y ardiente amor que te debo. Te doy cuanto tengo, te doy mi vida; ¿qué más puede ofrecerte una pobre salvaje? ¡Oh! si tuviese algo que valiese más que mi vida, no vacilaría en sacrificártelo. ¿Hallas cosa alguna en mí que yo no haya reparado y que en este instante pueda ofrecértela? Dímelo y te complaceré; ¡sí, dímelo!... Pero ¡ah! lo único superior a mi corazón, a mi alma, a todo mi ser, eres tú mismo... ¡sí, tú mismo, y por ti soy llevada al sacrificio!... ¡Carlos! ¡Carlos, adiós!

---

[86] *Druida:* Sacerdote de los antiguos galos y britanos.

—¡Amor mío! ¡amor de mi alma! —contesta el joven—, ¡cómo podré soportar que tú perezcas por mí! ¡cómo que se me deje una vida que debe apagarse junto con la tuya! No, no será así; ¡que a mí también se me lleve contigo, que nos inmolen juntos! ¿Qué inconveniente hay para ello?... ¡Cumandá! sé lo que van a hacer de ti... ya lo sé... lo sé todo... ¡Que tu cadáver y el mío sean puestos a los pies del cadáver de Yahuarmaqui! ¡Ah! te han buscado con grande empeño para sacrificarte a una costumbre bárbara y terrible. ¡Crueles, crueles salvajes!... ¡Sí, los jíbaros van a cumplir ya sus propósitos! ¡indios atroces! Pero yo también moriré contigo...

—¿Morir tú? ¡nunca! ¡jamás! No conviene que tú mueras, hermano blanco mío, no; el jefe de los cristianos necesita de ti: ¡pobre anciano! ¡qué fuera de él si tú le faltases!... Cálmate, deja que yo cumpla mi destino; pero tú, amado de mi alma, vive, vive para tu padre.

—¡Oh, Cumandá! ¿tú también te has vuelto cruel? Al pedirme que viva, me pides que me resigne a un espantoso mal: ¡la vida sin ti, Cumandá!...

—Extranjero, acuérdate que muchas veces me has hablado del amor que es preciso tener a nuestros padres; acuérdate, por otra parte, cuántas veces me has dicho cómo el buen Dios, el Dios de los cristianos, convierte los dolores de la tierra en delicias del cielo; y si yo me voy delante, tú, por mucho que vivas, me seguirás pronto a ese cielo, que es la patria de los espíritus. Voy a esperarte allá. Mi vida se ha secado como gota de rocío al nacer el sol; pero consuélate: tú también eres gota de rocío, y también para ti vendrá el sol. ¡Blanco mío, adiós!

—Sí, hermana mía, todas esas cosas te he dicho cuando no me devoraba la fiebre del dolor y del despecho; ¡pero ahora!... ¡Dios mío! ¡Ah, Dios mío! ¡no quiero que Cumandá parta a la muerte sin mí!... Guerreros del Palora, añadió el joven volviéndose a los jíbaros que presenciaban impasibles tan tierna escena; generosos hijos del desierto, ¡desatadme! ¡llevadme con la hija de Tongana, y tened la bondad de sacrificarme con ella! O bien, no me desatéis, dejadme aquí, pero clavado contra este árbol con vuestras flechas. Ahí las tenéis. ¡Ea! no vaciléis; tended los arcos; ¡heridme, heridme por piedad!...

Un segundo toque del caracol interrumpió el diálogo de los amantes, y los jíbaros intimaron a Cumandá la necesidad de partir.

Eran frecuentes en ella las transformaciones súbitas, aquel revestirse de cierta grandeza salvaje, aquél sobreponerse a los peligros y al dolor mismo que torturaba su corazón; y esto sucedió en el instante en que dirigió las postreras palabras a Carlos. Se irguió, tomó el porte y aspecto de verdadera heroína, y en voz clara y suelta, aunque algo trémula, dijo:

—Hermano extranjero, ¡valor!; ésta es grande virtud de tu raza como la mía; ¡valor!, ya es tiempo de que me pierdas en la tierra. Yo no dejaré de verte desde la mansión de los espíritus, a donde voy a subir: tú no dejes de elevarte a ella y de buscarme con el pensamiento. Ya no se verán ni juntarán nunca nuestros cuerpos bajo las palmeras del desierto, ni en las orillas de los ríos y lagos, ni en la superficie de sus mansas olas, pero sí se verán y hablarán nuestras almas que tanto se aman y tanto han padecido juntas.

Enseguida, toma de su cuello la bolsa de piel de ardilla, la cuelga del de Carlos, y añade:

—Ésta es, ¡oh, blanco, hermano mío! la prenda del amor y de la muerte. ¡Adiós!

El joven inclinó la frente con el silencio del abatimiento sin remedio humano; Cumandá dobló un instante la suya sobre el hombro de su amado. Las lágrimas no brotaron de los ojos de ninguno de ellos: el dolor había llegado a colmo y el dolor extremo, ya lo dijimos, nunca tiene lágrimas. Callaron los labios, se entendieron las almas y se despidieron los corazones con aquellas secretas voces de inefable sentimiento para cuya expresión la naturaleza no ha enseñado todavía voz ninguna.

El son del caracol instaba y los jíbaros separaron a Cumandá de Carlos. Éste alzó la cabeza, y al cárdeno reflejo de las hachas vio desaparecer la fantástica figura de su amante tras unos troncos y una cortina de enredaderas, como la sombra de un ángel que se le había aparecido un momento para apasionarle el alma, y dejarla luego hundida en un abismo de dolor. ¡Tal es casi siempre el fin de las grandes pasiones! ¡tal es el inevitable paradero de las almas sensibles! Ellas, que parecen estar de más en el mundo, centro de lo material y miserable, viven envueltas en tempestades que las sacuden, las estrujan, las atormentan, y cuando, arrebatadas de su propio natural impulso se levantan a las regiones de lo ideal, es sólo para luego caer y consumirse en brazos del despecho y del dolor.

Cumandá oyó al paso unos gemidos y unos ayes débiles y apagados; conoció los primeros, pues eran de su madre; creyó adivinar los segundos, pues así se quejaba Tongana alguna vez que el dolor superaba a su resistencia. En efecto, ellos eran. La joven quiso oírlos de cerca; pero se lo vedaron los indios y, puesta al centro de la tropa y junto a Sinchirigra, fue arrebatada cual por enjambre de hambrientas hormigas, pobre mariposilla, por entre un dédalo de árboles y sombras.

Gradualmente iban desapareciendo los salvajes en las mil vueltas y encrucijadas tenebrosas del bosque; las luces se disminuían. Ora brillaba alguna en el fondo del abismo y luego se apagaba; ora no se veía sino el reflejo de otra en los musgosos troncos y las masas de follaje; ora desaparecía toda claridad y tornaba por intervalos a brillar más y más confusa, o bien se perdía y reaparecía en alternación rápida como el pestañeo, haciendo que pareciesen los árboles como que pasaban de un punto a otro a veloces saltos. Al fin quedaron sólo las tinieblas imperando en cielo y tierra. Asimismo, fueron muriendo las voces de los jíbaros y el ruido de sus pisadas, y pronto en la negra y medrosa soledad no se escuchaban sino el sordo rumor del aguacero, el penetrante silbido del viento, el ronco y vago eco de las ondas, y mezclados de cuando en cuando a este nocturno concierto de la perturbada naturaleza, los lastimeros quejidos de dos corazones desgarrados y agonizantes.

Los salvajes, de carácter siempre desconfiado y suspicaz a par de cruel, una vez hallada Cumandá, temieron, por una parte, que la hechicera emplease los últimos arbitrios de su arte para salvarla de nuevo, si la llevaban consigo; y por otra, quisieron castigarla junto con su esposo, cómplice también de la evasión, en sentir de ellos, y se valieron del bárbaro expediente de atarlos, como al joven Orozco, al tronco de un árbol. Allí se entregaba la cuitada Pona a todo su dolor y deses-

peración, y Tongana agonizaba. Oíalos Carlos; conoció a
Pona por las frases que soltaba en medio de los quejidos;
pero como la tortura del alma le tenía casi enajenado, e iba
con la imaginación siguiendo a Cumandá, camino del sacrificio, no podía articular ni una sola palabra.

A la postre, los tres juntamente concibieron una esperanza: ¡la próxima aurora los hallaría muertos!

¡Aguardaban un bien demasiado grande para ellos en la terrible prueba por la que atravesaban, pues parece que la
muerte, de acuerdo con el destino, respeta siempre a las víctimas de la adversidad!

XIX

La bolsita de piel de ardilla

El tormento de la indecisión y la angustia, no había aflojado ni un instante para el desdichado misionero. En vano se mantuvo postrado en oración largas horas: el cáliz no debía pasar de él: el cielo había dispuesto que apurase sus últimas gotas.

Miraba el reloj con frecuencia y le parecía que el tiempo volaba con más rapidez que de ordinario. ¡Ay! ¡cómo multiplica siempre sus alas para quien recela perder un bien o teme el arribo de una desgracia!

Muy poco falta ya para la hora terrible. El padre se pone de pies; vacila; vuelve a caer de rodillas, y alza ojos y manos al crucifijo que tiene delante. Levántase de nuevo y de nuevo asimismo torna a postrarse. ¿Qué hará?... Pero esta interrogación se ha repetido mil veces a sí mismo sin hallar la respuesta. Ha escudriñado sus pensamientos, ha consultado todos sus afectos, se ha hundido en las sombras de lo pasado y ha traído a la memoria, uno a uno, todos sus recuerdos, y ¡nada, nada! ¡ni un solo arbitrio, ni un viso de esperanza! ¡nada en la cabeza, nada en el corazón, nada en las reminiscencias que pueda salvar a Carlos sin sacrificar a Cumandá, que pueda salvar a Cumandá sin sacrificar a Carlos! El infeliz religioso halla en sí mismo un inmenso y desesperante desierto sin una gota de agua, sin una hoja verde, sin una ligera brisa que indiquen esperanza de vida; ¡sólo siente rugir el huracán por todas partes!

Consulta otra vez el reloj. Ha pasado la hora, se estremece y hiela de pies a cabeza; va hacia la puerta del templo, la abre, la cierra, da vueltas medio arrimado de manos a los muros... Toca al fin la campana, y asoma el indio guardián de la iglesia.

—Hijo —le dice—, ¿qué es del jíbaro mensajero? ¿qué es de Cumandá?

—Padre —contesta el buen záparo—, tan negra está la noche, que a pesar de mi excelente vista no he podido divisar la canoa del jíbaro, pero sí puedo asegurarte que nadie ha tocado los tendemas puestos en las picas, por lo cual veo que no ha partido.

—¿Y Cumandá?

—Debe estar donde mandaste que estuviese.

—¿Luego no la has visto? ¡Desdichada joven! habrá pasado las mismas terribles horas que yo.

—El aguacero no ha dejado que nadie salga de sus casas, y no sé...

—No sabes de ella; pero ahora quiero que vayas a verla, y vuelvas y me digas cómo la has hallado. Luego, al punto, ordena a mi nombre a cuatro de los remeros más diestros que apresten la mejor canoa para que partamos, sin que el mensajero nos sienta, a la Peña del Remolino, pues conviene que yo hable con el *curaca* de los paloras.

—¡Oh, padre! —contesta el indio con sorpresa—, es fácil ver a Cumandá, y voy a ello en el momento; pero es imposible bogar a esta horas, cuando no se ve el río y sólo se le oye bramar, porque está hinchado y bravo; ¿cómo quieres morir, y que contigo mueran infaliblemente los remeros?

—Haz lo que te manda tu padre el jefe blanco —replicó en tono imperioso el misionero.

Los indios son por extremo dóciles y obedientes a los sacerdotes que los han catequizado, y el andoano calló, inclinó la cabeza y partió.

Algo tardó en volver; mas al cabo, asaz turbado e inquieto, estuvo en presencia del padre Domingo, a quien dijo:

—Los cuatro záparos están solos y dormidos, y tan profundamente que no se han recordado a mis voces.

—¿Y Cumandá?

—Cumandá... ¿No te digo, padre, que ellos están solos?

—¡Dios mío! —exclama el misionero con voz angustiosa y juntando las manos—. ¡Dios mío! ¿qué ha sucedido?

Y vuela otra vez a la campana y la toca desesperadamente. La voz del rebato, que expresa en alguna manera el desasosiego del ánimo de quien a deshora la hace resonar, cunde por todos los rincones de la selva y despierta al punto a toda la Reducción. El misionero, acompañado de muchos indios, está poco después en la cabaña donde algunas horas antes dejó a Cumandá. Halla que ha desaparecido, y grita a los cuatro záparos, que tardan en volver del fingido sueño. Pregúntales por la joven y alelados no aciertan a responder. Dirígese a las mujeres que, asustadas, salen de sus oscuros lechos; pero ellas saben menos de Cumandá que sus maridos. Al cabo uno de éstos dice:

—¡Dios me valga, padre! esa moza es una hechicera.

—¡Hechicera! —repite el misionero indignado con el ultraje hecho a la joven, y procurando reprimirse, añade—: Hijo, refrena tu lengua: ¿quieres buscar la disculpa de tu descuido o tu malicia con el veneno de la calumnia?

—Padre —replica el záparo—, ¿qué quieres que yo piense? ella ha hecho con nosotros algo que no es de Dios: de la bolsa de ardilla que llevaba al cuello sacó una cosa que no pudimos ver, la movió rápidamente sobre nosotros, y al punto caímos dormidos como unos bancos.

—Lo que dices es un embuste, hijo; pero que no lo fuera, lo indudable es que Cumandá ha fugado y se ha entregado a sus victimarios por Carlos y por vosotros. ¡Oh joven generosa y desgraciada!... ¿No os acordáis con qué empeño pedía que la entregásemos al jíbaro mensajero?... ¡Ah! ¡de seguro ella está ya con los paloras, y acaso muerta! ¡Dios mío!... ¡Záparos indolentes, ¡bárbaros! ¡dejarla irse! ¡dejarla sacrificarse! ¿No habéis tenido valor de defenderos de los jíbaros, y habéis querido ser salvados por una mujer, entregándola a la muerte?...

Los culpados inclinan la frente y guardan silencio. El misionero ordena que sin pérdida de un instante se aliste la canoa más ligera; llama, eligiéndolos él mismo, a los remeros necesarios para que le lleven al campo de los jíbaros, pues

274

conviene estar allí antes que partan. Mas los záparos no están acostumbrados a desafiar, como algunas otras tribus bárbaras, los peligros de una navegación en noche tormentosa y en aguas agitadas, y aparentando obedecer al religioso, se mueven activos sin hacer nada, y pierden horas y horas. El padre se desespera; su lenguaje con los indios llega a ser acre y violento, y aun toma el cabo de una pica y los amenaza. Pasmo tamaño les causa ver la mansedumbre y bondad de ayer trocadas en palabras destempladas y movimientos de ira. Bajan a la playa, y las angustias e instancias del cuitado se doblan al convencerse de que el mensajero ha desaparecido, y al mirar al través de la densa bruma, allá distantes, los fantásticos reflejos de las hachas de viento de los paloras, moviéndose y desapareciendo gradualmente entre las sombras del bosque y sobre las ondas, como las pálidas centellas de una hoguera moribunda en el fondo de un abismo.

—¡Presto! ¡la canoa! ¡vamos! —decía el padre—. ¿No veis cómo los jíbaros se van? ¡Sí, se van! el moverse de esas luces lo indica... ¡Ah! ¡quizás por causa vuestra no alcance yo a salvarlos! ¡Mirad! las luces desaparecen... ¡Se van! ¡se van! ¡Y acaso a Carlos con Cumandá!... ¡Ay! ¡van a sacrificarlo!... ¡La canoa! ¡al punto la canoa! ¡Sois unos cobardes!... ¿Qué esperáis? ¿qué teméis?...

¡Esfuerzos inútiles de una inútil desesperación! El río se ve apenas moviéndose negro y espantoso como un monstruo cuyo lomo ondea en la oscuridad al mugido del viento y al chasquido de la lluvia, y los záparos, quizás por la primera vez en su vida, tiemblan y retroceden. Dos canoas se prepararon sucesivamente; mas al poner el pie en ellas fueron arrebatadas por las olas turbulentas que en ese instante las azotaron; si bien se atribuyó con fundamento a intención de los mismos indios que no omitían arbitrio para evitar la peligrosísima navegación.

Al cabo asomó la aurora, y con sus luces, nada hermosas ni risueñas, pues brillaban tras un espeso velo de nubes y lluvia, los záparos se aprestaron al fin a complacer al padre Domingo. Los peligros habían minorado, mas no desaparecido: el aguacero continuaba, y el río turbio e hinchado se agitaba amenazante. Con todo, podía navegarse con la ayuda de remos y vela, y más cuando el viento no dejaba de soplar en dirección favorable. Embarcóse, pues, el misionero; seis robustos jóvenes guiaron e impulsaron la pequeña nave; varios otros indios, bien por amor al padre, bien por curiosidad, los acompañan en sus canoas. Después de bregar cuatro horas con las ondas, en un espacio que en otras ocasiones habían caminado en la cuarta parte menos de tiempo, saltaron todos en la orilla del Remolino de la Peña, hacia la parte superior. Suben sin detenerse a la meseta que se extiende sobre aquel punto, y se les presenta de súbito el triste y doloroso espectáculo de Carlos atado a un tronco y en la actitud del más hondo abatimiento.

—¡Hijo mío! —exclama el religioso—, ¡pobre, pobre hijo mío! ¡en qué situación te hallo!... Pero ¿es posible que estés vivo? ¿es posible que no te hayan despedazado esos bárbaros?

—Sí, vivo estoy —contesta el joven—; y en verdad que los paloras son unos bárbaros; ¡qué atrocidad! ¡llevarse a Cumandá y dejarme vivo! ¡Oh, padre mío, padre mío! ¿no es cruel, no es feroz esto de llevarla sola al sacrificio cuando yo debí precederla en él o irme a morir a su lado?

Estas y otras palabras de dolor se cruzan entre padre e hijo, mientras con manos trémulas desata el primero al segundo.

—Padre mío —añade Carlos—, bendíceme y consiente que siga a Cumandá.

—¿Qué dices? ¿qué pretendes?

—Salvarla o perecer.

—¡Nunca, jamás lo consentiré, hijo mío! piensas en una locura.

—Pero ¡cómo! ¿la dejaremos perecer? ¿Será posible que yo solo me salve a costa de su sangre? ¡Ah, mira, padre! esa dulcísima virgen del desierto, otras veces te lo he dicho, tiene no sé qué atractivo irresistible para mí: su corazón es mío, su alma es mía, su sangre llama a mi sangre; los lazos de afecto que nos unen en nada se parecen a los amores vulgares: son lazos tejidos por ángeles. ¡Ah, padre, padre mío, con ella se han llevado mi vida! un cadáver te habla, no sé por qué prodigio; no tu hijo! ¡Déjame partir! ¡déjame seguirla!

276

El padre Domingo, víctima de igual dolor y angustia, no acertaba a decir ni una sola palabra que pudiera calmar a Carlos: con el propio dolor no se cura el dolor ajeno, así como el consuelo de otro no alivia el propio mal. El joven continuaba en el mismo lastimero acento:

—¡Desdichada Cumandá mía! ¡oh, con qué ternura me dijo sus últimas palabras! ¡cómo descendieron sus postreras dulcísimas miradas hasta el fondo de mi corazón!... ¿Y esta reliquia?... Ella, sí, ella me la puso al cuello con sus propias manos. ¡Reliquia preciosa y querida!... ¡Tesoro mío! ¡Prenda de mi único eterno amor!

Carlos cubre de besos ardientes la bolsita de piel de ardilla. El padre Domingo, que la reconoce, la toma con manos temblorosas y murmura:

—La vi ayer; es la misma; pendía de su lindo cuello.

Entretanto, el viejo Tongana y su esposa habían sido también desatados de su árbol. Tongana cayó al pie del tronco y siguió agonizando; Pona, que gemía desolada, cae de rodillas a los pies del misionero y exclama:

—¿Qué vais a hacer? ¡No abráis, no abráis esa bolsa! ¡no veáis lo que hay dentro! Esa prenda es mía, propiedad mía, y sólo yo sé cómo debe mirársela; a vosotros puede causaros mal. ¡Volvédmela, por Dios!

Carlos y el padre se sorprenden y miran en silencio a la anciana. El segundo se estremece y suelta la piel de ardilla como si hubiese empuñado un alacrán; pero el joven, incitado más bien que acobardado por las palabras de Pona, desata la bolsa misteriosa. La india se opone, insta, llora, clama. Él, sordo a las súplicas, saca un objeto circular envuelto en un pañito blanco como la hoja del jazmín: le desdobla; dentro está otro paño de muselina no menos cándido; la muselina cubre un magnífico relicario de cerco de oro; en el relicario está, perfectamente conservada, la imagen de una mujer bellísima.

—¡Cumandá! —exclama Carlos al verla. El misionero la toma con avidez; fija en ella una mirada de sorpresa, de dolor, de un no sé qué inexplicable que pasa en lo íntimo de su corazón, y exclama a su vez:

—¡Mi Carmen!... ¡Mi Carmen!...

Fáltanle las fuerzas al desdichado sacerdote y pierde por un momento el sentido. Después de tantas impresiones terribles, esta última le abate por completo.

Es, en efecto, el retrato de Carmen lo que acaba de ver; propiedad de ella fue esa miniatura; y Cumandá se parece a Carmen, circunstancia que había llamado vivamente la atención del misionero, por lo cual, excitado su interés por la joven india, le dolía tanto su mala suerte como la de Carlos.

Pero ¿cómo había venido esa prenda a poder de una salvaje? ¿por qué se parecía tan extraordinariamente Cumandá a Carmen?

Vuelto en sí el padre Domingo, y repuesto un tanto de la violenta impresión, hace a Pona pregunta tras pregunta, ruega, insta, la halaga con promesas, la acobarda con amenazas, porque revele el misterio que sólo ella posee a no dudar. Al fin, vencida por la esperanza de que los blancos, unidos a los záparos, salvarían a la joven al saber quién es, la esposa de Tongana dice:

—Óyeme, jefe de los cristianos, hace largo tiempo que, llevados del despecho por el mal tratamiento que les daban los blancos, los indios de Guamote y Columbe, pueblos del otro lado de la montaña, se levantaron en gran número, mataron a muchos de sus opresores y quemaron sus casas; pero después cayó una nube de gente armada sobre los alzados, tomaron a los principales de ellos y los colgaron de la horca. Entre éstos se hallaba Tubón, indio jornalero del blanco D. José Domingo de Orozco; mas quiso el cielo que se arrancase el cordel que apretaba su garganta, cayó, y tuviéronle todos por muerto. Cuando estaba ya en el cementerio le palpé el corazón, y sentí que se movía. Entonces, ayudada de unos parientes, le llevé a la choza de un pastor, donde a poco se puso bueno. Yo servía en casa del mismo señor Orozco, dando la leche de mis pechos a una niña llamada Julia, a quien llegué a amar como a mis ojos; me dolía que pereciese junto con la familia blanca, y cuando comenzó a arder la casa, incendiada por Tubón, saqué a la niña...

—¡Sacaste a la niña! —repite el padre Domingo con ansiedad.

—La saqué —prosigue la anciana—, y con ella esa reliquia

278

que hallé junto a la cuna, la cual hace prodigios, porque la blanca a quien se parece fue una santa señora.

—¡Mi Carmen!

—Cuando nos vinimos a estos desiertos Tubón, yo y dos hijos nuestros, tiernos todavía, nos la trajimos a la niña...

—¡La trajisteis!, y ¿qué fue de ella?

—Ha crecido con nosotros, y se llama...

—¡Cumandá!...

—Sí, Cumandá. Ésta no es, pues, hija mía, y Tongana es Tubón, que quiso cambiar de nombre al huir de los blancos, a quienes detesta, e hizo también que lo cambiásemos todos los de su familia...

—¡Cumandá es mi Julia! —interrumpe el misionero a Pona—; ¡es mi hija! ¡es tu hermana, oh Carlos! Ya el corazón me lo decía: desde el instante en que la vi noté en ella completa identidad con mi Carmen, y por eso me dolía más que los indios la sacrificasen. ¡Hija mía! ¡y ahora!...

—¡Hermana mía! ¡hermana de mi alma! —exclama el joven—; ¡ah! ¡con cuánta razón sentí por ella ese afecto purísimo y generoso que sólo puede inspirar un ángel! No ha sido humano este amor, no: por eso lo he sentido yo que siempre había desdeñado las bellezas y los atractivos de la tierra. ¡Oh, hermana mía!... Pero, padre: ¿qué hacemos? Es preciso no perder ni un instante: ¡a salvarla! ¡volemos, volemos a salvarla!

—Sí, volemos hijo mío, quizás podamos llegar a tiempo. Tenemos en qué fundar nuestro reclamo: Cumandá es Julia, es mi hija, es tu hermana. Esta prenda nos servirá para acreditarlo; esta mujer nos dará su testimonio; a Tubón o Tongana le arrancaremos, asimismo, la confesión de la verdad. Por último, ofreceremos grandes recompensas a los jíbaros; y si con ellas no ceden, los amenazaremos con la guerra. Sí, voy a hacerme guerrero; voy a abandonar las ropas sacerdotales y a combatir hasta libertar a mi hija, ¡a mi hija adorada! Sonará el *tunduli* en Andoas; un záparo, dos, tres, cuatro záparos recorrerán Canelos, Zarayacu... todos los pueblos cristianos, que se levantarán en favor nuestro. Pero ¿y si no alcanzamos?... ¡ay, Dios mío!... En fin, ¡vamos! ¡volemos!

¡Votos fervientes y esperanzas locas, hijos de la desesperación!

El padre obra con actividad, y quisiera todavía más presteza en todos sus actos. Ordena que uno de los záparos que le acompañan se vuelva a la Reducción, refiera a sus compañeros lo que se acaba de descubrir, y les incite a todos a apercibirse para la guerra. Con Carlos y los demás indios, va a emprender la marcha hacia la tierra de los paloras, caminando aún entre las sombras de la noche. Pona los acompañará.

Diligencias inútiles
(Conclusión)

Pero la anciana se ha postrado junto a su moribundo esposo, le sostiene la cabeza y le habla en voz baja entre sollozos.
El viejo de la cabeza de nieve, al escucharla, abre y cierra con
trabajo los amortiguados ojos varias veces, como llama de
candil sin aceite, que muere y resucita alternativamente al
suave aliento del aura.

—Mi marido se muere —dice Pona al misionero.

El padre se acerca a los dos ancianos salvajes.

—¿Eres Tongana? —pregunta, no obstante que sabe ya
quién es, sorprendido de ver un repugnante cadáver que apenas alienta.

El indio abre los ojos y contesta:

—Soy Tubón.

Esa mirada sombría, esa voz, ese nombre descorren un
velo ante la memoria del padre Domingo, y la espantosa historia de dieciocho años antes, se le presenta, como se le presentó la víspera: ve arder su casa, oye los gemidos de su esposa
e hijos, percibe el chirriar de sus carnes abrasadas, los desen-
tierra luego de entre escombros y cenizas. ¡En un instante
perdidos para siempre sus amores, su dicha y hasta su esperanza!... ¡Y el autor de tan atroces males está ahí, ahí, en su
presencia! ¡es ese viejo, esa repugnante momia con un soplo
de vida, y cuya cavernosa voz acaba de escuchar! Una ráfaga de

281

odio y de venganza, como una lengua de fuego escapada del infierno, le envuelve el corazón; arrúgasele la frente, la mirada se le pone terrible, se le contraen los labios, aprieta los puños: el mérito de dieciocho años de virtud está a punto de desaparecer; la corona de la austera y larga penitencia vacila en la frente de su alma, y el diablo se ríe.

—¡¡Tubón!! ¿me conoces? —pregunta en tono que revela la tempestad de ira que hincha su pecho.

—¡Ah!... ¡blanco!... ¡te conozco! —contesta el moribundo volviendo a abrir los apagados ojos—. Tú eres uno de los tiranos de mi raza;... tú... tú martirizaste y mataste a mis padres... ¡tú eres el odiado blanco llamado José Domingo de Orozco!... Sí... te conozco muy bien... Ya que no puedo alzarme para despedazarte, ¡quítate de mi presencia!

El anciano, debilitado mucho más por el doble esfuerzo del ánimo enconado y de los pulmones, queda como exánime.

El padre, al oírle, se ha estremecido cual árbol golpeado por las ondas del aluvión. La voz del salvaje es voz de salvación. ¡Gran Dios, qué toques los que das al corazón humano! Tras breves instantes de perplejidad y silencio, alza el religioso ojos y manos al cielo, y exclama:

—¡Misericordia, Dios mío! ¡ven a mi ayuda y fortaléceme! ¡Ah! ¡que mi alma padezca hundida en el abismo del dolor que merezco por mis culpas, pero que no se incline al peso de las miserables pasiones!

El águila se convierte en paloma: ¡prodigio de la caridad! ¡abismo de la gracia! El fraile se postra junto al viejo y le dice en acento suave:

—Tubón, hermano mío, estás de mi parte perdonado, mas perdóname también los terribles males que te causé. José Domingo de Orozco, que te privó de tus padres y te esclavizó largos años, y a quien tú después perseguiste y arrebataste cuanto bien poseía en el mundo, es ahora el padre Domingo que ha llorado mucho y llorará hasta la muerte sus extravíos pasados; es el sacerdote de Jesús que no tiene para ti sino perdón y amor, y que, en nombre de ese divino Redentor, viene a ofrecerte en tus postreros instantes la bendición que borra los pecados, por enormes que sean, y abre las puertas de la eterna ventura.

El indio aprieta los párpados y los labios en señal de disgusto. El padre le toma el pulso, y conoce que esa vida se va apagando rápidamente.

Carlos, entretanto, le manifiesta la necesidad de partir en el acto. La imagen de Julia aparece viva en la mente del religioso, y dice:

—¡Vamos! —poniéndose de pies. Mas un suspiro de agonía del viejo le penetra el corazón, y añade—: ¿Y esta pobre alma que va a perderse?... ¿cómo dejarla?

La caridad le vence, arrodíllase de nuevo junto a Tongana, le extiende con amor el brazo por el cuello, y vuelve a hablarle:

—¡Hermano mío! tus últimos momentos van pasando, y la eternidad va a comenzar para ti; ¡que tu alma entre en ella purificada y digna del cielo! Jesucristo se ha puesto entre nosotros dos, ha hecho desaparecer nuestra historia pasada, y nos llama a sí por medio del mutuo perdón: yo te he perdonado; perdóname tú y ambos nos salvamos. Mézclense en este instante nuestras lágrimas, confúndanse nuestras voces en común deprecación, vuelen juntos a lo alto los gemidos de nuestro dolor, y venga sobre nosotros cual suave rocío la divina gracia. ¡Tubón, Tubón hermano, escúchame!...

—¡Parto solo! —le interrumpe Carlos desesperado. Mas el misionero está arrobado por la caridad, y baja luego a su corazón la esperanza, al notar que se dulcifica algún tanto la expresión del semblante del moribundo, que hasta le dirige una mirada, no ya iracunda, sino llena de melancolía. Ésta nunca es muestra de ánimo irritado.

—¡Hermano mío! ¡hermano de mi alma! —continúa el misionero—, ¡cuán feliz eres! Una espantosa desgracia ha sido causa de que yo venga a estos lugares, pero, ¡oh prodigio de la bondad divina! he venido para hacerte venturoso. El buen Dios no exige de ti en este momento sino un suspiro, una lágrima, una muestra cualquiera de arrepentimiento, con tal que nazca del fondo del corazón. Todo tu destino futuro en el país de las almas depende de un minuto, de un segundo. ¡Oh abismo de la misericordia de nuestro Dios, donde desaparece en un pestañear todo el abismo de nuestras culpas para convertirse en dicha perdurable! ¡Tubón! ¡oh, Tubón! no verás lucir más el sol de este cielo que cobija las selvas del desierto; pero te espera otra luz más brillante en el cielo de la eternidad; ¿no quieres gozarla, hermano mío? Lo quieres, sí, lo anhelas. Comprendes mis palabras; sabes lo que debes a Dios y lo que a ti mismo te cumple en esta hora suprema y decisiva. Hermano, ¿no es verdad que te arrepientes de tus pecados y te acoges a la misericordia eterna? ¡Ah, Tubón, dímelo! ¡dímelo!...

—¡Padre —exclama Carlos por tercera vez—, tu caridad para con un salvaje, pierde a tu Julia! Partamos.

Pero el anciano abre otra vez los ojos y mira ya con ternura al padre; quiere hablar y no puede; dos lágrimas ruedan por sus quemadas mejillas.

—¡Llora! —dice el misionero—; ¡lágrimas salvadoras! ¡lágrimas de bendición y prendas de eterna salud!

El signo de la cruz desciende de la diestra del religioso, y el alma de Tongana abandona para siempre su morada de arcilla.

Enseguida ordena el padre que el cadáver sea conducido al cementerio de la misión, y tomando la mano a Pona, que derrama abundante llanto sobre los restos de su esposo, la alza y dice:

—Tubón, ya está con Dios; ahora volemos a salvar a Julia. Guíanos tú que conoces el camino de los paloras.

Y una voz interior le dice en contestación:

—¡Quizá es ya tarde! ¡Quizás Tubón te ha sido funesto hasta en su muerte: te ha detenido el deseo de salvarle, y esta dilación habrá causado la muerte a Julia!

La garra de la dolorosa sospecha ase cruelmente el corazón del padre Domingo.

En efecto, ha perdido para Cumandá, las horas aprovechadas para Tongana.

Habíase adelantado Carlos, y el misionero apretó el paso para alcanzarle.

Mas la naturaleza parecía haberse conspirado contra los dos, quienes, y aun los mismos záparos que los acompañaban con ardiente interés, no podían, a veces, vencer los obstáculos que hallaban en su camino.

Los jíbaros son generalmente mucho más diestros para ca-

284

minar por la noche y en medio de la tempestad, esguazar a nado los ríos crecidos o romper con sus canoas las ondas agitadas; así, pues, los paloras llevaban una delantera inmensa, cuando los andoas, con fray Domingo y Carlos, partieron de la margen del Pastaza.

Sin embargo, bastante avanzaron también; pero con el fin de acortar el trayecto, y desatendiendo las observaciones de la anciana Pona, los záparos dejaron de seguir las huellas de los jíbaros y pretendieron tomar una línea más recta hacia el Palora, para atravesarlo, subir por su margen izquierda, y alcanzarlos en su caserío lo más pronto posible. Tamaño error: los paloras supieron escoger el camino que convenía para evitar particularmente los estorbos ocasionados por las lluvias, y la crecida de arroyos y ríos. Los záparos, pues, se enredaron entre la selva y casi perdieron la dirección. Algunos se habían propuesto subir por agua; pero hallaban no menos obstáculos, y los jíbaros que los precedían por la misma ruta, habían avanzado bastantes leguas.

La primera noche sorprendió a los viajeros cristianos empapados por la lluvia. La oscuridad era densa, y no obstante, el misionero ordenó que nadie se detuviese, y todos, mal grado los más, continuaron la penosa marcha. Poco adelantaron, y llegados a un río, cuyas aguas espantosamente crecidas atronaban la selva, hubieron de hacer alto por la fuerza. Los blancos se desesperaban; subían y bajaban por la orilla como lebreles fatigados que oyeran al otro lado la voz del cazador que los llama; animan a los indios, proponen mil medios de vencer a ese enemigo implacable que ven arrastrándose enfurecido por delante... ¡Todo es inútil!

«¡Ah! —piensa el misionero con angustia—, si no nos hubiésemos detenido en el Remolino de la Peña, este torrente lo habríamos pasado con la luz de la tarde, y quizás entonces no sería torrente, sino arroyo. ¡He salvado tal vez un alma a costa de la vida de mi hija!...»

Un záparo consiguió encender una tea, y a su cárdeno resplandor pudo verse más claramente el aluvión, cuyas ondas negras, salpicando espuma negruzca también y azotando con furor las márgenes de piedra, bajaban con vertiginosa rapidez arrebatando gigantes árboles y enmarañadas raíces que pasaban volteando como las aspas de los molinos de viento en lo más recio del vendaval. El abatimiento sobrecogió a todos y se sentaron al pie de los árboles, con los brazos cruzados sobre las rodillas, las miradas en las tumultuosas aguas y el pensamiento en Cumandá, arrebatada por el infortunio, cuya imagen les parecía ese río bramador e invencible que se precipitaba a sus pies.

La noche sigue lluviosa y los corazones oprimidos. Apenas se despierta el alba y sus miradas iluminan algún tanto el seno de las selvas, los viajeros se ponen en movimiento. El río se había calmado, y, ¡bendita luz! puede saberse cómo obrarán para pasar a la otra orilla. Ahora, además, se convencen de que las dificultades y peligros fueron, más bien que reales, obras de la obscuridad nocturna y de la imaginación aterrorizada. Derriban un añoso ceiba en la margen; cae el gigante al través del hondo cauce; hay ya un puente, y el antes temido aluvión queda a las espaldas de los viajeros que ya ni el ruido escuchan; pero ¡cuántas horas perdidas!... Y luego ¿es acaso ésta la última dificultad? El temporal no cesa; parece que las nubes han reservado para esos días todas las aguas de un año. Diez veces la caída de los colosos monarcas del bosque estorba el paso, obligando a los caminantes a dar inútiles rodeos; en dos puntos han hallado pantanos que ha sido preciso atravesar arrojando sobre ellos troncos y ramas, o bien atollándose y cubriéndose de barro hasta el pecho. ¡Cuántos inconvenientes por no haber seguido las huellas de los jíbaros!

Éstos, entretanto, se hallan ya cerca de sus cabañas, acaso han llegado, y por ventura... ¡ay! por ventura... ¡qué será de la infeliz Cumandá!...

Seis días han transcurrido, seis días de terribles penalidades soportadas con el aliento de la esperanza. ¡Oh, si Julia se salva!, esas penalidades serán glorias y delicias. ¡Julia! ¡idolatrable y desdichada Julia, resucitada para su padre y su hermano en los momentos en que se la arrastra al suplicio!... ¡Ah! quizás... ¿Si serán largas las ceremonias fúnebres entre los jíbaros? La pobre Pona lo ignora: sólo sabe que esos bárbaros ahogan a la víctima en un agua olorosa, o deteniéndole el aliento con una venda. ¡Sabe demasiado! ¡El misionero y Carlos se horripilan de oírlo!...

Habían podido acercarse a la orilla del Palora, mas no pasar a la opuesta, y se contentaron con seguir por ella, sin aguardar las canoas de sus compañeros que suponían demasiado atrasadas. Al sexto día, muy por la tarde, alcanzaron a distinguir una columna de humo que, levantándose majestuosa de entre el bosque, se abre en inmenso quitasol y confunde sus crespas orlas con las tempestuosas nubes que no han dejado de enlutar el cielo. ¿Si será el humo del sacrificio? Aligeran el paso; caminan toda la noche. A la madrugada siguiente, se hallan al fin en el punto por donde es indispensable pasar al caserío de los paloras que, según el humo, disminuido ya y que apenas se mueve perezoso en la superficie de la selva, queda en línea recta hacia la derecha de los caminantes.

No se percibe rumor ninguno; no hay señal de vida en la otra margen, donde sólo se alcanza a ver, al través de la bruma que gatea sobre las ondas, unas dos balsas, al parecer abandonadas. Ese silencio y esa ausencia de todo indicio de moradores en las inmediaciones de una tribu tan populosa, esa falta de canoas en la orilla, son de muy mal agüero, pues sabido es que los jíbaros, terminadas las ceremonias de un entierro, tienen por costumbre quemar sus cabañas, excepto la que sirve de tumba, arrasar las sementeras y, dando sus canoas a la corriente del río, si acaso toman camino por tierra, alejarse tres, cuatro o más jornadas para levantar un nuevo caserío y labrar otras *chacras*; y a la *patria del muerto* nunca más vuelven, y cuidan hasta de no pasar por sus inmediaciones, de miedo de turbar su sueño eterno, y hacer temblar sus huesos con el ruido de las pisadas y de las armas.

Algo se había serenado el tiempo, y el sol naciente, rompiendo las cortinas de vapor que envolvían los bosques, derramaba suaves rayos para acariciar y consolar a la naturaleza, maltratada por tan largos días de crudo temporal. ¿Si será esta bonanza preludio de salvación y dicha para los corazones despedazados por la tempestad del dolor y la angustia?

El Palora, aunque algo precipitado, no arrastra ya en ese punto los despojos de la selva arrancados por los aluviones que descienden de los collados vecinos, y dos záparos lo pasan a nado y vuelven con las balsas. En ellas se trasladan el misionero y Carlos, Pona y algunos indios, mientras los demás lo hacen echándose al agua y rompiéndola como unos peces.

Del río a lo interior de la selva hay una angosta y sombría vereda que va a terminar en el caserío a cosa de quinientos metros; los dos blancos se lanzan por ella a todo correr, como galgos que ven a distancia el descuidado ciervo. Sigue el silencio por todos los contornos. Suben una pequeña colina; salvan un arroyo que limita una extensa *chacra*, penetran en un grupo de platanales, y al salir de él se encuentran en un campo abierto y circular. En medio se alza una gran cabaña rodeada de las funestas reliquias de otras que han sido devoradas por el fuego: sólo hay postes ennegrecidos y montones de cenizas, de entre los cuales se desprenden todavía algunas breves espiras de humo, sin que haya ni el más leve viento que las inquiete en su pausada ascensión. Padre e hijo se detienen un momento, como si la oculta y poderosa mano de un genio los sujetase súbitamente. Sus miradas se fijan con terror en la cabaña solitaria; envuélvelos una ráfaga de hielo, como las que azotan las faldas del Chimborazo en una noche de invierno, y se les corta la sangre, y se les estremece el espíritu. Luego, se ven los rostros, y se dicen con los ojos: «¿Qué aguardamos?», ¡volando, enseguida como dos flechas hacia la choza! Está perfectamente cerrada la puerta; quieren abrirla; y en su desesperado empeño, hallan torpes y tardos los dedos, y tiran las amarras con los dientes. Un záparo viene en su auxilio y rompe los nudos con un cuchillo. La puerta cede; entran fray Domingo y Carlos, y lanzan a un tiempo un alarido desgarrador, uno de aquellos gritos del alma arrancados por la tortura del infierno. ¡Qué espectáculo! ¡allí está Cumandá sin vida! Junto a la horripilante momia de Yahuarmaqui, rodeada de armas y cabezas disecadas, yace la bella y tierna joven, como junto a un tronco que ennegrecieron las llamas la pálida azucena que comienza a marchitarse y se dobla sobre su tallo; o bien como un trozo de nieve arrimado a la calcinada roca de un volcán. Las huellas de la muerte casi no son notables en ella, y al abandonarla el alma, le ha dejado en la frente el sello de su grandeza: sí, esa frente está diciendo que ha muerto arrebatada por una heroica generosidad, por una pasión nobilísima y santa. ¡Encantadora virgen de las selvas, qué lección tan sublime encierra tu voluntario sacrificio!

—¡¡Ay!! —exclaman el misionero y Carlos.

—¡Ay! ¡mi hija!

—¡Ay! ¡mi hermana! ¡Muerta! ¡muerta!

—¡Todo ha terminado! ¡hasta la esperanza!...

Llámanla con voces trémulas y delirantes, púlsanla, le palpan el corazón, y hallan rigidez, hielo... Bésanle la frente y las mejillas, y las lágrimas con que las bañan ruedan por ellas cual gotas de lluvia por el terso mármol de un sepulcro...

—¡Ay! —repite Carlos—, ¡no hay esperanza!

El dolor enmudece al religioso, y esas lágrimas son las últimas: acaba de secarse la fuente de ellas: su corazón está como el polvo del camino en día de estío. El extremo dolor es como una llama que todo lo abrasa, y mata, y extermina: escalda el pecho, ahoga la voz, deseca hasta las últimas gotas de llanto, y queda solo y triunfante en lo más hondo de las entrañas, y en lo más íntimo del alma, como una fiera en medio de un campo desolado. Arrimado de espaldas a un poste de la cabaña, las manos entrelazadas sobre el pecho, caído sobre éste el maciento rostro, pero vueltos al cadáver de su hija los estupefactos ojos, el desdichado fraile se deja estar inmóvil largo rato. Carlos se ha postrado junto a su hermana, le ha tomado una mano y la ha oprimido a su pecho, cual si quisiese que ese miembro inerte sintiera los latidos de su destrozado corazón; sus miradas parece que buscan en las difuntas facciones de la virgen algún soplo de vida, y sus labios murmuran suavemente frases de ternura. ¡Locuras del dolor!...

Los záparos se han detenido a la puerta, y cada uno en diversa actitud, pero todos con muestras de un solo y profundo sentimiento. En algunos ojos brillan las lágrimas.

Entretanto, la anciana Pona ha llegado, y dando gritos desesperados, se precipita a la cabaña y estrecha a Cumandá en sus brazos, llamándola repetidas veces y dándola los nombres más dulces y tiernos.

—¡Hija mía! ¡paloma mía! ¡consuelo y regocijo de mi alma! ¡flor de mi corazón nutrida con mi sangre! ¡ay! ¡cómo te hallo!...

El vivísimo dolor y el lamento de la viuda de Tongana dan, si puede decirse, los últimos toques a aquel cuadro de desolación preparado por el destino y consumado por la barbarie de los jíbaros.

Un záparo, viejo y respetable, se acercó al misionero, y tocándole ligeramente el hombro, cual si quisiera despertarle del letargo del pesar, le observó que el detenerse mucho tiempo en esos lugares era peligroso; pues según todas las apariencias, los paloras se habían retirado sólo la víspera, y pudiera que, volviendo alguno de ellos por cualquier evento, los sorprendiera, llamara a sus compañeros, y asesinaran al padre, a Carlos y a todos los profanadores de la cabaña de la muerte.

Eran fundados los temores, y el misionero, si no por él, por Carlos, y sus fieles andoanos, dispuso la vuelta a la Reducción, llevándose los preciosos despojos del tesoro que acababa de hallar y perder a un tiempo.

Los záparos que subían por agua llegaron a poco. En una de sus canoas pusieron, envuelto en una sábana de *llanchama*, el cadáver de Cumandá. En la misma, se embarcaron el misionero y Carlos; Pona y los demás indios en las otras y en las balsas, y se dejaron arrebatar por la corriente.

Durante la navegación, que fue apenas obra de veinticuatro horas, a no ser por el incesante sollozar de la anciana y la maniobra de los bogas que dirigían canoas y balsas, se habría creído que iban cargadas de sólo muertos; tal era el tristísimo silencio de fray Domingo y de Carlos, que no se atrevían a interrumpir los compañeros de viaje. Jamás se había visto igual muestra de pesar que la que ambos llevaban estampada en sus cadavéricos semblantes, y hasta en sus cuerpos medio desfallecidos junto al cuerpo de la amada joven.

La fúnebre comitiva fue recibida en Andoas con llanto y ayes lastimeros. Unas cuantas tiernas doncellas se apoderaron del cadáver, le llevaron en hombros al templo y le pusieron en un altar, improvisado con frescas ramas y yerbas olorosas. Allí, recostada la que fue delicia de las tribus del desierto, semejaba el genio de las flores sorprendido por el sueño y custodiado por el pudor y la inocencia.

El padre Domingo celebró el sacrificio incruento, y en él ofreció a Dios el terrible dolor con que había querido probarle y depurar su alma hasta de las más leves reliquias de las culpas de otro tiempo. Cuando sus trémulas manos elevaban la Hostia sagrada, que temblaba en ellas como una cándida azucena movida por el aura, Carlos, pegó la frente al suelo y exclamó:

—¡Dios mío, Dios mío: ten piedad de mí, llévame de este mundo, y ponme junto a mi hermana!

Después de la misa y demás ceremonias fúnebres, las mismas doncellas condujeron el cadáver a la hoya abierta al pie de una gran palmera, cerca del punto en que la tierna heroína se entregó al mensajero de los paloras y le dijo con voz firme y resuelta:

—¡Desatraca y boga!

Durante la triste procesión, hombres y mujeres repetían gimiendo:

—¡Bendita sea el alma, y alabados el nombre y la memoria de la dulce virgen de las selvas, que se entregó a la muerte por nosotros!

El misionero echó los primeros puñados de tierra sobre los despojos de su hija, que unos minutos después desaparecieron para siempre. Una joven plantó cuatro pies de amancayes en la tierra removida, para que la aurora depositase en los cálices de sus virginales flores, las lágrimas que consagraría a la candorosa y pura doncella cristiana.

Carlos contemplaba todas estas ceremonias arrimado a un árbol en actitud tristísima. Parecía hallarse animado sólo por la agitación de dolor y el calor de los recuerdos de su infeliz pasión, pero que su alma se hallaba ya fuera del mundo. Su virtuoso padre trató, para consolarle, de sobreponerse a su propio pesar.

—Bendigamos la divina mano que todo lo ha dirigido en el triste drama de nuestra vida, le decía, y resignémonos, hijo mío. Si el curso de los providenciales sucesos no hubiera impedido tu enlace con Cumandá, habrías sido el esposo de tu propia hermana; la bendición sacramental, cayendo sobre un horrible incesto, en vez de felicidad doméstica, te habría acarreado calamidades sin cuento. Para evitar estos males, Dios ha querido quitarnos a Julia y llevársela para sí, adornada de su pureza virginal y su candor de ángel. Y ¿de qué otro modo, si no con la muerte, pudo apagarse el volcán de la pasión que ardía en vuestras almas? ¡El amor! ¡yo también he sabido lo que es el amor! ¡Ah, hijo de mi alma, si pudieses ver las ruinas de que está sembrado el interior de mi pecho!... Pero sabe que las más veces el amor es de tal naturaleza que, bien para curarle, bien para sustraerle de la ponzoña del mundo, bien para darle consistencia eterna, no nos queda otro remedio que sacudirnos el polvo de la vida material y subir al cielo. ¡Oh, Carlos, hijo mío! con harta justicia se ha dicho que casi siempre lo que juzgamos una gran desgracia, es más bien un gran beneficio; por eso decía aquel verdadero y santo filósofo llamado Job, cuyos pensamientos tantas veces te han deleitado: «Señor, si te bendecimos por los bienes que recibimos de tus manos, ¿por qué no hemos de bendecirte, asimismo, por los males que nos envías?»

Carlos contestaba solamente con expresión de profunda melancolía:

—¿Piensas, padre mío, que nuestro amor era una pasión terrena y carnal? ¡Ah, no has podido conocerlo! Era un amor desinteresado y purísimo; era, sin que lo advirtiésemos, el amor fraternal elevado a su mayor perfección. Hermanos, habríamos sido tan unidos y felices como amantes o esposos: Cumandá y el blanco, avenidos a la sencilla existencia de las selvas, habrían sido siempre tus hijos, siempre Julia y Carlos, tiernas reliquias de tu adorada Carmen, de tus castos amores de otro tiempo, de las santas delicias del hogar robadas por el furor de los indios sublevados... ¡Ah, padre mío, no pretendas consolarme donde no hay consuelo para mí! Si te fuera posible abreviar mis días en la tierra, ése sí fuera consuelo y grande beneficio; mas nuestra vida no nos pertenece, y es menester que dejes haga el dolor, aunque sea lentamente, lo que no es dado hacer a tus manos; ¡déjame, déjame morir de dolor!

. . . .
. . . .
. . . .

Pocos meses después, Carlos dormía el sueño de la eterna paz junto a su adorada Cumandá. Pona le había precedido.

El mismo día del fallecimiento de Carlos, el padre Domingo, obedeciendo una orden de su prelado, dejaba Andoas, y se volvía a su convento de Quito, a continuar su vida de dolor y penitencia.

Los záparos no olvidaron muchos años la historia de su santo misionero y de sus amables y desgraciados hijos, sobre cuya tumba depositaban hermosas flores, suspendiéndolas del tronco de la añosa palmera que la señalaba, y dirigían al cielo sencillas y fervientes oraciones.